Marion Gräfin Dönhoff
Amerikanische Wechselbäder

Marion Gräfin Dönhoff

Amerikanische Wechselbäder

Beobachtungen und Kommentare
aus vier Jahrzehnten

Deutsche Verlags-Anstalt

CIP-Kurztitelaufnahme der Deutschen Bibliothek

Dönhoff, Marion Gräfin:
Amerikanische Wechselbäder: Beobachtungen u.
Kommentare aus 4 Jahrzehnten / Marion Gräfin Dönhoff.
– 2. Aufl. – Stuttgart: Deutsche Verlags-Anstalt, 1984.
ISBN 3-421-06165-3

2. Auflage
© 1983 Deutsche Verlags-Anstalt GmbH, Stuttgart
Alle Rechte vorbehalten
Satz: Typobauer Filmsatz GmbH, Scharnhausen
Druck und Bindearbeit: May + Co., Darmstadt
Printed in Germany

Die siebziger Jahre

Die achtziger Jahre

Vorwort

Hat unser Verhältnis zu Amerika sich grundlegend verändert? Haben wir uns auseinandergelebt, oder waren wir nie so einig, wie wir heute manchmal meinen? Und wenn sich die Beziehungen geändert haben sollten – wann eigentlich ist dies geschehen? Wenn man die in diesem Buch enthaltenen Artikel liest, die von der Zeit des ausgehenden Besatzungsregimes Anfang der fünfziger Jahre bis Mitte 1983 in Kommentaren, Analysen und Reportagen über und aus Amerika berichten, dann wird der allmähliche Wandel der Beziehungen ziemlich deutlich.

Nach dem Zusammenbruch und den langen Jahren moralischer Pervertierung, Intoleranz und geistiger Öde war die moderne, frei diskutierende, offene Gesellschaft der Vereinigten Staaten mit ihrem Optimismus und ihrem Vertrauen in die Zukunft für diejenigen von uns, die damals die Gelegenheit hatten, Amerika näher kennenzulernen, geradezu eine Offenbarung. Im Jahre 1955 bin ich acht Wochen lang kreuz und quer durch das Land gereist, was damals noch eine Seltenheit war. Diese Reportagen (Seite 41-82) zeigen, wie sehr jemand, der aus dem Nachkriegsdeutschland kam, über das staunte, was er in Amerika sah. Heute staunt man darüber, wie sehr sich unsere Welt jener angeglichen hat. Amerikanisierung oder Schicksal der Industriegesellschaft?

Studenten, Wissenschaftler, Politiker, die in jenen Jahren Amerika kennenlernten, kehrten mit dem Eindruck zurück, diese Gesellschaft sei das Modell der modernen Gesellschaft schlechthin. Die meisten waren sehr bereit, diesem Vorbild in gewissen Grenzen nachzueifern. Die Amerikaner ihrerseits gewöhnten sich mit der Zeit daran, die gelehrige Bundesrepublik als eine Art Klein-Amerika anzusehen: leistungsorientiert, wirtschaftlich potent, präzis, zuverlässig. Und auch die Bürger dieses Landes, denen sie lange Zeit noch mit Argwohn und

Mißtrauen begegneten, wurden schließlich akzeptiert, ja, ihnen wurde in gewisser Weise eine privilegierte Stellung unter den Europäern eingeräumt. Beide Seiten hatten wohl, ohne sich darüber wirklich Rechenschaft zu geben, das Gefühl, dies werde immer so weitergehen. Als sich dann aber herausstellte, daß dies nicht der Fall war, auch gar nicht sein konnte, waren sie betroffen, ratlos und ärgerlich.

Warum ist es nicht immer so weitergegangen? Erstens, weil eine ganz neue Generation herangewachsen ist. Sie kennt die Erfahrungen der Älteren von den Care-Paketen über den Marshall-Plan und die Luftbrücke bis zu den vielen Solidaritätsbeweisen, welche die Erhaltung der Freiheit Berlins ermöglichten, nicht mehr aus eigenem Erleben. Zweitens, weil, vor allem in den Augen der Jungen, Vietnam auf das bis dahin ungetrübte Image der Amerikaner Schatten geworfen hat. Die Verbrechen in My Lay, wo willkürlich Rache an Zivilisten, Frauen und Kindern geübt wurde, hätte niemand den Amerikanern zugetraut.

Plötzlich wurde deutlich, daß das so bewunderte Einstehen für Menschenrechte und moralische Werte auch Schaden anzurichten vermag: Was geht die Amerikaner der Bürgerkrieg zwischen Nord- und Südvietnam an, der durch den Eingriff von außen für das vietnamesische Volk so viel grausamer und verlustreicher geworden ist?, so fragten sich viele und dachten: Wieso regen die Amerikaner sich auf, wenn die Russen, der kommunistischen Lehre getreu, in Asien oder Afrika Splittergruppen, die sie als Befreiungsbewegungen bezeichnen, unterstützen? Ist nicht beides genau das gleiche? Jede Supermacht unterstützt doch offensichtlich ihre Gesinnungsgenossen, denen sie zuvor das Etikett »freiheitsdurstig« verliehen hat.

Solche Argumentation reizt die Amerikaner bis aufs Blut: »Wie könnt ihr uns auf die gleiche Stufe mit einer Diktatur stellen, die ihre Bürger verhaftet, in Lager sperrt oder in psychiatrische Kliniken, wenn sie es wagen, eine eigene Meinung zu haben?«, lautet die ärgerliche Frage. In der Tat, es würde einem nicht einfallen, sie auf eine Stufe zu stellen, aber ein Fehler ist ein Fehler – egal, wer ihn begeht. Die Amerikaner selbst tun dies ja ohne jede Scheu.

Ich habe im Jahre 1968 an einer Konferenz in Princeton teilgenommen (Seite 129), bei der für mich zum erstenmal die Zweifel der Amerikaner an sich selbst in allen Variationen deutlich wurden.

Zerronnen schien aller Optimismus: die unreflektierte, scheinbar selbstverständliche Überzeugung, daß die Geschichte auf ein gutes Ende hin angelegt und die Höherentwicklung der Menschheit eine automatische Folge des richtigen Erziehungssystems sei.

Nicht einmal der Zweite Weltkrieg hat die Amerikaner so verwirrt, sie so ratlos gemacht wie Vietnam: Wie sind wir da überhaupt hineingeraten? Wozu führen wir diesen Krieg? Liegt Vietnam denn vor der Küste Kaliforniens? Wofür sterben unsere Leute dort?... Das waren die Fragen, die immer wieder gestellt wurden. Sehr heftig waren auf jener Konferenz auch die Angriffe der jungen Generation gegenüber den »naiven Alten«, die immer noch glauben, daß in ihrer berühmten Demokratie die Regierung den Volkswillen repräsentiere, und die meinen, der Preis steuere den Markt; dabei seien es doch die großen Gesellschaften, die riesige Militär- und Weltraumaufträge vom Staat bekommen.

Und drei Jahre später, bei einer Konferenz in Aspen, Colorado, (Seite 141) wird die Skepsis gegenüber der Entwicklung der *postindustrial society* – der nachindustriellen Gesellschaft – noch massiver. Es kam dort zu einem allgemeinen Konsensus darüber, daß die technische Entwicklung so rasant und »wildwüchsig«, wie sie sich nun einmal entfaltet hat, der Kontrolle des Menschen entglitten ist; daß sich eine tiefe Kluft zwischen der Befriedigung der Bedürfnisse des einzelnen und denen der Gesellschaft aufgetan hat. Steht, so wurde gefragt, das Wachstum der Wirtschaft – Sinn und Ziel der Leistungsgesellschaft – über allem anderen, oder müßte man und unter welchen Umständen ein Sinken der Wachstumsraten in Kauf nehmen, damit die sterilisierende Wirkung jener Denk- und Lebensweise nicht zur totalen Entfremdung des Menschen führt? Sind wir Herren unseres Schicksals geworden oder Sklaven der technischen Welt, die wir geschaffen haben?

Mir ist erst beim neuerlichen Lesen jener Artikel deutlich geworden, daß die Amerikaner auch in der Kritik am System und an der Industriegesellschaft bis in die Terminologie hinein die Schrittmacher waren und daß die Kulturpessimisten und Systemkritiker bei uns, die stets Amerika anklagend vor Augen haben, einen Teil ihrer kritischen Erkenntnisse und Einsichten, ohne es zu bemerken, von eben diesem Amerika übernommen haben.

Gewiß hat es in Europa und in Asien – auch in Amerika – einzelne

Stimmen gegeben, die schon sehr viel früher warnende Kritik haben laut werden lassen. Aber große Konferenzen mit Nobelpreisträgern und Koryphäen der Wissenschaft, die sich selbst und das von ihnen geschaffene Werk in Zweifel ziehen und deren Gedanken dann über die Medien in das Bewußtsein der Öffentlichkeit eingehen, haben zuerst in Amerika stattgefunden.

Kaum war der Vietnam-Krieg, in den immerhin weit mehr als eine halbe Million US-Soldaten verwickelt waren und der die eigene Nation in zwei Teile zu zerreißen drohte, endlich zu Ende, brach die Watergate-Affäre über die Amerikaner herein, in der sich der Präsident, dem doch die höchste Ehre gebührt und erwiesen wird, als vulgärer Schurke entpuppte.

Diese Demütigung war einfach zuviel für ein stolzes Volk. Ohne es vielleicht selbst ganz zu realisieren, drängte das verletzte Selbstbewußtsein instinktiv auf Rehabilitierung: weg von allem, was bisher war, weg von dem erfahrenen, liberalen Establishment der Ostküste – hin zu dem unverdorbenen, konservativen Amerikanertum des Südens und Westens. Man wollte keine »Überflieger« mehr, sondern gediegenes Mittelmaß, und genau dieses Ideal haben sie dann mit den beiden letzten Präsidenten ins Weiße Haus gewählt.

Dies wiederum hat zu dem dritten und entscheidenden Grund einer gewissen Entfremdung geführt, und zwar diesmal nicht nur bei uns, sondern wohl bei allen Europäern. Alle stellten nun fest, daß Jimmy Carter kein Konzept hat, keine Kompetenz besitzt, keinen Sinn für Kontinuität und auch nicht für Konsultation der Bündnispartner. Seither trauen die Europäer dem Urteil Washingtons nicht mehr, und darum haben sie sich inzwischen enger zusammengeschlossen und wurden unabhängiger in ihrer Politik. Das zeigte sich 1980 beim EG-Gipfel in Venedig, wo die Europäer das Selbstbestimmungsrecht für die Palästinenser forderten, was nicht im Einklang mit den Interessen der Amerikaner stand, die ganz auf den *Camp-David*-Plan konzentriert waren. Später kam dies dann noch viel stärker bei dem Streit um die Wirtschaftssanktionen gegen den Osten zum Ausdruck, die die Europäer nicht bereit waren mitzumachen.

Bei der Lektüre der vorliegenden Artikelsammlung wird ganz deutlich, daß die Wende in den Beziehungen zu Amerika mit dem politischen Wirken Präsident Carters eingetreten ist. Bis zu jenem Zeitpunkt findet sich für alle Störungen, die im Verhältnis zu Amerika auftreten, immer eine beschwichtigende Begründung, meist auch beschwörende Ermahnung, die Solidarität mit Amerika und die Freundschaft zu den Amerikanern nicht leichtfertig zu gefährden. Mit Jimmy Carter, dem Präsidenten aus Georgia, der Europa nicht kennt, bricht diese Tradition ab.

Im März 1977, bald nach Jimmy Carters Amtsantritt, endet ein Bericht aus Amerika (Seite 221), der die Art und Weise, wie der neue Präsident die Détente kaputtmacht und durch unüberlegte Politik die Dissidenten in der Sowjetunion gefährdet, mit dem Satz: »Man kann nur hoffen, daß die ersten Aktionen der neuen US-Regierung den Trompetenstoß darstellen, mit dem der Präsident die Nation um sich sammelt, daß aber danach wieder die Normalität beginnt. Sollte sich jedoch herausstellen, daß dies ein Dauerzustand wird, dann muß Washington sich klar darüber werden, daß die Europäer diese Politik nicht mitmachen werden.«

Oft wird in Deutschland die Frage gestellt: Gibt es denn in diesem riesigen Land wirklich keine großen Persönlichkeiten mehr? Dazu kann man nur sagen: Natürlich gibt es sie – von den Alten sind ja viele noch da, und wahrscheinlich sind auch eine ganze Anzahl Junger nachgewachsen. Aber für unsere europäischen Begriffe ist weder das Parteiensystem noch das Wahlverfahren dazu angetan, die Besten an die Spitze des Staates zu bringen.

Die Parteien, die bei uns den Auswahlprozeß steuern, indem sie ihren Nachwuchs genau beobachten, lange Zeit fördern und den Betreffenden auf verschiedenen Posten Gelegenheit geben, sich zu bewähren, bis sie schließlich »ministrabel« sind, würden nie zulassen, daß ein Unbekannter – wie Carter es war – plötzlich an die Spitze gelangt. In Amerika aber spielen die Parteien eine sehr beschränkte Rolle. Sie treten im allgemeinen nur bei den Wahlen in Aktion, während der ganzen übrigen Zeit sind sie praktisch nicht existent. Auch geben die Mitglieder der beiden Häuser des Kongresses ihr Votum sehr häufig nicht entsprechend ihrer Parteizugehörigkeit ab: Es gibt kaum je eine Abstimmung, bei der alle Republikaner republikanisch und alle Demokraten demokratisch stimmen.

Der Präsident, der praktisch vom Volk gewählt wird und der, wenn er nicht gerade Senator war, nie zuvor die Washingtoner Bühne betreten hat, muß in über 30 *primaries* für sich Reklame machen – er ist also weitgehend auf Fernsehen und Agitation angewiesen. Gouverneure wie Carter oder Reagan, die als Chefs ihrer Staaten (Georgia und Kalifornien), ehe sie nach Washington kamen, nie etwas mit Außen- oder Sicherheitspolitik zu tun hatten, sind daher in diesen beiden wichtigen Bereichen gänzlich unerfahren.

Mit dem Fehlen zentraler Parteimaschinen hängt auch der große Aufwand an Propaganda zusammen, der amerikanischen Wahlveranstaltungen in unseren Augen zuweilen den Charakter des Showgeschäfts verleiht. Aber in einem Lande, dessen Bevölkerung aus allen Himmelsrichtungen zusammengeströmt ist und sich aus ganz unterschiedlichen Kulturen, Religionen und Rassen zusammensetzt – wo also die Gesellschaft kein homogenes Geschichtsbild haben kann –, muß die Werbetrommel in besonderer Weise gerührt werden, ist es leichter, an Emotionen zu appellieren, als sich auf Vernunft und gemeinsame Erfahrungen zu berufen.

Man darf ja nicht vergessen, daß Amerika seit hundert Jahren ungezählten Unterdrückten und Gepeinigten Zuflucht geboten hat. Viele, die von daheim um ihres Glaubens willen oder weil sie zu verfolgten Minderheiten gehörten, vertrieben wurden, haben dort Freiheit und vielleicht auch ihr Glück gefunden – von den Iren, Polen und Deutschen im vorigen Jahrhundert bis zu den Vietnamesen und Hispanics in unseren Tagen. Auf dem Seelengrund solcher Menschen aber wachsen Toleranz und Liberalität nur selten, da gedeiht schon sehr viel eher die Disposition zu Selbstgerechtigkeit und Kreuzzugsverlangen.

Schon die ersten Bewohner waren ja aus der Alten Welt ausgezogen, um eine ganz neue – heute würde man sagen: alternative – Lebensform zu praktizieren. Die Leiden und Entbehrungen, die sie zu ertragen, die Gefahren, die sie zu bestehen hatten, ließen sie daran glauben, daß diejenigen, die dies alles überstanden hatten, Auserwählte seien – eine Vorstellung, die durch den calvinistischen Glauben vieler Einwanderer noch begünstigt wurde. Von Anbeginn an war darum das Geschichtsbewußtsein der Amerikaner durch ein Element des Messianischen charakterisiert. Thomas Paine, dessen Schriften viel dazu beigetragen haben, die Unabhängigkeit der amerikanischen Kolonie von England voranzutreiben, schrieb im Hochgefühl dieses Auserwähltseins: »Es steht in unserer Macht, die Welt noch einmal von neuem zu beginnen.«

12

Und Präsident Woodrow Wilson, der die amerikanischen Kriegs-ziele während des Ersten Weltkriegs in jenen idealistischen 14 Punkten zusammengefaßt hat, die er im Januar 1918 verkündete, war der Meinung, seine Nation sei mit dem »unendlichen Privileg betraut, ihr Schicksal zu erfüllen, nämlich die Welt zu retten«. Präsident Reagan hat sehr ähnliche Vorstellungen. Im November vorigen Jahres sagte er, er sei immer der Überzeugung gewesen, »daß dieses mit heiligem Öl gesalbte Land *(anointed)* dank eines göttlichen Plans von zwei Ozea-nen umgeben ist, damit Menschen, die eine besondere Liebe zu Frei-heit und Glauben haben, es aus allen Himmelsrichtungen erreichen können«.

Die Überzeugung, mit einer besonderen Mission betraut, zu Außer-gewöhnlichem erkoren zu sein, hat in der Außenpolitik Amerikas immer wieder zu ideologisch bestimmten Phasen geführt. Gerade jetzt unter Ronald Reagan erleben wir dies von neuem. Nach einer bestimm-ten Zeit und entsprechenden Übertreibung wird dann sicher wieder pragmatischen Gesichtspunkten Raum gegeben werden – aber auf diese Weise entsteht jene nie endende Folge amerikanischer Wechselbä-der, die für die Europäer etwas Erschreckendes haben: der Wechsel, der vom *containment* unter Truman zum Kalten Krieg geführt hat, wie Dulles ihn predigte, der dann wiederum von einer Phase der Détente in Nixons und Kissingers Zeiten abgelöst wurde, um nun unter Reagan wieder in eine neue Aufbruchsstimmung zu münden, die das Böse in der Welt zu besiegen trachtet und dem Guten zum Durchbruch verhel-fen will.

Dieser ständige Wechsel von Pragmatismus und Ideologie in Ame-rika entspricht dem Gesetz, nach dem das Land angetreten ist. Bis 1980 wurde an jedem 22. Februar im Repräsentantenhaus die Abschiedsrede des ersten Präsidenten George Washington laut verle-sen. Darin heißt einer der entscheidenden Ratschläge an seine Lands-leute: »*As little political connection as possible with foreign nations*« – so wenig politische Beziehung mit fremden Nationen wie nur möglich. Also: politische Nichteinmischung.

Ungeachtet dieses Rates, der in der Doktrin des Präsidenten Mon-roe 1823 seine außenpolitische Formulierung fand und zur Richtlinie wurde, sind die Vereinigten Staaten seither in drei große Kriege verwik-kelt worden; aber die Grundstimmung – Nichteinmischung, Neutralität – mußte jedesmal erst durch ein Ereignis überwunden werden, das die Gefühle gewaltig aufpeitschte: der Untergang der *Maine* 1898 am Vorabend des spanischen Krieges, die Versenkung der *Lusitania*, die entscheidend zum Eintritt Amerikas in den Ersten Weltkrieg beitrug, und *Pearl Harbor*, das Fanal für Amerikas Teilnahme am Zweiten Weltkrieg.

Moralische Einmischung ist neben der Richtlinie »politische Nichteinmischung« die zweite Grundeinstellung der Amerikaner. Es ist diese Antithese, die das Wechselbad erzeugt: mal überwiegt die eine Stimmung, mal die andere. Henry Kissinger, der wohl bedeutendste US-Außenminister dieses Jahrhunderts, hatte die Außenpolitik der Vereinigten Staaten entemotionalisiert und entideologisiert. Er versuchte, eine neue globale Ordnung, die an den Interessen der Supermächte, nicht an ihren Gegensätzen orientiert ist, zu schaffen (Seite 217). Er wollte die Sowjets in ein »Netzwerk« von Sanktionen einerseits und Vorteilen handels- sowie sicherheitspolitischer Art andererseits so einspinnen, daß sie sich hüten würden, es zu zerreißen. »Wir sind Partner und Gegner zugleich« (Seite 175), so hat er das Verhältnis der Supermächte zueinander charakterisiert. Die Reaktion auf diese Phase des Pragmatismus lautete bei vielen charakteristischerweise: »Wir haben genug von einer Politik, die ohne moralische Dimension ist und die nur auf machtpolitischen Überlegungen beruht.«

Die moralische Einmischung hat sich – der eigenen Genesis getreu – stets in antikolonialistischen Gefühlen kundgetan. Immer haben die Vereinigten Staaten an allen revolutionären Bewegungen starken Anteil genommen. Mit großem Beifall wurde der Freiheitskampf der Griechen im vorigen Jahrhundert begleitet sowie die Nationalitätenkämpfe auf dem Balkan, und in unseren Tagen legt der Einsatz für die Freiheit Berlins beredtes Zeugnis für diese moralische Anteilnahme ab.

Entsprechend der Stetigkeit des Wechselbades wiederholen sich die Themen, die das amerikanisch-europäische Verhältnis betreffen. Gleich der erste Artikel vom Februar 1951 schildert die Entrüstung der Amerikaner über die Europäer, denen so entscheidende Hilfe gewährt wurde und die sich nun mit dem Krieg gegen die Kommunisten in Korea nicht solidarisch erklären wollen.

Damals richtete der Zorn sich vorwiegend gegen England, dessen Außenpolitik wie stets pragmatisch war, während sich die der Amerikaner Anfang der fünfziger Jahre gerade auf dem Höhepunkt ideologischer Ausrichtung befand. Das ständige Vordringen des sowjetischen Kommunismus nach Westen – die kommunistischen Umtriebe in Griechenland, der Umsturz in Prag, die allmähliche Einbeziehung ganz Osteuropas in das kommunistische Imperium – hatten die öffentliche Meinung in den Vereinigten Staaten in Empörung versetzt; und zwar so sehr, daß schließlich 1953 Senator McCarthy, der Vorsitzende eines Senatsausschusses, der kommunistischen Umtrieben im eigenen Land nachspüren sollte, sich über eine von ihm erzeugte Kollektivpanik eine Machtposition aufbauen konnte, wie sie kaum je ein Präsident in Amerika gehabt hat. So sehr hatte er die Amerikaner in Angst und Schrecken versetzt, daß sie sogar öffentliche Bücherverbrennungen duldeten (Seite 37).

Der Zorn richtete sich noch nicht gegen die Bundesrepublik, denn sie war Anfang 1950 noch ein Land eingeschränkter Souveränität, also nicht selbst verantwortlich und daher nicht wie England unter Anklage. Wir waren damals wehrlos und standen noch immer unter dem Schock des Zweiten Weltkrieges, darum setzten wir alle Hoffnungen darauf, daß die Amerikaner bereit sein würden, uns zu verteidigen. Wir bangten um diese Zusage und waren unglücklich, daß die Amerikaner zunächst nur vier Divisionen zusätzlich nach Deutschland schickten und nicht mehr.

Ebenfalls schon in den fünfziger Jahren begann die Diskussion, die in all den Jahren und Jahrzehnten nie abgerissen ist und die sich heute zur Ekstase steigert, die Diskussion über das Thema Rüstung. Sie hatte mit der Diskussion über die Wiederaufrüstung der Bundesrepublik begonnen und wurde dann über die Jahre mit der Forderung nach immer höheren Beiträgen der europäischen Bündnispartner fortgesetzt. Der Einzug Kennedys ins Weiße Haus (Seite 94 ff.) brachte erste Modifizierungen. Auch Kennedy trat für eine Politik der Stärke ein, aber er setzte sich gleichzeitig mit großer Energie für Abrüstung ein und zwei Jahre später, in seiner *Peace Strategy*-Rede (Seite 108), vor allem für Verhandlungen. Sein Berater Jerome B. Wiesner erklärte schon vor mehr als zwanzig Jahren, 1961: Je länger der Rüstungswettlauf dauere, desto größer sei die Wahrscheinlichkeit, daß an seinem Ende die Vernichtung der Menschheit stehe. Wiesner war der Meinung, daß sich das Wettrüsten überhaupt nicht auszahlt: »Wir haben erlebt, wie auf jede unserer Erfindungen die sowjetische entsprechende Gegenerfindung erfolgte. Der einzig sichtbare Erfolg war, daß beide Nationen immer vernichtendere Waffen hergestellt haben, gegen die es keine Verteidigung gibt.«

Seit nunmehr drei Jahrzehnten konkurrieren die beiden Supermächte miteinander in einer sich immer höher windenden Rüstungsspirale. Als Wiesner die Sinn- und Nutzlosigkeit dieses Beginnens feststellte, betrug der Aufwand der beiden Militärbündnisse für Rüstung, umgerechnet auf den heutigen Wert, etwa 164 Milliarden Dollar. Heute gibt die NATO 287 Milliarden, der Warschauer Pakt 211 Milliarden, beide zusammen 500 Milliarden Dollar aus (IISS, London). Die Rüstungsausgaben sind also um das Dreifache gestiegen, ohne daß eine der beiden Seiten mehr Sicherheit gewonnen hätte – im Gegenteil, die Sorgen und Ängste sind wahrscheinlich proportional gewachsen (Seite 296).

Damals, vor 25 Jahren, träumte Amerika von *roll back* und die Sowjetunion vom »Überholen«. Beide haben mittlerweile eingesehen, daß diese Ziele unerreichbar sind, aber beide haben sich inzwischen besinnungslos ineinander verhakelt – die Russen hypnotisiert durch ihren Einkreisungskomplex, die Amerikaner verführt durch die Vision, den anderen »schwachrüsten« zu können. Der Zweikampf ist Selbstzweck geworden; er hat sich verselbständigt. Es gibt keine autonome Politik mehr, es ist vielmehr die Entwicklung der Waffentechnik, die die Außenpolitik diktiert.

Was da vor unseren Augen abläuft, hat eine phantastische Komponente: Beide Supermächte stecken alle Energien, alle Intelligenz und Forschungsarbeit sowie finanzielle Mittel, die sie selbst und die Dritte Welt dringend für lebenswichtigere Zwecke brauchen würden, in die Rüstung – dabei will keiner von beiden Krieg, im Gegenteil, beide haben eine panische Angst, der andere könnte ihn vom Zaun brechen (Seite 284). Keiner von beiden gibt nach, weil jeder befürchtet, der andere könnte dies als Schwäche auslegen. Es ist, als nehme man an der Aufführung eines absurden Theaterstückes teil, in das auch die Experten als Akteure verstrickt sind, weil sie nur mehr innerhalb der Räson des Militärischen zu denken vermögen. Der Sinn für Politik und Diplomatie scheint allen abhanden gekommen zu sein.

Kehren wir noch einmal zum Anfang zurück. Es hat sich gezeigt, daß es eine Reihe von Gründen dafür gibt, daß das deutsch-amerikanische Verhältnis sich verändert hat. Was im übrigen auch ganz unvermeidbar war, denn es begann ja mit einem Ausnahmezustand: Wir waren militärisch wehrlos, wirtschaftlich schwach, psychologisch verunsichert und dankbar für jede Unterstützung. Normalisierung und wirtschaftlicher Aufschwung aber haben den Wunsch nach größerer Eigenständigkeit wachsen lassen, was begreiflicherweise bei den Amerikanern Enttäuschung hervorgerufen hat. Ungeachtet dieser objektiven Veränderung wird man vermutlich zu der alten Vertrauensbasis zurückkehren, sobald in Washington wieder eine neue Administration ans Ruder gelangt, die mehr von Europa weiß als die jetzige.

Aber es bleibt die Frage: Warum gibt es über jene Schwierigkeiten hinaus Differenzen hinsichtlich der operativen Politik, wo wir doch dem gemeinsamen westlichen *way of life* in jeder Beziehung voll verhaftet sind? Antwort: Obgleich wir das kommunistische Regime nicht weniger mißbilligen als die Amerikaner, stammen die Differenzen aus der unterschiedlichen Auffassung über das Verhältnis zur Sowjetunion.

Deutschland liegt in der Mitte Europas, an der Nahtstelle zur östlichen Welt. Es hat mehr Nachbarn als irgendein anderes Land und mithin mehr potentielle Feinde als irgendein anderes. Seine geopolitische Lage ist daher grundsätzlich anders als die des Kontinents Amerika. Ferner: Deutschland ist ein geteiltes Land und muß bei seinen außenpolitischen Entscheidungen stets das Schicksal der anderen Hälfte der Nation, die sich unter kommunistischer Herrschaft befindet, mitbedenken. Schließlich: Die europäische Geschichte reicht mehr als 2000 Jahre zurück – das Geschichtsbewußtsein der Amerikaner braucht nur ein wenig mehr als 200 Jahre zu bewältigen. Die Verschiedenartigkeit dieser geographischen und historischen Fakten bestimmt letztes Endes den Unterschied der Weltanschauung beider Völker.

Für die Vereinigten Staaten ist die Sowjetunion in dem unversöhnlichen Kampf um Macht und Ideologie ein globaler Gegner – ein Gegner, der, wo immer er auftritt, eine Herausforderung darstellt in einem Kampf, der keine Neutralität duldet. Dulles postulierte: »Wer nicht für mich ist, ist wider mich.« Und Reagan sieht die Welt auch wieder unter dem Raster des Freund-Feind-Verhältnisses.

Für die Bundesrepublik – eine Regionalmacht – ist das russische Imperium ein unbequemer Nachbar von Sorgen bereitender Dimension, mit dem man sich aus pragmatischen Gründen arrangieren muß

– schließlich gehört Rußland seit Jahrhunderten zum politischen System Europas. Wir haben neben kriegerischen Zeiten lange Phasen freundschaftlicher Koexistenz gemeinsam durchlebt. Zweifellos liegt in dieser historischen Perspektive ein wichtiger Grund für die Verschiedenheit der amerikanischen und der deutschen Sicht.

Im Gesichtsfeld der Amerikaner ist Rußland eigentlich erst als Sowjetunion, das heißt als kommunistische Macht, aufgetaucht (Seite 293); vor dem Ersten Weltkrieg hatten die beiden Mächte sehr wenig Berührungspunkte. Wir dagegen haben, besonders im achtzehnten und neunzehnten Jahrhundert, ständig sehr vielseitige Beziehungen mit dem russischen Nachbarn gehabt. Von Peter dem Großen bis zur Revolution 1917 waren stets Deutsche als Gelehrte, als Kaufleute und hohe Staatsbeamte in Rußland tätig. Der Rheinländer Graf Nesselrode bekleidete nach dem Wiener Kongreß vier Jahrzehnte lang die höchsten Staatsstellungen in Petersburg – er war erst Berater, dann Außenminister, dann Vizekanzler, zuletzt zehn Jahre lang Reichskanzler. Auch gab es zwischen dem Zarenhof und den deutschen Fürstenhöfen in fast jeder Generation verwandtschaftliche Verbindungen; schließlich sollte nicht vergessen werden, daß Katharina die Große eine Deutsche war. Kein Wunder, daß das Wort Rußland bei Amerikanern und Deutschen ganz verschiedene Assoziationen hervorruft.

Dunkle Schatten liegen vor uns. Nicht, daß man sich einen Krieg in Europa vorstellen müßte, aber auf wachsende Ängste und Aggressionen muß man gefaßt sein, auf Polarisation und bittere Feindschaft, auch auf weitere Verschwendung von Kapital und Ressourcen. Dabei könnte heute ein im positiven Sinne historischer Moment sein, weil im Grunde beide Supermächte sich neue Belastungen ihrer Wirtschaft nicht leisten können, weil die Sehnsucht ihrer Völker – aller Völker – nach Frieden sturmartig gewachsen ist, weil zudem jedem der beiden entscheidenden Männer in Washington und Moskau nur mehr wenige Jahre bleiben, um etwas Vernünftiges zu vollbringen.

Die Wand, die das Dunkel von einer helleren Zukunft trennt, ist ganz dünn: Nach jeder Seite ist es nur ein Schritt – noch weiß niemand, wohin die Supermächte sich wenden werden.

Hamburg, Juli 1983

Marion Dönhoff

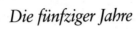

Die fünfziger Jahre

Die Europäer sollen aufrüsten

Eisenhowers Entschluß, Westeuropa zu verteidigen

Mitte Januar, als ich in New York ankam, hatte der amerikanische Unwille über Europa gerade einen Höchststand erreicht. Typisch, daß die Karikaturisten den arglosen *Uncle Sam* zeichneten, der fassungslos zusieht, wie sein vermeindlicher europäischer Freund mit den Dollars um die Ecke läuft und ihn, den guten amerikanischen Onkel, allein stehenläßt. Das allgemeine Gefühl: Wir haben diese Europäer wieder auf die Beine gestellt, unsere Steuerzahler haben dafür immer neue Opfer bringen müssen, jetzt aber, da wir in Korea kämpfen, haben sie uns im Stich gelassen, so daß wir allein die Last des Kampfes zu tragen haben. Und nicht genug damit: Diese Europäer sind nicht einmal bereit, solidarisch mit uns den Angreifer zu brandmarken ...

Natürlich richtete sich der amerikanische Groll vorwiegend gegen England, das nicht nur Rotchina vor einem Jahr anerkannt, sondern seither eine eigene – englische – politische Haltung gegenüber dem Fernen Osten eingenommen hat. Und war nicht Ministerpräsident Attlee gewissermaßen als *appeaser* herbeigeeilt? Die Amerikaner stellten fest, daß den Engländern aus egoistischen Gründen die Einheit des *Commonwealth* wichtiger sei als das allgemeine Anliegen einer Einheit der nichtkommunistischen Welt. Zugleich wurde gerade über dem China-Problem eine vielleicht grundsätzliche Verschiedenheit der beiden angelsächsischen Völker in der Behandlung außenpolitischer Fragen deutlich: auf der einen Seite die Neigung der Amerikaner, Politik unter moralischen Prämissen und gewissermaßen als pädagogische Manifestation zu treiben, auf der anderen Seite die englische Praxis des Improvisierens und Balancierens, eine typisch englische

Haltung, für die es jenes »Nicht sein kann, was nicht sein darf« gar nicht gibt; es kann vielmehr alles sein, man muß nur irgendeinen Kompromiß finden ...

Gewiß wurden die sachlichen und gefühlsmäßigen Argumente vorwiegend im Hinblick auf England formuliert. Dennoch brachten sie eine allgemeine antieuropäische Reaktion zum Ausdruck. Und so hatte der europäische Beobachter ausgiebig Gelegenheit, den amerikanischen Isolationismus zu studieren.

Dieser Isolationismus ist ein sehr vielschichtiges Phänomen, das im Endresultat zwar auf einen späten Nationalismus herauskommt, aber aus sehr verschiedenen Wurzeln Kraft zieht. Ähnlich der deutschen unwilligen Reaktion auf die Aufrüstungspläne stammt jenes »Ohne uns!«, das die amerikanischen Isolationisten ausrufen, aus einer Mischung von Idealismus und Ressentiment, aus praktischen Nützlichkeitserwägungen und einer bestimmten geistigen Haltung. Irgendwo steckt im Isolationismus aber auch eine tiefe Sehnsucht nach dem ursprünglichen *American way of life*: nach der politischen Tradition der föderalen Staaten und nach den Idealen der alten agrarischen Republik, in der, wie es Jefferson vorschwebte, die *urban mobocracy*, die ›städtische Mob-Herrschaft‹ die Harmonie des Lebens nicht stören dürfe. Jene Träumer, die dem Isolationismus gewiß nicht das Gewicht, aber den oft unbewußten geistigen Inhalt geben, sehen, wie heute das alte amerikanische Lebensgefühl verlorengeht durch die immer weiter getriebene Technisierung, durch die Zentralisierung der Staatsgewalt, die sich – weg von der Föderation – zu einer ungeteilten planenden Souveränität hin entwickelt, und durch den Sieg der Massendemokratie über die ursprünglich puritanische Konzeption einer ländlich individuell orientierten ganz persönlichen Freiheit. Sie fürchten, daß dieser ganze Prozeß noch beschleunigt werde, wenn Amerika seine Position als neu entstehende moderne Variante des römischen Imperiums bejaht und ausbaut.

Aber es gibt noch andere Isolationisten, die den ganz unkomplizierten, materiell bestimmten Gesichtspunkt haben: »Was gehen uns die Sorgen der anderen an.« Sehr typisch ist, daß dieser egozentrische Isolationismus sich einzig und allein im sogenannten *Middle West* halten kann; denn der Europa zugewandte Osten Amerikas weiß, daß es in der modernen Welt keine Isolierung mehr geben kann. An der

Westküste des Kontinents ist man angesichts der Ereignisse in Asien einer Intervention mindestens in jenem Raum durchaus nicht abgeneigt. Bleibt, wie gesagt, der mittelwestlerische Isolationismus, dessen eigentlich politischer und – wenn man davon überhaupt sprechen kann – geistiger Rückhalt eine Zeitung darstellt: die in Chikago erscheinende *Chicago Tribune*, die einen kaum vorstellbaren Einfluß auf die Meinungsbildung der Mittelstaaten ausübt. Ein altmodischer, selbstsicherer Nationalismus hat sich dort mit einem unbarmherzigen und engen Kapitalismus verbündet und eine Art »amerikanisch-nationaler« Atmosphäre geschaffen, die gewisse Ähnlichkeit mit der einstigen »deutschnationalen« Sphäre hat.

Mit diesen Erz-Isolationisten hatte ich ein langes Gespräch. Da kam zunächst die Meinung zum Ausdruck, daß die Intervention Amerikas in Westeuropa – also der Marshall-Plan und der Atlantikpakt – die Europäer nur dazu verführt hätte, sich auf Amerika zu verlassen, anstatt sich zur Selbsthilfe zusammenzuschließen und sich allein zu verteidigen, wozu sie durchaus in der Lage seien. Im Laufe des Gesprächs wurde dann immer deutlicher, was diese radikalen Isolationisten wirklich glauben – sie glauben, Amerika habe genügend politische und ökonomische Kraft, um notfalls auch ganz allein zu überdauern; eine Überzeugung, die ihnen jede Form einer brutalen Preisgabe aller Bindungen und Ideale rechtfertigt. Schließlich sagten sie dies: Und wenn schon Sowjetrußland wirklich die westeuropäischen Industriezentren erobern und damit ein entscheidendes Übergewicht gewinnen sollte, nun, dann wäre es immer noch billiger, diese Kraftzentren mit Hilfe der amerikanischen Luftwaffe zu zerstören, als heute eine kostspielige Aufrüstung durchzuführen und gefährliche Engagements einzugehen . . .

Inzwischen ist allerdings die Stimmung umgeschlagen. Eisenhower kehrte von seiner Europareise zurück. Und der Entschluß, Westeuropa zu verteidigen und aufzurüsten, ist mindestens seit Eisenhowers Rückkehr eine sichere Sache, an der auch die *Chicago-Tribune*-Isolationisten nichts mehr ändern können. Ihre propagandistische Tätigkeit wird sich wohl auf innerpolitische Aspekte beschränken müssen; die Zeitung wird im Kampf gegen das Steuerprogramm, die Rekrutierung und anderes gewiß nicht ohne Einfluß sein.

Aber es ist nicht nur Eisenhowers Bericht, der einen deutlich spürbaren Stimmungsumschwung brachte – auch der Stand der Dinge in Korea und die wiedergewonnene Majorität in der UNO gegen die chinesische Aggression, schließlich auch eine gewisse moralische Befriedigung, die daraus erwachsen ist, all dies hat dazu beigetragen, die Wellen der Erregung zu beschwichtigen und die Amerikaner mit etwas mehr Optimismus in die Zukunft sehen zu lassen. Gewiß ist die Kritik an einer Politik des »nirgendwo stark sein, doch überall bankrott«, wie John Foster Dulles es kürzlich nannte, durchaus wach. Aber es scheint, daß Kritik im wesentlichen um die Frage kreist, wie man der Verantwortung, die Amerika in der Welt zugefallen ist, am besten und sichersten gerecht werden kann und nicht, ob man die Verantwortung überhaupt tragen soll.

Selbst Taft, der sicherlich der gewichtigste Kritiker eines allzu großzügigen Engagements, vor allem in Europa, ist, hat keinen Zweifel darüber gelassen, daß ein Angriff Sowjetrußlands auf Europa Krieg mit Amerika bedeutet. (Was bei Hoover übrigens im unklaren blieb. Seine Anschauung von Westeuropa als eines »Gibraltar der westlichen Zivilisation« wird aber auch von niemandem wirklich ernst genommen.) Auch Taft also ist durchaus zum Äußersten bereit, aber er ist gegen die Verschiffung und den Einsatz größerer Kontingente der Landarmee, es sei denn, man sei sicher, den Krieg zu gewinnen! Er will lieber den Ausbau der Luft- und Marinestreitkräfte vorantreiben und im großen Stil Luftstützpunkte im atlantischen, pazifischen und Mittelmeerraum errichten. Gewiß wird die Debatte über den Umfang der zu entsendenden Truppenverstärkungen noch einige Schwierigkeiten bereiten, aber es besteht kaum ein Zweifel daran, daß, was notwendig geschehen muß, geschehen wird.

Der Entschluß Amerikas, sein gewaltiges wirtschaftliches und politisches Potential für die Erhaltung der in der Welt übriggebliebenen freien Völker einzusetzen, ist gefaßt. Ein beachtlicher Entschluß, wenn man bedenkt, welch einschneidende Maßnahmen er für den Alltag jedes einzelnen in Amerika bringt. Wieder Steuererhöhungen, Konsumverzicht, Knappheit gewisser Produkte, Verzicht auf eine normale Ausbildung des Nachwuchses, Einschränkungen, Sorgen und vielleicht sogar wieder Einsatz amerikanischer Soldaten auf europäischen Schlachtfeldern! Kann es da wundernehmen, daß der amerikanische Bürger mißmutig wird, wenn die Europäer, denen diese Verteidigung als ersten zugute kommt, ihren eigenen Lebensstandard für das Wichtigste halten und nur zögernd bereit sind, den gleichen Beitrag für ihre eigene Sicherheit zu leisten, der von den Amerikanern so stürmisch gefordert wird?

Europa, das auf eine lange Tradition und Erfahrung zurückblickt und so gern von seiner politischen Führungsschicht spricht, kann sich sehr wohl ein Beispiel nehmen an dem Verantwortungsgefühl von Männern wie Senator Paul Douglas, der kürzlich im Senat sagte: »Wir haben die Weltherrschaft nicht gesucht. Sie ist uns aufgezwungen worden ... Es wäre für uns viel bequemer, es wäre nicht so gekommen. Aber es kam so. Wir können uns ihr nicht entziehen!«

Vier US-Divisionen
kommen nach Deutschland

Die Waffenbrüder des Zweiten Weltkriegs sind
endgültig zu Gegnern geworden

Hamburg, im April 1951

Die Marschbefehle für die vier amerikanischen Divisionen, deren Entsendung nach Westdeutschland soeben vom Senat gebilligt worden ist, sind bereits ausgefertigt. Mit der Verschiffung der 100 000 Mann wird also in den nächsten Tagen begonnen. Zu ihnen kommen noch etwa 30 000 Angehörige der See- und Luftstreitkräfte, so daß dann zusammen mit den amerikanischen Streitkräften, die sich bereits heute in Europa befinden, insgesamt etwa 230 000 amerikanische Soldaten in Westeuropa stationiert sein werden.

Die große Frage ist nun, wie steht es mit weiterem Nachschub? Seit Mitte Januar haben im Senat langwierige Debatten über die Frage der Entsendung weiterer Truppen stattgefunden, deren Ergebnis jetzt in einer reichlich verworrenen Resolution zusammengefaßt worden ist. Die entscheidende Stelle lautet: »Der Senat billigt hiermit die gegenwärtigen Pläne des Präsidenten und des gemeinsamen Stabes der US-Streitkräfte, vier weitere Heeres-Divisionen nach Westeuropa zu entsenden. Es ist jedoch die Auffassung des Senats, daß zusätzlich zu diesen vier Divisionen keine weiteren Landstreitkräfte in Durchführung des Artikels 3 des Nordatlantikpaktes ohne weitere Zustimmung des Kongresses nach Westeuropa entsandt werden sollten.«

In Europa, wo man allenthalben geneigt ist, die eigenen Anstrengungen von dem militärischen Beitrag der USA abhängig zu machen, hat dieser Beschluß große Bestürzung hervorgerufen. War es schon überraschend, daß Marshall nur vier Divisionen für Westeuropa gefordert hatte, so scheint die neue Formel: »Keine weiteren Truppen ohne Zustimmung des widerspenstigen Kongresses« die westeuropäische Verteidigung geradezu in Frage zu stellen.

Wie steht es damit? Wenn man die Debatten sorgfältig verfolgt, so zeigt sich, daß die Mehrzahl der Senatoren durchaus für die Einhaltung der Verpflichtungen aus dem Atlantikpakt ist und auch für den Schutz Formosas, also für den Kampf gegen die Ausbreitung des Kommunismus in Europa und Asien mit allen Konsequenzen, die aus dieser Einstellung erwachsen. Es zeigt sich ferner, daß die Debatte eigentlich während der ganzen sieben Wochen im Zeichen der Autorität Eisenhowers stand – wer immer seinen Worten besonderen Nachdruck verleihen wollte, berief sich auf den General. Es sind also offensichtlich in erster Linie nicht so sehr Divergenzen hinsichtlich der außenpolitischen und strategischen Maßnahmen, die den Senat so heftig reagieren und sein Einspruchsrecht so eifersüchtig betonen ließen. Der Grund hierfür war vielmehr ein innenpolitischer oder, wenn man so will, ein verfassungsrechtlicher.

Laut Verfassung ist nämlich der Präsident der Vereinigten Staaten der Oberste Befehlshaber der bewaffneten Streitkräfte; der Kongreß aber hat – um die Vollmachten des Präsidenten nicht ins Unkontrollierbare wachsen zu lassen – das Recht, über Krieg und Frieden zu entscheiden, was nach seiner Meinung auch das Mitspracherecht bei der Entsendung von Truppen im Nichtkriegsfalle einschließt. Die Möglichkeit eines Zwischenzustandes zwischen Krieg und Frieden – den Kalten Krieg – haben die Väter der amerikanischen Verfassung seinerzeit nicht bedacht. Hinzu kommt, daß der amerikanische Senat, der auf Grund der Verfassung ganz spezielle außenpolitische Vollmachten hat (nicht nur die Ernennung der Diplomaten muß mit seiner Zustimmung erfolgen, sondern auch der Abschluß und die Durchführung von Verträgen), die Kompetenz Trumans, Truppen in Erfüllung des Atlantikpaktes zu entsenden, ehe Feindseligkeiten ausgebrochen sind, angefochten hat.

Vielleicht hätte er dies nicht mit so zäher Verbissenheit getan, wenn Truman nicht von vornherein in aufreizender Art gesagt hätte, daß er »aus reiner Höflichkeit« dem Kongreß ein Mitspracherecht gewähre. Die Regierung stand offenbar auf dem Standpunkt, der Kongreß sei dazu da, Soldaten aufzustellen und Steuern zu erheben, sie aber könne beide so verwenden, wie es ihr jeweils richtig erscheine. Hier liegt der Urgrund des Konfliktes, bei der Frage nämlich, darf die Exekutive unabhängig von der gewählten Repräsentanz des Volkes die großen

Probleme des Landes entscheiden, oder, wie ein Amerikaner schrieb, darf der Kongreß zum Gummistempel der Administration degradiert werden, der einfach unter die fertigen Beschlüsse der Regierung gesetzt wird?

Um dieser Entwicklung zu steuern, ist Mitte Januar jene Resolution eingebracht worden, die soeben angenommen wurde und derzufolge ohne Billigung des Kongresses keine weiteren Truppen nach Westeuropa entsandt werden sollten. Wohlgemerkt, dies ist eine Resolution, die die Meinung des Senats ausdrückt und kein Gesetz. Es ist, wie der Korrespondent der *Neuen Zürcher Zeitung* in Washington schrieb, »eine reine Verbalmanifestation ohne jede Rechtskraft« und »sie kommt im Grunde einem Mißtrauensvotum gegen die Regierung gleich«. – Es ist also durchaus so, daß die Formulierung »keine weiteren Truppen für Europa ohne Zustimmung des Kongresses« nicht unbedingt bedeutet, daß dies das Ende jeden Nachschubs ist.

Gewiß besteht keine unbedingte Gewähr dafür, daß der Kongreß im Laufe des Jahres die Entsendung neuer Divisionen beschließt. Theoretisch gibt es überhaupt keine Gewähr für die Stetigkeit der amerikanischen Politik. Wenn man aber die praktischen Erfahrungen der letzten vier Jahre überdenkt, zeigt sich, daß die oft unberechenbare, innen- und außenpolitische Gesichtspunkte bunt durcheinandermischende amerikanische Politik eine erstaunliche Stoßkraft bewiesen hat. Und dies, obgleich es zunächst fast zwei Jahre dauerte, bis der amerikanische Bürger aus seiner Vorstellung der Waffenbrüderschaft mit dem russischen Volk zu der neuen Wirklichkeit erwacht war.

Schließlich hatte 1945 das vom Krieg verwüstete Rußland so viel Kredit beim amerikanischen Volk, daß, wenn die Sowjets nicht eine so törichte Politik getrieben hätten, Sowjetrußland alle Mittel, die später in den Marshall-Plan wanderten, für seinen eigenen Wiederaufbau hätte haben können. Wendell Willkie sagte damals, daß es leichter sei, die Welt zusammen mit der fortschrittlichen Sowjetunion wiederaufzubauen als mit dem traditionsgebundenen, stets rückwärts schauenden Großbritannien des Mr. Churchill. Und Hopkins, der engste Mitarbeiter Roosevelts, schrieb in seinen von Sherwood herausgegebenen Aufzeichnungen über die Beziehungen der USA zu Sowjetrußland: »Wir wissen, daß wir und Rußland die beiden mächtigsten Nationen der Welt sind ... Wir glauben, daß es zwischen uns keine größeren außenpolitischen Differenzen geben wird. Wir finden, daß es sehr einfach ist, mit den Russen als Individuen umzugehen. Ohne Zweifel lieben die Russen das amerikanische Volk. Sie trauen den Vereinigten Staaten mehr als irgendeiner anderen Macht der Welt.«

Diese Vorstellungen, die sich in der vierjährigen Waffengemeinschaft gegen einen gemeinsamen Gegner gebildet hatten, wurden zwar sehr bald erschüttert, aber erst nach der sowjetischen Machtergreifung in der Tschechoslowakei schlug die öffentliche Meinung in Amerika endgültig um. Zielbewußt und konsequent ist dann in wenigen Jahren im Kampf gegen die Ausbreitung des Kommunismus der wirtschaftliche und militärische Wiederaufbau Westeuropas in Angriff genommen worden. Aus Griechenland wurden die kommunistischen Banden verjagt. Die gesamte westeuropäische Wirtschaft, die, wie man sich heute kaum mehr erinnert, vor dem kompletten Zusammenbruch stand, wurde mit Hilfe des Marshall-Planes wiederaufgebaut. In den vier Jahren seines Bestehens sind 11 Milliarden Dollar (46 Milliarden DM) in den Wiederaufbau Westeuropas investiert worden, so daß die seinerzeit kaum erreichbar erscheinenden Planziele schon 1951 und nicht erst 1952 erreicht wurden. Und der gleiche Kongreß, dessen Bereitschaft, weitere Truppenkontingente für Europa zu bewilligen, heute so fragwürdig erscheint, hat immerhin in den zwei Jahren, seit der Atlantikpakt besteht, 5,5 Milliarden Dollar (23 Milliarden DM) als Waffenhilfe für die europäischen Länder bewilligt.

Die Regierung in Moskau hat es nicht nötig, ihre Volksvertretung um die Bewilligung von Krediten oder Truppenkontingenten zu ersuchen, sie kommandiert im geheimen und spricht laut nur vom Frieden. In Washington ist das wesentlich schwieriger. Wir aber täten gut daran, uns unser Urteil auf Grund der vorliegenden Tatsachen und nicht der Reden zu bilden. Auch in Amerika werden zuweilen Reden gehalten, die nur für *home comsuption*, für das heimische Auditorium, bestimmt sind – so beispielsweise, wenn Eisenhower die idealen Rückzugsbedingungen in der Bretagne preist, um damit die Sorgen der amerikanischen Väter und Mütter zu beschwichtigen.

Sturzwelle des Antiamerikanismus
in Rußland

Moskau versucht, einen Keil zwischen
Amerika und Europa zu treiben

Hamburg, im Oktober 1952

Als 1930 die erste Volksausgabe von »Mein Kampf« herauskam, hätte jedermann sich unschwer über die Tendenzen und Ziele der Hitlerschen Politik orientieren können, die der angehende Diktator dort freimütig niedergelegt hatte. Aber die Menschen stellen sich nun einmal einen Diktator geheimnisvoller und ränkereicher vor. So ist es auch mit Stalin. Man vergißt, daß ein Volksführer die Massen inspirieren muß, daß er kein Geheimpolitiker ist, der A sagt, wenn er im Grunde B meint. Stalin hat in seinem umfangreichen Aufsatz, der im *Bolschewik* veröffentlicht wurde, sehr deutlich die neue Linie der sowjetischen Außenpolitik festgelegt.

Die neue Lehre basiert getreu der klassischen Theorie von Marx auf ökonomischen Überlegungen. Marx hatte behauptet, das Vorhandensein eines akapitalistischen Raumes sei Voraussetzung für die Existenz des kapitalistischen Systems, weil dieses nur von der Ausbeutung unterentwickelter Gebiete leben könne. Stalin sagt heute, es sei wohl möglich, daß die östliche kommunistische und die westliche liberale Welt nebeneinander existierten, aber innerhalb des westlichen Wirtschaftssystems sei es zwangsläufig, daß die kapitalistischen Staaten übereinander herfielen, weil sie ohne die Weite der östlichen Absatzräume sich gegenseitig im Konkurrenzkampf umbringen würden. Geboren ist diese Lehre aus der Erkenntnis, daß die durch Marshall-Plan, NATO, Montanunion und andere Organisationen immer mehr zusammenwachsende westliche Welt allmählich zu einem wirklichen Machtfaktor wird und daher aufgespalten werden muß.

Lange Zeit haben zwei verschiedene Richtungen im Politbüro miteinander gestritten. Die eine predigte: abwarten, Viererverhandlungen, Zeit gewinnen – sie ist jetzt überspielt worden von der anderen Richtung, die ihre aggressive Propaganda allein auf Amerika konzentriert, um in den europäischen Ländern die Illusion zu nähren, für sie gäbe es eine Verständigungsmöglichkeit mit der Sowjetunion, wenn sie sich aus der Solidarität mit Amerika lösten. Darum heißt die praktische Nutzanwendung der neuen Lehre: Unter allen Umständen muß zwischen die europäischen Länder und die USA ein Keil getrieben werden. Und der Antiamerikanismus, der sich als Reaktion auf den Niedergang der alten europäischen Großmächte in deren Reihen immer stärker ausbreitet, scheint alle Gewähr für einen Erfolg der neuen Politik zu bieten. Darum nimmt Moskau jede Möglichkeit, Hader zu entfachen, ebenso wahr wie die Sehnsucht nach Neutralität und das Ressentiment der »Erniedrigten und Beleidigten«. Immer wieder wird den europäischen Völkern klargemacht, welch unübersehbares Risiko darin liegt, sich mit den Amerikanern in ein Boot zu begeben, dessen Kurs unter der Kreuzzugsflagge des Sternenbanners ganz unberechenbar sei.

»Schlagartig«, wie es in solchen Systemen zu gehen pflegt, setzte vor einiger Zeit in Rußland die totale Propaganda gegen Amerika ein – andere Widersacher, insbesondere Deutschland und Japan, gerieten dabei ganz in den Hintergrund. Natürlich haben solche Propaganda-Sturzwellen nicht nur einen außenpolitischen Zweck, sondern dienen gleichzeitig der Mobilisierung der inneren Kräfte, denn solche Systeme sind nun einmal wie Kinderdrachen, die nur bei Wind steigen. Als ich 1940 in Rußland war, zu einer Zeit, da es keinen ausgesprochenen außenpolitischen Gegner gab, richtete sich alle Propaganda gegen die eigene historische Vergangenheit. In jedem Museum gab es damals einen Raum, in welchem oft in Wachsfiguren die Verwerflichkeit des zaristischen Systems dargestellt war, und auf der Bühne wurden die Generale, Großgrundbesitzer und Popen des alten Regimes in immer neuen imperialistisch-kapitalistischen Verrenkungen gezeigt. Wer jedoch heute aus Moskau kommt, berichtet staunend über die kaum vorstellbare Intensität und Absurdität der *antiamerikanischen* Propaganda: kein Roman, keine Novelle, kein Stück, in das nicht mindestens ein Kapitel hineingezwängt wird, das die abgründige Verworfenheit der Amerikaner veranschaulicht. In jedem Museum und bei jeder Ausstellung wird in einem Extraraum statistisch, bildlich und gra-

phisch die Kriegslüsternheit der Amerikaner und ihre Sucht, friedlie-
bende Völker auszubeuten, veranschaulicht.

Der *Rote Stern*, die sowjetische Armeezeitung, schrieb dieser Tage:
Die Wallstreet-Magnaten mißbrauchten Westdeutschland nicht nur
zur Vorbeitung eines Krieges gegen das demokratische Friedenslager,
sondern sie veranlaßten auch die westdeutschen Industrie-Imperialisten
durch rücksichtslose Ausbeutung ihrer Arbeiter mit dem Export deutscher Waren Englands wirtschaftliche Position zu untergraben und in
die traditionellen Einflußsphären Großbritanniens und Frankreichs
einzudringen. Die Fürsorge für England ist wahrscheinlich Mr. Pollitt
zu danken, der in Moskau während des Sowjetkongresses versichert
hat, daß kein englischer Arbeiter je gegen die Sowjetunion kämpfen
werde. Thorez hat sich dieser Versicherung im Namen der französischen Kommunisten angeschlossen: »Millionen und Abermillionen
meiner Landsleute erklären feierlich, sie würden niemals . . .«

Von kommunistischen Funktionären kann Moskau mit Recht diese
Unterstützung erwarten, aber die vielfältigen, meist unabsichtlichen
Helfershelfer seiner Politik in Europa haben wahrscheinlich erheblich
zu der Entwicklung der neuen außenpolitischen Lehre beigetragen. So
war sicherlich die Kundgebung vom vergangenen Freitag in Köln, auf
der Heinemann sich gegen »das Kreuzzugsgehabe der Amerikaner«
wandte und zum »Widerstand gegen Aufrüstung in Ost und West«
aufrief, nach der epischen Breite der sowjetzonalen Berichterstattung
zu urteilen, Musik in Stalins Ohren. Auch in Norwegen sind die
Gegner des Atlantikpaktes innerhalb der regierenden Arbeiterpartei
trotz deren strenger Parteidisziplin enger zusammengerückt und haben
beschlossen, eine eigene Wochenschrift herauszugeben. Und Attlees
Erfolg bei seinem Ultimatum an Bevan ist gewiß nicht beruhigend,
wenn man sich erinnert, daß es vor zwei Jahren noch nicht einmal 30
»Rebellen« in der Labour Party gab, die sich gegen Aufrüstung und
atlantische Politik wandten, während sich diesmal 51 Abgeordnete für
Bevan erklärten und 52 sich der Stimme enthielten, also jedenfalls
nicht mehr hinter Attlee stehen. In Frankreich schließlich ist die antiamerikanische Stimmung im Parlament so stark, daß Pinay sich neulich veranlaßt sah, ihr Rechnung zu tragen und eine amerikanische
Note zurückzuweisen.

Jahrelang hat die Sowjetunion das Gesetz des Handelns in der Hand gehabt: Sie inszenierte Aufstände in Griechenland, und die USA erklärten die Truman-Doktrin. Sie sperrte die Berliner Zufahrtswege, und die anderen mußten eine Luftbrücke bauen. Sie startete den Krieg in Korea, und die Vereinten Nationen eilten auf das Schlachtfeld. – Immer taten die Sowjets den ersten Zug. Jetzt sind sie zum ersten Male fühlbar in die Defensive gedrängt, erscheint ihnen eine aggressive Politik bedenklich – der beste Beweis ist die neue Außenpolitik Stalins. Gerade jetzt kommt daher alles darauf an, zusammenzustehen und nicht die Strecke Wegs, die wir als Reiter über den Bodensee hinter uns gebracht haben, mutwillig preiszugeben – es könnte leicht sein, daß wir sonst wieder in die Phase der Luftbrücke zurückfallen.

Differenzen in der
außenpolitischen Perspektive

Washington moralisiert –
London ist pragmatisch

Hamburg, im Mai 1953

Welch überraschende Wandlung: nachdem Churchills »Locarno-Rede«, die zu einem west-östlichen Gespräch aufforderte, zunächst in Amerika eine Kettenreaktion von Unwillen und skeptischen Kommentaren auslöste, hat drei Tage später Präsident Eisenhower die Initiative ergriffen und die beiden anderen zu einer Konferenz der »Großen Drei« auf die Bermudas eingeladen. Kein Wunder, daß sofort Vermutungen aller Art laut wurden. Es sei ein abgekartetes Spiel zwischen Eisenhower und Attlee gewesen, so meinen manche Leute. Eisenhower sei sich klar darüber, daß er im Hinblick auf die öffentliche Meinung Amerikas den Vorschlag zu einer Viererkonferenz nicht habe machen können, und eben deshalb überlasse er es dem britischen Premier, diese Rakete abzuschießen. Andere hingegen meinen, der Präsident der Vereinigten Staaten habe mit so verblüffender Schnelligkeit reagiert, um die englische Außenpolitik rechtzeitig gleichzuschalten und die Engländer daran zu hindern, eigene Wege zu gehen. Man ist nämlich der Meinung, Churchill habe bereits in Moskau durch den Botschafter Gascoigne, der in letzter Zeit auffallend oft im Kreml war, vorgefühlt, und es sei denkbar gewesen, daß die Sowjets, rasch handelnd, von sich aus eine Ost-West-Konferenz vorgeschlagen hätten. Das wäre, so betont man mit Recht, eine unerwünschte Entwicklung, denn unter allen Umständen muß der Westen zunächst einmal wieder seine Einmütigkeit gewinnen und gemeinsame Verhandlungslinien festlegen. Was hoffentlich nach dem reichlich ernüchternden *Prawda*-Artikel und der sowjetischen Ablehnung, an der Österreich-Konferenz teilzunehmen, nicht mehr auf unüberwindliche Schwierigkeiten stoßen wird.

Daß die Sowjets einen Beweis ihres aktiven Friedenswillens liefern müssen, ehe man Ost-West-Gespräche beginnt, darüber sind sich alle westlichen Beteiligten klar, wenn auch vielleicht die Europäer mit weniger Entschlossenheit als die Amerikaner. Es bestehen in der Tat, ganz abgesehen von den geharnischten Reden hüben und drüben, die in der letzten Woche einer lang angestauten nervösen Gereiztheit Luft machten, sehr ausgesprochene grundsätzliche Verschiedenheiten.

Europa richtet sein ganzes Interesse auf seinen östlichen Nachbarn Rußland, während Amerika traditionellerweise nicht nur zurück nach Europa schaut, sondern getreu seinem geschichtlichen Weg vom Atlantik zum Pazifik »vorwärts« nach Westen. Nach Westen, das heißt nach Ostasien. Und damit erhebt sich für die Amerikaner die Frage, ob denn, selbst wenn sich herausstellen sollte, daß die Sowjets sich für die Friedenstaktik entschlossen haben, China ebenfalls einschwenken wird. Vorläufig ist das State Department offenbar der Meinung, daß der chinesisch-kommunistische Imperialismus weiter aggressiv bleiben wird, und darum macht man sich dort gewissermaßen doppelte Sorgen und ist entschlossen, doppelt vorsichtig zu sein. So hat denn auch der Sprecher des State Department, Lincoln White, in einer Pressekonferenz gesagt: »Ich hoffe, Sie sind sich alle im klaren darüber, daß sich die USA und, soweit wir wissen, auch Großbritannien und Frankreich hiermit (also mit der Bermuda-Konferenz) nicht zu einer Viermächtekonferenz verpflichten.« Während Churchill auf Attlees Bemerkung, er hoffe, es werde sich ein Ost-West-Treffen anschließen, andeutete, daß dies der Sinn der Bermuda-Konferenz sei.

Hier wird nun ein ganz wesentlicher Unterschied zwischen der englischen und der amerikanischen Außenpolitik deutlich, der mit ein Grund für die ständigen Mißverständnisse auf diesem Gebiet ist. Die englische Außenpolitik hat sich aus der Geheimdiplomatie des 18. und 19. Jahrhunderts entwickelt und hat eine so starke Tradition, daß selbst in der demokratischen Ära die Regierung, natürlich nicht gegen die öffentliche Meinung, aber verhältnismäßig unbehelligt von ihr, die Maßnahmen, die sie für richtig hält, ergreifen kann. In Amerika hingegen, wo die Geburtsstunde einer eigenständigen Außenpolitik in die voll entwickelte Demokratie fällt, spielt die öffentliche Meinung, und zwar eine sehr gefühlsmäßig bestimmte Meinung, eine riesige Rolle. Es scheint zum Beispiel für das State Department heute unmöglich zu sein, die Anerkennung Mao Tse Tungs und die Aufnahme Chinas in die UNO vor dem amerikanischen Volk zu vertreten. Eisenhower ist gewiß nicht weniger rational als die britischen Politiker, aber er kann es sich nicht leisten, gegen das Gefühl der erregten amerikanischen Bürger, deren Söhne in Korea kämpfen, China *politisch*, und das heißt in Amerika *moralisch*, anzuerkennen.

Das ist eine Tatsache, die man ärgerlich und lästig finden mag, der man aber Rechnung tragen muß. Selbst Churchill, dem diese Art kleinbürgerlicher Außenpolitik aus der Lesebuchperspektive unbegreiflich erscheinen muß, wird dafür Verständnis aufbringen und einen gemeinsamen Ausweg suchen müssen – denn gerade das Chinaproblem wird bei den Bermuda-Gesprächen eine sehr wesentliche Rolle spielen.

Europa hat sich in überraschender Einmütigkeit hinter Churchills Vorschlag einer persönlichen Aussprache auf höchster Ebene gestellt. Selbst Papst Pius XII. hat in einer Audienz für die in Rom akkreditierte Presse gesagt: »Im Augenblick können wir nur der Hoffnung Ausdruck geben – wenn man dies Wort wagen darf –, zwischen den Mächten einen offenen und loyalen Dialog Platz greifen zu sehen.« Und auch die nordischen Staaten, die vorige Woche in Oslo tagten, haben sich auf einen gemeinsamen Standpunkt geeinigt, der sich im ganzen mit dem Großbritanniens deckt.

Vielleicht war es gut, daß sich in der letzten Woche innerhalb des Westens so ungehemmt und gewissermaßen auf höchster Ebene der angespeicherte Ärger übereinander Luft gemacht hat. Denn inzwischen hat sich jeder der Beteiligten einigermaßen erschrocken an die eigene Brust geschlagen, und es ist zu hoffen, daß man sich darüber klargeworden ist, wie entscheidend wichtig eine durch nichts zu erschütternde gemeinsame amerikanisch-europäische Politik ist. Wobei der größere amerikanische Skeptizismus ein ganz heilsamer Dämpfer für den sich zum Teil überschlagenden britischen Optimismus sein mag: Von einer »Generation des Friedens«, einem »entscheidenden Wandel der Weltpolitik« zu sprechen, ist zweifellos verfrüht. Man sollte nicht vergessen, daß es ausschließlich der konsequenten amerikanischen Rüstungspolitik zu danken ist, wenn heute der Frieden vielleicht in den Bereich des Möglichen rückt. Wenn die Begeisterung über Ost-West-Gespräche die Bereitschaft, weiter zu rüsten, lähmen sollte, dann allerdings dürften auch die Aussichten auf einen Verhandlungserfolg sehr bald wieder zerrinnen.

Wie war denn der Verlauf der bisherigen Entwicklung? Von 1945 bis 1948 hatten die USA im Glauben, mit der Niederwerfung des Faschismus sei die Vorbedingung für den Weltfrieden geschaffen, eine fast totale Abrüstung vollzogen. Die 14 Millionen, die 1945 unter Waffen standen, waren 1948 bis auf 1,4 Millionen Mann demobilisiert, der Wehretat von 79 auf 10 Milliarden Dollar gesunken; Erfolg: Von 1945 bis 1948 haben die Sowjets unangefochten die Südoststaaten in Volksdemokratien verwandeln können, im Frühjahr 1948 begannen sie mit der Blockade Berlins und vollzogen den Umsturz in der Tschechoslowakei. Wenn damals nicht, unter Führung der USA, das Steuer herumgeworfen worden wäre: Aufrüstung, NATO und Luftbrücke, dann wäre der Vormarsch der Kommunisten weitergegangen, und die Optimisten würden heute kaum Gelegenheit haben, auf Freiheit und Frieden zu hoffen. Totalitären Staaten gegenüber wird eben die Außenpolitik immer eine Funktion der militärischen Stärke sein.

Bücher auf dem Scheiterhaufen

Nachfahren des Dr. Goebbels in Amerika

Hamburg, im Juli 1953

Wieder werden Bibliotheken gesäubert, Bücher aus den Regalen gerissen und verbrannt oder ihre Autoren, Verbrechern gleich, hinter Schloß und Riegel verbracht. 20 Jahre, nachdem Dr. Goebbels am 10. Mai 1933 im Beisein der Berliner Studentenschaft die »undeutsche, volksfremde, zersetzende Fäulnis-Literatur« den Flammen eines Scheiterhaufens übergab (Werke von Arnold und Stefan Zweig, Jakob Wassermann, Thomas Mann, Tucholsky waren dabei), werden heute in den 285 amerikanischen Bibliotheken, die es außerhalb der Vereinigten Staaten in der Welt gibt, entsprechend den Wünschen McCarthys, Bücher ausgemerzt: eingestampft, verbrannt, weggeschlossen ...

Alle Bibliotheken und Amerika-Häuser, die dem USIS, dem *United States Information Service*, angehören, haben während der letzten Monate Geheimanweisungen des State Department bekommen, ihre Bestände von kommunistischer Literatur zu säubern. Sechzehn Autoren sind, wie Goebbels gesagt haben würde, gebrandmarkt worden. Im übrigen heißt es recht vage, man möge alles »Material von umstrittenen Figuren, Kommunisten, *fellow travellers et cetera*« entfernen. Botschafter Conant hat zurücktelegrafiert: »*Please define ›et cetera‹ ...*«, bitte um Definition von *et cetera*! Diese Kritik ist ihm von seiten McCarthys übel angekreidet worden. »Sie haben keine gute Arbeit in Deutschland geleistet«, attestierte der Vorsitzende des Senats-Untersuchungsausschusses, McCarthy, der die Behörden auf kommunistische Umtriebe überprüft, dem Botschafter.

Jenes *et cetera* ist denn auch sehr verschiedenartig interpretiert worden. Mancherorts wurden alle jene Werke mit Acht und Bann belegt, die Kritik an der amerikanischen Ostasien-Politik übten. Ferner

37

fielen meist jene Autoren der Säuberung zum Opfer, die vor dem Untersuchungsausschuß des Kongresses die Aussage über etwaige frühere kommunistische Tätigkeit verweigert hatten. Darüber hinaus aber wurden in jedem Land willkürlich irgendwelche »Verdächtigen« ausgemerzt – jeder zog gewissermaßen seinen geistigen Erbfeind aus dem Bibliotheksverkehr. In Bombay hat der USIS die Werke des anti-kommunistischen Negerführers Walter White, Präsident der nationalen Vereinigung für die Weiterentwicklung der Farbigen, im Keller verschlossen. In Deutschland ereilte Sartre dasselbe Schicksal. Andernorts wurde die vorzügliche Stalin-Biographie von Isaac Deutscher weggeschlossen, aber auch einige Bücher der Nobelpreisträgerin Pearl S. Buck und die Detektivgeschichten von Dashiell Hammett. In Japan haben die Amerikaner die Werke von 24 Autoren und daneben mehrere hundert individuelle Bücher verbrannt. In Belgrad, wo seit langem alles, was nach Kominform aussieht, auch in den US-Bibliotheken ängstlich und mit Bedacht ausgemerzt wurde, entsprachen die Buchbestände durchaus den neuen Maßstäben. Dennoch wurde, bevor die beiden Inquisitoren McCarthys, Roy Cohn und Gerhard Shine, dort eintrafen, einige Bücher als *out of date*, als überholt also, heraussortiert. Es traf Upton Sinclairs »Dragons teeth«, mit dem er 1943 den Pulitzer-Preis bekommen hatte, und einige Werke des Schweden Gunnar Myrdal, Generalsekretär der ECE, der europäischen Wirtschaftskommission.

Damals, bei der Bücherverbrennung am 10. Mai 1933 in Berlin, hatte Goebbels emphatisch ausgerufen: »Das Alte liegt in den Flammen, es ist eine große, starke und symbolische Handlung, eine Handlung, die vor aller Welt dokumentieren soll: Hier sinkt die geistige Grundlage der November-Republik zu Boden. Aber aus diesen Trümmern wird sich siegreich erheben der Phönix eines neuen Geistes, eines Geistes, den wir tragen, den wir fördern und dem wir das entscheidende Gesicht geben und die entscheidenden Züge aufprägen.« Daß ein neuer Geist, der mit allen Traditionen bricht, sich schon oft als ein ebenso häßlicher wie lebensunfähiger Phönix zeigte, hat die Jünger des Dr. Goebbels nicht abschrecken können. Es ist kaum anzunehmen, daß McCarthy bessere Erfahrungen machen wird.

Allerdings sind ja glücklicherweise in Amerika neben McCarthy noch andere Kräfte am Werk. Präsident Eisenhower hat am 26. Juni in

Los Angeles vor den Eiferern gewarnt und darauf hingewiesen, daß die Freiheit weder durch Gesetz verfügt noch durch Zensur hervorgebracht werden kann. »Wer immer handelt, als könne man mit Unterdrückung, Argwohn und Furcht die Freiheit verteidigen, der bekennt sich zu einer Lehre, die Amerika fremd ist.« Und eine Woche zuvor hatte er im Dartmouth-College den Studenten warnend gesagt: »Ihr Anstandsgefühl sei Ihre einzige Zensur. Schließen Sie sich nicht denen an, die Bücher verbrennen. Glauben Sie ja nicht, daß Sie Fehler auslöschen könnten, indem Sie die Beweise, daß solche Fehler existieren, vernichten . . . Nur, wenn man den Kommunismus kennt, kann man ihn bekämpfen. Man muß es besser machen als er und nicht ihn verstecken . . . Wir wollen nicht versuchen, die Gedanken unserer Mitmenschen zu verbergen. Auch sie gehören zu Amerika. Und wenn sie Ideen haben, die unseren eigenen widersprechen, dann haben diese Leute trotzdem ein Recht, auf *ihre* Weise zu denken. Sie haben das Recht, ihre Ideen festzuhalten und sie auch an Plätzen auszusprechen, die anderen zugänglich sind.«

Das ist fürwahr eine mutige und einleuchtende Definition der geistigen Freiheit, die die meisten Menschen immer nur dann als gegeben ansehen, wenn ihre eigene Meinung sich durchsetzt, nötigenfalls durch Unterdrückung der Ansicht aller anderen. Zu allen Zeiten und in allen Regimen hat man versucht, mit mehr oder weniger unsanften Mitteln die Andersdenkenden zu unterdrücken. Jahrhundertelang hat die Inquisition Ketzer verfolgt, verurteilt, verbrannt . . . Charakteristisch für unsere Zeit ist nur die Tatsache, daß an die Stelle des Menschen oder mindestens neben ihn das Buch getreten ist.

In dem allgemeinen Säkularisierungsprozeß, in dem das Recht, das nach Auffassung der Antike ebenso wie die Religion dem Willen der Götter entstammte, zu einer Funktion der Staatsmacht geworden ist und alle geistigen und ethischen Werte von den Marxisten kurzerhand als »ideologischer Überbau« bezeichnet werden, verliert eben der Mensch seine besondere Stellung. Wenn nämlich der Mensch seine Unsterblichkeit einbüßt und angeblich sein Bewußtsein ausschließlich von seiner wirtschaftlichen und soziologischen Situation bestimmt wird, dann genügt es vollkommen, sich um die äußere Ordnung der Dinge zu kümmern und die Staatsbürger durch Schulung, Umschulung und Umschulung der Umschulung für den jeweils gewünschten

Zeitgeist zu präparieren. Wenn schließlich der Geist keine Realität mehr ist und es einen metaphysischen Bezug nicht mehr gibt, dann braucht man sich nur noch um die Pflege der jeweils geeigneten Ideologie zu bemühen ...

Genau dann aber wird das Buch wichtiger als der Mensch, weil nämlich, wie Dostojewskij voraussah, mit dem Glauben an Gott auch der Glaube an den Menschen verlorengehen muß und an seine Stelle der Glaube an das System tritt. Denn die Menschen, die nach dieser säkularisierten Auffassung zwar rationale, aber keine geistigen Wesen mehr sind, sondern ausschließlich von ihren Trieben und materiellen Erwägungen bestimmt werden, gleichen den Raubtieren, die von den jeweils an der Macht befindlichen Dompteuren abgerichtet werden, durch Ringe zu springen oder auch Andersgläubige zu verschlingen. Eben deshalb ist das Lehrsystem der Dompteure – nämlich die Wiederholung des jeweiligen Stichwortes – so wichtig. Darum verbrannte Goebbels die Zeugnisse alles dessen, was er als störend empfand; darum rauben die Sowjets Kinder, um ihnen in Spezialschulen den geeigneten »ideologischen Überbau« zu verpassen und sie dann als »Heilsbringer« wieder auf ihre Völker loszulassen. Und – darum verfolgt McCarthy neuerdings das kommunistische Schrifttum mit seinem heiligen Spießerzorn (30 000 kommunistische Bücher hätten seine Beauftragten in den US-Bibliotheken festgestellt).

Gewiß, viele Amerikaner, sicher die Mehrzahl, glauben auch heute an die Eisenhowersche Definition der Freiheit, aber alle miteinander sind offenbar machtlos gegen den McCarthyismus, jene Erfindung eines Senators, der selber keinerlei Kompetenzen hat, es aber verstand, durch Erzeugung einer Art Kollektivpanik sich eine beherrschende Machtstellung zu verschaffen.

Heiße Köpfe im Kalten Krieg

China-Lobby: »Nur wenn man den Krieg beschwört,
kann man den Frieden erhalten.«

Washington, im Mai 1955

»Genau so und nicht anders muß man mit diesen Burschen umgehen«,
sagte General Lucius Clay, bis 1949 Militärgouverneur in Deutschland,
heute Chef der *Continental Can Company* in New York. Er wirkt
imponierend und ein wenig beängstigend in seinem feierlichen Büro,
das in unnachahmlicher Weise französischen Chic mit amerikani-
schem *glamour* vereinigt.

»Ich wollte ja damals«, fuhr er fort, »als die Russen die Zufahrt nach
Berlin gesperrt hatten, mit einem Panzerzug und einer Kompanie
Soldaten einfach durch die russische Zone durchfahren, und ganz
gewiß wäre dies das richtige gewesen. Denn die Kommunisten verstehen nur die Sprache, in der sie selber reden. Darum hat Eisenhower
auch vollkommen recht, sich jetzt nicht durch die Chinesen einschüch-
tern zu lassen. Nur wenn man ihnen klarmacht, daß wir notfalls auch
den Krieg nicht scheuen, kann man verhindern, daß sie sich aufmachen, um wieder neue Gebiete zu erobern.«

Am Tag zuvor hatte das Repräsentantenhaus mit 409 gegen drei
Stimmen dem Präsidenten Vollmacht erteilt, die Streitkräfte für die
Verteidigung von Formosa und den Pescadores einzusetzen, wenn er
dies für notwendig halte. Höchst ungemütlich das Ganze, dachte ich;
und auch was Clay sagte, ist keine Beruhigung. Was sollte er anderes
sagen? Ein General ist eben ein General. Und Eisenhower? Zwei
Generale sind eben nicht anders als ein General.

»Ich hab' den Eisenhower nicht gewählt«, sagte der Taxi-Driver, der
mich durch New York fuhr, »ich wollte nämlich keinen General. Aber
das sag' ich Ihnen: das nächste Mal wähle ich ihn und keinen anderen.
Er weiß, was Krieg ist, und versucht, den Frieden zu erhalten. Er hat

den Krieg in Korea beendet, und wenn er jetzt den Chinesen droht, dann nur, um sie vom Krieg abzuhalten.«

Wahrscheinlich ist er ein Einzelgänger, dachte ich und begann ein neues Gespräch mit dem nächsten. Das war ein älterer Mann in einem gebresthaften alten Ford, der offensichtlich sein Eigentum war. »Mein Sohn dient seine zwei Jahre in Japan ab. Was glauben Sie, was wir für Sorgen haben! Wenn's losgehen sollte, dann gehört mein Junge doch zu den ersten, die eingesetzt werden.«

»Wieso sollte es denn losgehen? Dazu gehören doch zwei.«

»Ja, wenn die Chinesen Formosa angreifen, dann müssen wir eben zurückschlagen.«

»Warum muß man das? Was geht euch schließlich Formosa an, das ist doch sehr weit weg.«

»Weit weg? Gestern war es Indochina, heute Formosa, morgen wird es irgendein anderes Land da draußen sein, und am Ende kommen wir dann dran, wenn man nicht beizeiten was unternimmt.«

Diese Meinung entspricht in der Tat der allgemeinen Grundstimmung, die dann allerdings je nach den aktuellen Ereignissen an der Oberfläche variiert. Werden die Chinesen aktiv, dann wächst der allgemeine Unwille und Vergeltungsdrang. Werden sie aggressiv, dann spalten sich die Unwilligen in diejenigen, die ihre Entrüstung zu einer Art Kreuzzugsstimmung steigern, und die weniger Kühnen, die sagen: »Lieber kleine Aggressionen anderwärts als womöglich großen Krieg zu Haus!« und die darum für Nachgeben sind. Lenken aber die Chinesen ein, dann erwacht die Friedenssehnsucht übermächtig und verschafft sich Gehör. Nur *eine* Gruppe, die jedoch keineswegs gering an Zahl ist, wird dann besonders leidenschaftlich. Es sind Erzrepublikaner, militante Antikommunisten und die sogenannte *China lobby*. Sie sagen: »Waffenstillstand ist für die Kommunisten immer nur ein Trick, um eine ungünstige Phase zu beenden, aber keineswegs eine Maßnahme, um den Frieden einzuleiten.«

»Im Krieg ist China gar nicht so gefährlich wie in jener Zwischenphase zwischen Krieg und Frieden«, sagen sie. Und die Begründung lautet: China ist schwach. Gewiß, es hat riesige Armeen Fußvolks, aber keine Spezialwaffen, keine Transportmittel, keine Marine, keine nennenswerte Industrie; gewiß, es hat 600 Millionen Einwohner, aber nicht zu vergessen: halb verhungerte Einwohner.

Aus dieser Auffassung folgert eine weitere Grundthese dieser Gruppe. Nicht mit Hilfe der Waffen, sagen sie, sondern mit Hilfe von Verhandlungen (Korea), Konferenzen (Genf) und Drohungen (Tibet, Tachen-Inseln) habe China immer neue Teile Asiens erobert; ja, daß die Kommunisten China selbst überhaupt in Besitz nehmen konnten, sei ebenfalls nicht so sehr ihrer Waffengewalt als den politischen Verhandlungen zuzuschreiben.

In der Tat trifft die unglückliche China-Politik des State Department zweifellos ein gut Teil der Schuld an der heutigen Situation in Ostasien. Darum muß man sie sich noch einmal kurz vergegenwärtigen, um die Grundstimmung der Amerikaner verstehen zu können: 1945 schickte Truman General Marshall nach China mit der Aufgabe, einen Waffenstillstand zwischen Tschiang und den Kommunisten herbeizuführen und Tschiang zu veranlassen, mit den Kommunisten zusammen eine Koalitionsregierung zu bilden. Marshall hatte die Vollmacht, gegebenenfalls eine 500-Millionen-Dollar-Anleihe zu gewähren oder aber sie zu versagen. Unter diesem Druck erklärte Tschiang sich schließlich bereit, zu verhandeln, obgleich oder vielleicht weil die Kommunisten damals in einer sehr schwachen Position waren. Die Verhandlungen zogen sich über Monate hin. Tschiang erreichte nichts, aber die Kommunisten hatten die Zeit benutzt, um Atem zu schöpfen und sich zu reorganisieren.

Im Sommer 1946 wurde es Marshall schließlich klar, daß eine Koalitionsregierung eine Utopie sei, und so sperrte er jede weitere Hilfe an China. Material, das Tschiang aus den US-Heeresbeständen in Okinawa bereits gekauft hatte (Panzer und andere Waffen), wurde nicht ausgeliefert, sondern im Pazifik versenkt.

Angesichts dieser Erinnerungen ist es nicht weiter verwunderlich, daß soeben die ersten nationalchinesischen Piloten mit ihren Maschinen zu den Kommunisten übergegangen sind. Also die »Chinats« (Chinese nationales) zu den »Chicoms« (Chinese communists) übergelaufen sind, wie es im Jargon des Pentagon heißt. Genau darum – mit Rücksicht nämlich auf die Moral von Formosa – haben die Amerikaner es bisher nicht gewagt, Quemoy und Matsu preiszugeben. Denn die Moral der Nationalchinesen in Formosa und die Haltung der Amerikaner dieser Insel gegenüber ist entscheidend für das Vertrauen, das die freien Länder Asiens in den Westen setzen. Und daß sich immerhin ein gewisses Vertrauen gebildet hat, zeigte jüngst die Bandung-Konferenz, auf der die erwartete wilde antiwestliche Propaganda sich nicht durchsetzte.

Eisenhower hat nie einen Zweifel darüber gelassen, daß er Formosa und die Pescadores verteidigen wird, wenn sie angegriffen werden sollten, während er für die beiden Inseln Quemoy und Matsu, die – historisch gesehen – ein Teil des Festlands sind, eine solche Garantie nicht gegeben hat; andererseits will er diese Inseln, wie gesagt, auch nicht offen abschreiben.

Dulles hat bei einem Diner der Foreign Policy Association im New Yorker Waldorf Astoria dafür eine passende Formel geprägt, die auch heute noch gilt. Es war der Abend seiner Abreise nach Bangkok. Eingeführt wurde er von Henry Luce – dem einflußreichen Verleger von *Time, Life* und *Fortune*, verheiratet mit der Botschafterin Claire Luce. Luce, ein großer, gutaussehender Mann, betrat das Podium und sprach mit erhobener Stimme, so, als setzte er zu einem Schillerschen Monolog an.

In die Amtszeit von John Foster Dulles, begann er, falle ein Ereignis, von dem die Menschheit Jahrhunderte, vielleicht Jahrtausende geträumt habe. Was kann er nur meinen?, grübelte ich ... »Der bisher immer wieder gescheiterte Versuch«, fuhr er fort, »konnte nur gelingen, weil zwei Menschen in unerschütterlichem Glauben an den« – fast kommt mir vor, er habe gesagt – »*Endsieg* und im Vertrauen aufeinander alle Fährnisse und Unbilden unter letzter Kraftanstrengung durchgestanden haben ... Ich will natürlich nicht behaupten«, sagte Luce, »daß die Ersteigung des Himalaja etwas mit der Amtszeit Außenminister Dulles' zu tun habe, aber das Bild dieser beiden einsamen Freunde, Eisenhower und Dulles ...« Ich verlor den Faden, ich hörte nur noch Bruchstücke: »schwarze Nacht«, »eisige Höhen«, weil ich nicht anders konnte, als mir diese seltsame Bergpartie auszumalen.

Dann sprach Dulles. Unpathetisch, sachlich schilderte er mit ein paar Worten die außenpolitische Situation, er sprach mit der Sicherheit des gewiegten Juristen, der weiß, wie man seinen Fall präsentieren muß. Wie weggeblasen war der Eindruck, den man daheim in Europa oft hat: Dulles, der naive Amerikaner, der eifernde Missionar. Ganz deutlich wurde statt dessen, daß Dulles jahrelang ein ganz »ausgekochter« oder besser: renommierter Anwalt in einem der großen Anwalts-

44

büros gewesen ist, das auf ausländisches Recht und internationale Transaktionen spezialisiert ist. An diesem Abend prägte er die Formel: »Sollten die Chinesen einen Angriff auf Quemoy und Matsu starten als ersten Schritt auf dem Weg nach Formosa, so werden wir die beiden Inseln verteidigen. Erfolgt der Angriff *as such* (als Selbstzweck), dann nicht.« Diese Version hat den großen Vorteil, die Amerikaner zu nichts zu verpflichten und den Chinesen das Risiko des Krieges zuzuschieben, weil ja zu gegebener Zeit jeder Angriff als erster Schritt interpretiert werden kann.

Als wir aus dem Waldorf Astoria heraustraten auf die nächtliche Fifth Avenue, die sich wie eine tiefe Schlucht unter dem bläulichen Nachthimmel ausbreitete, sagte ein Engländer ärgerlich: »Quemoy und Matsu sind chinesisches Land. Es ist für die Kommunisten unerträglich, daß Tschiang unmittelbar vor ihrer Küste vorgeschobene Posten unterhält. Eine Einmischung der USA in diese Auseinandersetzung würde ganz Asien aufs neue gegen den Westen aufbringen und die Chinesen nur um so tiefer in die Arme der Russen treiben.« Und mit dem ganzen politischen Dünkel, den seine Landsleute den Amerikanern gegenüber oft empfinden, fügte er hinzu: »Diese Amerikaner sind schrecklich unrealistisch. Schließlich ist das Reich Mao Tse Tungs eine Realität, die man anerkennen muß. Tschiang hingegen ist nur eine Fiktion.«

Was heißt eigentlich realistisch sein?, dachte ich, und mir fiel ein Satz ein, den ich in *Foreign Affairs* in einem Aufsatz des britischen Labour-Führers Attlee gelesen hatte. »Es könnte sein«, sagt er da, »daß der koreanische Krieg nicht ausgebrochen wäre, wenn man China den Sitz in der UNO konzediert hätte.« Ist das Realismus? Oder ist es die Antwort, die Congressman Walter Judd damals gab, der ärgerlich erwiderte: »Wir leugnen nicht, daß China von den Kommunisten regiert wird, genausowenig wie Attlee leugnen kann, daß Spanien von Franco regiert wird. Dennoch ist er gegen die Zulassung der Franco-Regierung zur UNO. Warum?«

Attlee hatte sich ferner mißbilligend geäußert über die undemokratischen Reaktionäre Tschiang Kai Schek, Syngman Rhee und Franco. Judd antwortete: »Dennoch hat Attlee seinerzeit die Hilfe für Stalin befürwortet und heute eine Unterstützung von Tito und Mao. Was sind diese wohl für ihn? Etwa demokratische Liberale?«

Wenn die Angelsachsen sich untereinander darüber streiten, was realistisch ist, dann fällt es dem politisch minderbemittelten Kontinentalen wirklich schwer, zu sagen, wer recht hat.

Dieser Congressman Walter Judd ist mit Senator Knowland einer der eifrigsten Verfechter einer starken Politik gegen China. Zehn Jahre hat er als Missionar und Arzt in China gelebt, kennt das Land und die Sprache. 1934 übernahm er ein Krankenhaus in Fenchow in Südchina und blieb dort, bis es 1937 von den Japanern erobert wurde. Ein kleiner lebhafter Mann mit randloser Brille und pockennarbigem Gesicht. Man merkt ihm an, daß er sämtliche Einwände und Argumente in ungezählten Diskussionen durchexerziert hat.

Die Tür des Vorzimmers zu dem langen, marmornen Flur im Kongreß steht wie alle anderen Türen, die zu diesem Korridor gehen, offen. Das Volk kann sich überzeugen, daß seine Abgeordneten arbeiten, pausenlos arbeiten: Akten, Besucher, Sitzungen und wieder Akten. Mr. Judd sitzt vor einem Berg Papier an seinem Schreibtisch. Das Vorzimmer, in dem zwei Sekretärinnen und ein junger Mann arbeiten, ist doppelt so groß wie sein eigener Arbeitsraum. Beide Zimmer sind mit schweren dunklen Möbeln eingerichtet, und die Wände sind so dick wie in einem alten Schloß. In der Erinnerung erscheinen mir die Zimmer der Bonner Abgeordneten wie Heimstättenbüros.

»Spannung ist die natürliche Reaktion auf Gefahr«, sagt Walter Judd. »Eliminiert man die Spannung, dann vergißt das Publikum die Gefahr und wird gefressen. Denn in der Demokratie kann man nicht wie in der Diktatur einfach auf einen Knopf drücken: das Volk erhebt sich, die Schreibmaschinen rasen, und der Rundfunk speit Propaganda. Darum auf keinen Fall *appeasement*. Nur wenn man den Krieg beschwört, erhält man den Frieden!«

»Aber wenn nun«, wende ich schüchtern ein, »von der anderen Seite ein einigermaßen glaubhaftes Verhandlungsangebot käme?« – Judd sagt: »Wenn in der zehnten Runde eines Ringkampfes einer der beiden Kämpfer seinen Gegner umarmt, an seinem Hals hängt und sehr zärtlich wird, dann nehmen wir auch nicht an, daß er den Kampf aufgibt. Wir wissen vielmehr, daß er ausruhen will, um mit neuer Kraft den Gegner in der nächsten Runde zu überwältigen.«

Die Congressmen sitzen im linken Flügel des Kapitols, die Senatoren im rechten. Natürlich reicht selbst das riesige Gebäude nicht für alle aus, und so sind viele in zwei großen Nebengebäuden untergebracht. Der republikanische Senator Knowland aber, bis vor kurzem Führer der Majorität im Senat und auch heute als Führer der Minorität einer der wichtigsten Senatoren, hat sein Zimmer im Kapitol.

Senator Knowland wurde 1945 in Kalifornien gewählt. Er zog also vor zehn Jahren als damals jüngster Senator ins Kapitol in Washington ein und wurde bald zum Schrecken aller Intellektuellen. Er wirkt ein wenig wie ein pommerscher Landjunker: groß, robust, blond, ungelenk, eigensinnig; aber offenbar ist er sehr viel intelligenter, als ihn sein Ruf – jedenfalls in Europa – erscheinen läßt.

»Wir haben eine ganz falsche Politik gemacht«, sagt er. »In Korea haben wir gekämpft nicht mit dem militärischen Ziel, unter allen Umständen zu siegen, sondern mit der politischen Auflage, die Chinesen nicht zu ärgern. Als wir dann dort einen Waffenstillstand ohne Bedingungen schlossen, ging es in Indochina los; kaum hatte die Genfer Konferenz dort die Waffen zum Schweigen gebracht, begann die Unruhe in der Straße von Formosa. Wir müssen jetzt alles tun, ein unbefriedetes Formosa als Pfahl im Fleische der Chinesen zu erhalten, sonst greifen sie morgen in Malaysia an. Nur wenn sie sich an einer Stelle bedroht fühlen, unterlassen sie es, an anderen Stellen zu bohren. Bisher hatten sie ein leichtes Spiel: Irgendwo in der Welt überfallen sie jemanden; sofort sagen alle Leute: ›Das ist schrecklich, aber der Krieg ist noch schrecklicher. Laßt uns lieber nachgeben.‹ Auf diese Weise *they go on nibbling round the world* – nagen sie sich rund um die Welt – und verspeisen ihre Nachbarn einzeln.«

Man kann nicht leugnen, daß diese Darstellung durchaus zutreffend ist. Als ich vor einem Jahr in Indochina war, wurde in Tongking gekämpft; Vietnam, Laos und Kambodscha waren noch auf westlicher Seite. Heute ist Tongking kommunistisch, in Vietnam wird gekämpft, und Laos und Kambodscha sind mehr oder weniger neutralisiert. Nächstes Jahr wird wahrscheinlich auch Vietnam und Laos kommunistisch sein, und das angrenzende Thailand, das heute noch auf westlicher Seite steht, wird vielleicht mit der Neutralität kokettieren.

Adlai Stevenson, der Kandidat der Demokraten bei den letzten Präsidentenwahlen, ist ein vielbegehrter und vielbeschäftigter Mann. So war es ein besonderer Glücksfall, daß er während meines Aufenthaltes in Chikago dort anwesend war und sich Zeit nahm, mich zu empfangen. Endlich würde ich nun – so dachte ich, während ich im Vorzimmer höchst amüsante Fotos aller bedeutenden Persönlichkeiten Europas, Asiens und Amerikas betrachtete – zur Abwechslung einmal andere Gesichtspunkte erleben. Aber weit gefehlt. Zwar wirkt Adlai Stevenson – ein ausgesprochen geistiger Typ – anders als viele Amerikaner: weltgewandt, sensibel, intellektuell, liebenswürdig. Aber auch er billigt die Politik der Regierung, natürlich nicht ohne sich über die Republikaner lustig zu machen, die erst so »großartige« Maßnahmen ergriffen wie die Rückziehung der 7. Flotte aus der Formosa-Straße und die Ankündigung, »Tschiang loszulassen«, bis sie schließlich doch vor der Möglichkeit stehen, beide Chinas anerkennen zu müssen: ein rotes, ein weißes. Nur mit dem Unterschied, daß seit dem Prestigezuwachs Rotchinas auf der Genfer Konferenz eine eventuelle Zulassung Rotchinas heute, wie er meint, kaum noch größere Konzessionen zeitigen würde.

Ende März – ich kam von einer fünfwöchigen Reise durch die Südstaaten nach New York und Washington zurück – fand ich eine ganz veränderte Situation vor. Dulles hatte von seiner Ostasienreise sehr pessimistische Eindrücke mitgebracht, die sich in dem Satz zusammenfassen ließen: Die Chinesen bluffen *nicht*, sie sind offenbar entschlossen, Quemoy und Matsu anzugreifen und zu erobern. – Die Faustregel, *bluff* mit *bluff* zu übertreffen, reichte also nicht mehr aus. Man mußte sich ernsthaft fragen: Ist man bereit, für Quemoy und Matsu zu kämpfen, oder nicht? Da standen nun all die Argumente, die ich wie ein Briefmarkensammler in mein Album eingeklebt hatte, gegen jene eine Frage, die Knowland so verwerflich erschien: Wegen zwei kleiner Inseln eventuell einen großen Krieg riskieren? Vielleicht Bomben auf Chikago, New York, San Franzisko?

Die Meinungsverschiedenheit ging mitten durch das Kabinett: Defense-Minister Wilson ist gegen eine Verteidigung der beiden Inseln, Dulles dafür. Ridgeway dagegen (genau wie im September 1954), die übrigen *Joint Chiefs of Staff* dafür. Und der Präsident steht unentschlossen zwischen den Fronten. »Er ist ein schwacher Präsident«, fügte der Betreffende hinzu, der mir diese Rollenverteilung schilderte und der gerade bei Eisenhower gewesen war. »Wenn er eine klare Stellungnahme vorgelegt bekommt und sie für richtig hält, dann setzt er sich mit seinem ganzen Gewicht ein. Aber wenn es sich darum handelt, zwischen zwei verschiedenen Auffassungen zu entscheiden, dann weiß er nicht, was er tun soll.«

Die letzten zehn Jahre, der Krieg in Palästina, Korea und Vietnam, haben für Amerika die Vorstellung des *limited war,* des begrenzten Krieges, sehr in den Vordergrund gerückt. Die Befürworter einer Intervention in Quemoy und Matsu sind daher der Meinung, daß man die Inseln verteidigen könne, ohne das Risiko eines *major war,* eines großen Krieges, zu laufen. Es gibt also so etwas wie die Vorstellung einer »pax atomica«, die Ansicht nämlich, daß im Zeitalter der Atombombe Weltkriege nicht mehr stattfinden. Eine Auffassung, die Churchill neulich in die fast shakespearesche Prophetie kleidete: »Es mag vielleicht sein, daß die Geschichte in einem Anfall höherer Ironie ein Stadium erreicht, in dem Sicherheit das unfruchtbare Kind des Schreckens ist und Überleben der Zwillingsbruder völliger Vernichtung.«

Eines Tages besuchte ich meinen alten Freund Christopher, einen bekannten Publizisten. Er saß, wie gewöhnlich, nicht am Schreibtisch, sondern hatte seinen Stuhl mitten ins Zimmer gesetzt, umgeben von einem Wall alter und neuer Zeitungen. Überall lagen Bücher und Zeitschriften, auf dem Klavier, auf dem Boden, auf sämtlichen Stühlen. Meine Handschuhe, die ich auf eine zufällig freigebliebene Ecke eines Tisches gelegt hatte, hinterließen, wie ich später sah, eine Art Bärenfährte in der Staubschicht.

Christopher, der sonst immer ungewöhnlich lebhaft war und seine Besucher wie ein Gebirgsbach mit politischen Betrachtungen, Erfahrungen und Argumenten überschüttete, war bedrückt und schweigsam. »Jetzt haben es die Chinesen bald geschafft«, sagte er tief deprimiert. – »Was geschafft?« – »Den Leuten einzureden, ihr Bluff sei ernst. Wenn's schließlich alle glauben, werden sie mit einem Verhandlungsangebot kommen, und die ganze Welt wird auf diesen Leim kriechen. Alles werden sie anbieten. Selbst der UNO-Status für Formosa erscheint ihnen akzeptabel – alles, nur nicht Tschiang! Die bloße Existenz von Formosa unter Tschiang als potentielle Basis einer amerikanischen Intervention im Falle, daß die Kommunisten irgendwo in Asien angreifen sollten, ist doch das Haupthindernis für die Expansion des Kommunismus und darum unser bester Schutz.« Irgend jemand hat die Insel, auf der es 60 ursprünglich von den Japanern angelegte Flugplätze gibt, einmal den »unversenkbaren Flugzeugträger« genannt.

»Solange Tschiang noch seine Armee hat, und es ist die fünftstärkste Armee der Welt«, sagte er, »riskieren die Rotchinesen, alles zu verlieren, wenn sie den Krieg mit uns anfangen.«

»Ich kann die Wichtigkeit von Formosa einsehen, aber was ist mit Quemoy und Matsu?«, fragte ich. »Ist nicht ihr Nutzen für Tschiang geringer als die Einbuße, die der Ruf des Westens in Asien erleidet, wenn Amerika sich in diese Auseinandersetzung einmischt?«

»Beide Inseln sind außerordentlich wichtig. Bei den mangelhaften Verkehrsverhältnissen geht ein großer Teil des Verkehrs zwischen Nord und Süd über See. Darum ist eine Blockade gegen China außerordentlich wirksam. Wir können natürlich jetzt eine Blockade nicht durchführen, weil sie eine aggressive Handlung wäre, aber Tschiang kann es. Er kann es sowohl moralisch wie juristisch, denn er befindet sich ja ohnehin im Kriegszustand mit Peking. Technisch aber kann er es nur, wenn er Quemoy und Matsu hat.«

»Man kann aber doch die Inseln nicht um jeden Preis und unter allen Umständen zu halten versuchen?« – »Jedenfalls darf man sie nicht, wie Eden vorgeschlagen hat, aufgeben, ehe die Verhandlungen beginnen, denn es geht doch darum, für ihre eventuelle Preisgabe wirklich echte Konzessionen und Garantien einzuhandeln.«

Christopher ist immer ein inbrünstiger Streiter gegen die Totalitären gewesen. Mit äußerster Intensität hat er seinerzeit alle Mittel, die einem Publizisten zur Verfügung stehen, gegen Hitler aufgeboten. Als dann der Krieg vorüber war, erhob er sofort seine Stimme gegen Morgenthau und Genossen und war der erste, der Artikel, Briefe und Broschüren gegen die Demontage in Deutschland schrieb. Hatte er also nicht Realismus bewiesen?

Wieder mußte ich denken: Was ist heute Realismus in der Politik? Christophers Devise: »Nur nicht nachgeben, man muß die Totalitären ständig unter Druck setzen« – oder die Auffassung jenes Engländers, der meinte, man müsse alle Ärgernisse aus dem Wege räumen, nur so könne man zu einer friedlichen Lösung kommen?

Soviel kann man jedenfalls sagen, daß die Kombination der ungleichen Partner: Foreign Office und State Department sich als außerordentlich nützlich erwiesen hat. Ohne die »sturen« Amerikaner hätte man die Russen vielleicht nicht dazu gebracht, Österreich die Freiheit zu gewähren, hätten die Chinesen in Bandung kaum ein Verhandlungsangebot gemacht; und ohne die wendigeren Engländer wäre die »starke Politik« der Amerikaner vermutlich längst in einer phantasielosen Politik erstarrt.

Die Ansicht, man dürfe auf die Inseln nicht schon vor Beginn der Verhandlungen verzichten, deckt sich jedenfalls mit der offiziellen Haltung der amerikanischen Regierung, und hier wird der Unterschied zur europäischen Haltung allerdings sehr deutlich: Die Rede Tschou En Lais in Bandung hat in Europa überall die Reaktion gezeitigt: »Das Eis ist gebrochen, der Friede steht vor der Tür.« Anders die sturen Amerikaner. Dulles sagte vorige Woche in seiner Pressekonferenz: »Vielleicht war Tschus Rede nur Propaganda. Man darf nicht vergessen, daß zur Stunde noch immer der Aufmarsch vor allem der rotchinesischen Luftwaffe an der Straße von Formosa stattfindet.«

Trotz dieses skeptischen Hinweises ist deutlich spürbar, daß langsam sich auch in Amerika eine volle Schwenkung von der »starken Politik« zur Koexistenz vollzieht. Senator Knowland und Congressman Judd werden also wie schon in früheren Zeiten wieder einmal in den Hintergrund treten – vorübergehend oder für immer, wer weiß das?

Millionen wandern
nach Westen und Süden

Das Gesicht Amerikas
verändert sich von Grund auf

New Orleans, im Mai 1955

Hundertmal war ich mit dem Lift die New Yorker Wolkenkratzer hinauf- und heruntergefahren – mit dem Expreßlift, der erst vom 20. oder 30. Stockwerk an zu halten beginnt, oder mit den sogenannten *locals*, die, den Personenzügen gleich, den Nahverkehr bewältigen. Immer wieder war mir dabei aufgefallen, daß in jedem Aufzug ein kleines Schild angebracht war: »Otis Elevator«. Es muß eine riesige Fabrik sein, dachte ich; wo mag sie liegen?

So kam es, daß ich eines Tages mit größtem Interesse in der *New York Times* eine Notiz las: Vor zwei Monaten – so hieß es da – sei die Alexander-Smith-Teppichfabrik nach Süden umgezogen, und jetzt kämpfe die *Otis Elevator Comp.* mit den größten Schwierigkeiten. Sie habe daher beschlossen, ihre zwei Fabriken, eine in Yonkers und eine in Harrison, die zusammen zehn Millionen Dollar Lohn zahlten, in Neu-England zu schließen und weiter westwärts, wo die Bedingungen günstiger seien, wieder aufzubauen.

In der gleichen Rubrik der *New York Times* stand noch eine ähnliche Nachricht. Ein »Hutfabrikant in Tarrytown im Staate New York setzte seine 120 Arbeiter davon in Kenntnis, daß er seine drei Fabriken am 15. April schließen und in Carolina wieder eröffnen werde.« Eine Vorstellung allerdings von dem, was hinter all dem steckt, gewann ich erst, als ich durch die Südstaaten reiste.

Wie sollte man sich wohl auch ohne eigenen Augenschein diese riesige industrielle »Völkerwanderung« vorstellen können, die seit dem Ende des Krieges innerhalb Amerikas von Norden in Richtung nach Süden und Westen stattfindet? Fast die gesamte Flugzeugindustrie hat sich bereits nach Texas und Kalifornien verlagert, wo das beständige, klare Wetter für Testflüge besonders gut geeignet ist. Die *Chance Vaugh* beispielsweise ist mit ihrem Zentralbüro und einem Stab von 6000 bis 7000 Leuten sowie den dazugehörigen Familien aus Connecticut (Neu-England) nach Texas umgezogen. Auch ein anderer Industriezweig, die Textilindustrie, ist mehr oder weniger vollständig vom Nordosten nach Carolina umgezogen. Und so sind viele weitere Unternehmen mit ihrem gesamten Personal den gleichen Weg gegangen: Die *Rexall Drug Comp.* beispielsweise siedelte aus Boston nach Los Angeles um und hat dort den größten *Drugstore* der Welt gebaut.

Das klassische Industriegebiet Amerikas war bis zum Zweiten Weltkrieg der Nordosten: die sechs Staaten Neu-Englands sowie die Staaten New York, New Jersey und Pennsylvania, die gewöhnlich als *middle atlantic* bezeichnet werden. Aber jetzt stehen wir am Anfang einer großen Wende. Die Zahl jener Menschen, die nicht in der Landwirtschaft beschäftigt sind, ist in der Zeit von 1939 bis 1953 in ganz USA gewaltig gestiegen, nämlich von 30 Millionen auf 50 Millionen, aber an dieser Entwicklung haben in erster Linie der Süden und der Westen teilgenommen. Zwar hat auch im Nordosten die Anzahl der Industriearbeiter zugenommen; in Massachusetts beispielsweise um 30 Prozent, aber die Zunahme in Kalifornien betrug 180 Prozent. Ähnlich war es in Florida, Texas, New Mexico.

Dafür gibt es eine sehr einleuchtende Begründung. Die Südstaaten befanden sich seit dem Bürgerkrieg (1861–1865), wirtschaftlich gesehen, in einer Art Kolonialstatus dem Norden gegenüber. Mit billiger, schwarzer Arbeitskraft wurden dort Stapelprodukte wie Baumwolle, Tabak, Holz erzeugt, während zur gleichen Zeit im Norden die Industrialisierung rasche Fortschritte machte. Diese Rollenverteilung begann sich erst im Zweiten Weltkrieg zu ändern. Noch bei der Volkszählung 1940 betrug der Anteil der landwirtschaftlichen Bevölkerung im Durchschnitt der USA 23 Prozent, in den Südstaaten aber rund 50 Prozent, in Mississippi sogar 64 Prozent. Der Zweite Weltkrieg wurde also zum Anlaß für eine großangelegte neue Entwicklung.

Der Mangel an Arbeitskräften im Norden, das niedrige Lohnniveau im Süden sowie der Reichtum an Brennstoff, vor allem Öl und Erdgas, über den der Süden verfügt, auch der dort sehr viel billigere elektrische Strom zogen die neue Kriegsindustrie an. Gewiß haben damals auch Sicherheitsgründe hinsichtlich der geographischen Lage eine Rolle gespielt. Nach dem Krieg setzte sich diese Entwicklung fort, ja sie beschleunigte sich in einem kaum vorstellbaren Maße. Inzwischen hatten nun auch die Farmer im Süden durch das im Krieg eingeführte Paritäts-Preissystem viel Geld verdient. Es machte sich daher mit einemmal im Süden eine echte »Kaufkraft« geltend. Und noch eins ist nicht zu vergessen: Man hatte plötzlich die Annehmlichkeiten und die wirtschaftlichen Vorteile des sonnigen Klimas dieser so lange vergessenen Südstaaten entdeckt. Man braucht hier keine Heizung, man kann sehr viel billiger bauen, und man kann das ganze Jahr über bauen – auch ernten kann man das runde Jahr über, beispielsweise in Kalifornien.

Ganze Industrien verlagerten sich also nach dem Süden, andere gründeten neue Zweigfirmen dort; denn inzwischen kam noch ein weiterer Grund hinzu: Die Gewerkschaften und die von ihnen durchgeführten Streiks trieben manche Unternehmer fluchtartig in den Süden, wo die Arbeiter noch kaum organisiert sind.

Ich fragte einen leitenden Angestellten der CIO-Gewerkschaft, warum denn die Arbeiter im Süden nicht gewerkschaftlich organisiert sind. Es sei schwierig, dort einzudringen, meinte er, denn das sei eine Frage der politischen Erziehung, und um die sei es dort unten schlecht bestellt. An Ort und Stelle zeigte sich dann später, daß viele große Industrieunternehmen im Süden, vor allem die Ölindustrie, betriebseigene Organisationen aufgezogen haben, die offenbar gut funktionieren, so daß der Anreiz, in eine Gewerkschaft einzutreten, für die Arbeiter nicht sehr groß ist.

»Wenn das Lohnniveau im Süden tatsächlich 30–80 Prozent unter dem des Nordens liegt«, fragte ich jenen CIO-Funktionär, »so müßte doch eigentlich nach Adam Riese – oder vielmehr nach Adam Smith – der höhere Verdienst im Norden die Arbeiter aus dem ›unterentwickelten‹ Süden nordwärts locken. Wieso gibt es keine Masseneinwanderung billiger Arbeitskräfte in Neu-England?«

»Weil die Neger dem Schema des *homo oeconomicus* nicht gleichen! Die Neger, die im Süden einen sehr großen Anteil an der Arbeiterschaft ausmachen, sind nämlich im Grunde dort unten ganz zufrieden. Im übrigen«, so fügte er hinzu, »haben wir natürlich kein Interesse daran, billige schwarze Arbeitskräfte aus dem Süden heraufzuholen, die dann auf das Arbeitsangebot in den alten Industriegebieten des Nordostens drücken würden. Wir wollen die Anpassung dadurch erzielen, daß wir das Lohnniveau des Südens heben, nicht aber wollen wir zulassen, daß die Einkommensverhältnisse der Arbeiter im Norden schlechter werden.«

Es gibt einige wenige Industrien, die seit eh und je im Süden beheimatet sind. Da ist zum Beispiel die Stadt Birmingham im Staate Alabama, wo die *US Steel Corp.* eine ihrer großen Produktionsstätten hat, denn hier gibt es Eisen, Kohle und Kalkstein. Eine alte Industriestadt also! Was das Wörtchen »alt« hierzulande heißt, wurde mir dank der freundlichen Führung eines prominenten Stadtbürgers deutlich. Mr. John Henley III. (die III zeigt an, daß er in der dritten Generation am gleichen Ort sein Geschäft führt, und hat, protokollarisch gesehen, etwa die Bedeutung eines englischen Peer-Titels) ist Chef der *Birmingham Publishing Corp.* Seine Großeltern väterlicher- und mütterlicherseits sind bald nach der Gründung von Birmingham dort eingewandert. Sie waren aus einer weiter östlich gelegenen Gegend gekommen, die während des Bürgerkrieges verwüstet worden war. 1874 hatte John Henleys Großvater die erste Bank in Birmingham gegründet.

Wenn man heute – 80 Jahre, nachdem Birmingham als kleiner Flecken gegründet wurde – von dem Berg hinunterschaut, auf dem hübsche Millionärsvillen malerisch unter großen Bäumen verstreut liegen, dann blickt man in ein 20 Meilen langes Tal, vollgestopft mit Hochöfen, rauchenden Schornsteinen, Wolkenkratzern. Hier sind große Röhrenwerke, hier gibt es zahlreiche Fabriken zur Baumwollaufbereitung, Zementfabriken und – 500 Kirchen, was übrigens für hiesige Verhältnisse keine ungewöhnlich große Zahl ist. Birmingham ist eine »alte« Stadt; allerdings hat auch für sie die stürmischste Entwicklung erst nach dem Zweiten Weltkrieg begonnen.

Atlanta im Nachbarstaat Georgia hingegen entwickelt sich erst seit einigen Jahren zur Industriestadt. Die Stadt wächst so rasch, daß eine *Planning commission* eingesetzt wurde, mit der Aufgabe, die Ausdehnung der Stadt in geordnete Bahnen zu lenken. Atlanta, bei Kriegsbeginn ein Ort von weniger als einer halben Million Einwohnern, hat heute, zwölf Jahre später, eine dreiviertel Million, und für 1980 rechnet die *Planning commission* mit $1\frac{1}{4}$ Millionen.

Übrigens wächst in Amerika heute ein neuer Typ von Industrieanlagen heran: dezentralisiert, weit, luftig, sauber, oft mit hübschen Gartenanlagen. Wenn man über die waldreichen Südstaaten fliegt, entdeckt man häufig in ganz entlegenen Gegenden wunderbar angelegte große Produktionsstätten. Und Großstädte kündigen sich gewöhnlich schon viele Meilen vorher durch neue Fabriken an, die eher Gartenanlagen als industriellen Vorstädten gleichen.

Ich habe viele Städte im Süden gesehen, die 1945 rund 300 000 Einwohner hatten und deren Bevölkerung heute, zehn Jahre später, eine halbe Million beträgt. Wenn man in New Orleans den Mississippi aufwärts fährt, dann sieht man auf etwa neun Kilometer eine neue Fabrik nach der anderen. »Dies alles gab es vor 1945 nicht«, sagte Mr. Kelly, Abteilungsleiter bei einer der Ölgesellschaften, der mich begleitete. Und er fügte hinzu: »Ein Gelände, das jemand hier 1945 für 100 000 Dollar gekauft hat, ist heute zwischen einer Million und zehn Millionen Dollar wert.« Mr. Kelly fährt einen Cadillac. Seine Frau daheim fährt den zweiten, und den dritten Cadillac hat er eben für seinen 16jährigen Sohn gekauft. Kein Wunder; denn er besitzt, wie er berichtet, in der Nähe eine Farm von 10 000 Acres, die sein Vater während des Ersten Weltkrieges für einen Dollar je *Acre* gekauft hat und von der er kürzlich Teile für 1000 Dollar den *Acre* verkauft hat.

Vielleicht erwecken diese Tatsachen den Eindruck eines ungesunden Booms auf spekulativer Basis – an Ort und Stelle wirken sie nicht so. Im Gegenteil, man gewinnt den Eindruck einer ungemein starken, gesunden Wirtschaft und einer geradezu phantastisch anmutenden Produktivität und Vitalität. Die ganze Küste von Texas und Louisiana ist gesäumt mit neuen Industrien. Der Chef des *Research Institutes* einer der Federal-Banken meinte, daß Texas seit 1945 im Durchschnitt jährlich etwa eine Milliarde Dollar investiert.

Den ersten Eindruck vom Süden habe ich in Tennessee bekommen, wohin ich gereist war, um die berühmte TVA., die *Tennessee Valley Authority,* also die Verwaltung des Tennessee-Tales, zu sehen. Eines Abends kam ich in dem kleinen Städtchen Knoxville an. Das riesige Hotel überragt um viele Stockwerke alle anderen Gebäude der Stadt. Da ist eine Hauptstraße mit mehreren Kinos und Geschäften. Die Ladendekoration gleicht jedoch der von Lütjeburg oder irgendeinem anderen kleinen Nest in Westeuropa. Am nächsten Morgen, am Sonntag, kaufte ich mir, da es keine New Yorker Zeitungen gab, das dortige Weltblatt. Als ein »Weltblatt« und den beiden anderen Lokalblättern weit überlegen, hatte es mir der Portier jedenfalls angepriesen. Es hatte

88 Seiten und begann mit 24 Seiten *Comics* in bunten Farben. Es folgten einige Aufsätze über Lokalpolitik, in Traktatform abgehandelt, viele Sportberichte sowie eine dicke Frauenbeilage mit Ratschlägen für Schönheitspflege (*»How to reduce 2 inches, bring glow to the complexion and gloss to the hair«),* und schließlich gab es seitenweise Fotos von aufgedonnerten Bräuten aus Knoxville und Umgegend. Kein Wort über Formosa, wo gerade die Spannung auf dem Höhepunkt angelangt war. Kein Wort über den Ausgang der Bonner Ratifizierungsdebatte, der alle Welt mit Spannung entgegensah. Vielleicht ist es gut, dachte ich, daß diese Leute sich nicht für Politik interessieren, die Haare stünden ihnen zu Berge, wenn sie wüßten, vor welchen Problemen ihre Regierung und damit letzten Endes auch sie selber stehen.

Knoxville ist eine scheußliche Stadt. Ich habe sie kreuz und quer durchwandert und war der einzige Spaziergänger an einem frühlingshaften Sonntag. Alle Einheimischen saßen in ihren Limousinen: türkisgrün, lila, rosa – es wurde mir schließlich schwindelig vor den Augen bei soviel buntem Blech. Neulich hat einmal jemand ausgerechnet, daß man die gesamte amerikanische Bevölkerung einschließlich aller Neger, aller Babys und Greise auf den Vordersitzen der vorhandenen Autos unterbringen könnte. Niemand braucht hinten im Fond zu sitzen, so viele Autos gibt es – über 50 Millionen für 160 Millionen Einwohner.

An Sehenswürdigkeiten gibt es in Knoxville ein hübsches altes Haus, das irgendein berühmter Gouverneur in der Zeit der Unabhängigkeitserklärung bewohnte, ein Kriegerdenkmal aus dem spanischen Krieg und die Universität von Tennessee, 1918 gebaut. Zwischen diesen Meilensteinen der Geschichte stehen lauter häßliche kleine Häuser, Buden und traurige Läden.

Jeder Amerikaner weiß, was die TVA. ist. Wenn er diese drei Buchstaben ausspricht, erfüllt ihn Stolz, denn was den Römern die Entwässerung der Pontinischen Sümpfe, das bedeutet den Amerikanern die TVA., die Errettung des Tennessee-Tales von seinen Katastrophen der Überschwemmungen und Bodenerosion und die allmähliche Industrialisierung dieses Gebietes. Nur mit dem Unterschied, daß die Entwässerung der Pontinischen Sümpfe die Römer von Cäsar bis zu Mussolinis Zeiten in Atem gehalten hat, während die TVA. 1933 gegründet wurde, also nur drei Jahrzehnte zur Vollendung eines wirklich imponierenden Werkes benötigte. Größenmäßig ist allerdings kein rechter Vergleich möglich zwischen den Sümpfen um die Via Appia und dem regulierten Gebiet der TVA., das fast so groß ist wie England.

30 riesige Dämme sind gebaut worden, wobei 300 000 Hektar See entstanden. Im letzten Jahr sind dort 30 Milliarden Kilowattstunden elektrischen Stromes produziert worden, nächstes Jahr sollen es 50 Milliarden sein; denn die Industrien (Aluminium-, Ammonium-Nitrat- und Phosphatfabriken), die in dem fast 2000 Kilometer langen Flußtal entstanden sind, vor allem aber die Atomstadt Oak Ridge, benötigen riesige Energiemengen.

Die Leitung der TVA. mit ihren 23 000 Angestellten liegt in den Händen des Generals Vogel, der direkt dem Präsidenten der USA untersteht. Das Ganze ist eine seltsame Mischung von Staatswirtschaft und Privatwirtschaft, von öffentlicher Planung und Privatinitiative – wie es wahrscheinlich nur in einem pragmatischen Lande möglich ist, in dem man über Fragen der Weltanschauung die Gebote der Zweckmäßigkeit selten vergißt. Das Zentrum der TVA.-Verwaltung ist Chattanooga. Dort gibt es einen Raum, dessen Wände aus riesigen Schalttafeln bestehen, an denen man Wasserstand und Druck von jedem einzelnen der Dämme, die zum Teil Hunderte von Kilometern auseinanderliegen, gleichzeitig ablesen und aufeinander koordinieren kann. Bei diesem Grad der Technisierung werden sich, so scheint einem manchmal, Kriegführung und industrielle Produktion mindestens als Organisationsproblem immer ähnlicher. Unten an der Küste, südlich der Mississippi-Mündung, wird neuerdings Öl 50 Kilometer weit draußen in der See gefördert. Von Stahlgerüsten aus werden die Bohrungen ausgeführt und die Leute mit Helikoptern wie in der Winterschlacht am Wolchow herein- und herausgeflogen.

Die Atomstadt Oak Ridge verbraucht die Hälfte der Stromerzeugung des gesamten Tennessee-Tales (jede der neuen Diffusionsanlagen in Oak Ridge benötigt im Jahr genausoviel Strom wie die Neunmillionenstadt New York). Bei Ausbruch des Zweiten Weltkrieges war Oak Ridge ein Dorf, in dem ein paar Farmer lebten. Heute ist es zwar keine Großstadt, aber ein Gebiet von 50 Quadratmeilen, in dem sich zwischen Wald und Hügeln mysteriöse Gebilde von T-Trägern, Zylindern, Rohren, einem unentwirrbaren Gestrüpp von Hochspannungsleitungen und lange Reihen backofenartiger Zellen verbergen. In seinem äußeren Aspekt verhält dieses Bild sich zu den antiquierten Schornsteinen wie der Granatwerfer zur Armbrust. 30 000 Menschen leben heute in Oak Ridge, meist »Arbeiter der Stirn«. Überall sieht man *Research departments*, man staunt ein gewaltiges Verwaltungszentrum an, besucht ein Spezial-Krebshospital, in dem Versuche auf radioaktiver Grundlage gemacht werden, und kommt in ein Treibhaus, wo man ähnliche Versuche mit Pflanzen anstellt.

Verglichen mit der Entwicklung in den patriarchalischen Südstaaten ist Texas im Südwesten Amerikas altes kapitalistisches Land. Denn dort hat die Ölindustrie, deren Ausbau um 1900 begann, seit 30 Jahren ständig wachsenden Reichtum ins Land gebracht. Doch gibt es auch in Texas seit 1945 eine ganz neue Industrie, die sich in atemberaubendem Tempo ausbreitet: die petrochemische Industrie, die auf den Abfallprodukten der Raffinerien aufgebaut ist. Den eigentlichen Anstoß zu dieser Entwicklung gab der Krieg mit seinem Bedarf an hochexplosiven Stoffen, die man nun aus Öl, anstatt aus Kohle, gewann. Seit dem Ende des Zweiten Weltkrieges werden 42 neue petrochemische Erzeugnisse in Massenproduktion hergestellt, davon 18 zur landwirtschaftlichen Verwendung, 8 für Kunstfasern, 4 für Pharmazeutika, 2 für synthetischen Gummi, 7 für Diverses.

Hier an diesem Punkt wird das Wesen der modernen Welt, in der offenbar alles auswechselbar und vertauschbar ist, besonders augenfällig. Es zeigt sich nämlich, daß man je nach Marktlage aus demselben Grundstoff Aschenbecher, Damenstrümpfe, künstlichen Dünger oder Autokarosserien fertigen kann. 2000 Jahre lang hat die Menschheit sich in Wolle gekleidet, zu deren Erzeugung Schafe gehalten wurden. Heute wird die Wolle durch industrielle Abfallstoffe ersetzt. Die neuen Orlon-Pullover aus der Retorte schienen mir sogar schöner zu sein als die aus echter Wolle.

In USA basiert heute 70 Prozent der gesamten organisch-chemischen Erzeugung auf Öl oder Erdgas. Und 65 Prozent des Kraftbedarfs wird ebenfalls von Öl (14 Prozent) und von Erdgas (23 Prozent) bestritten – die Kohle gerät dabei immer mehr in den Hintergrund.

Vor hundert Jahren, als Texas sich 1845 der Union anschloß, hatte der ganze Staat etwa 250 000 Einwohner, von denen 80 Prozent auf dem Lande lebten. Heute hat allein die Stadt Houston annähernd eine Million Einwohner, und auf dem Lande leben nur noch 40 Prozent.

Texas, räumlich der größte Staat der USA (ebensogroß wie Italien), platzt vor Energie: Ausgedehnte neue Industriegelände werden erschlossen, riesige Universitäten und Schulen gebaut, Hafenanlagen und Villen über Villen. Natürlich sind in den letzten Jahren auch dort große Vermögen dadurch »gemacht« worden, daß die Bodenpreise schnell anstiegen. Ein Journalist in Dallas erzählte mir, er habe 1950 Land gekauft und es jetzt, 1955, wieder verkaufen müssen, worauf er zu seiner Überraschung den vierfachen Preis bekommen habe. Ein Ingenieur in Dallas berichtete, er habe im Jahre 1946 Aktien der *Texas East Transport (Pipelines)* gekauft, die damals 17 Cent gekostet haben und die heute – wir schauten gemeinsam nach – auf 26 Dollar stehen. Übrigens ist Börsenspekulation in Amerika kein Monopol der Kapitalisten. Ich habe viele Taxi-Driver, Sekretärinnen und Universitätsprofessoren getroffen, die Wertpapiere kaufen und verkaufen.

Diese ganze Entwicklung muß natürlich auch die politische Struktur der Südstaaten verändern. Bisher war der Süden im Gegensatz zum Norden auf den Freihandel eingeschworen. Baumwolle und Tabak waren die Haupterzeugnisse des Landes, sie wurden nach Europa exportiert. Schutzzölle also konnten den Südstaaten nichts nutzen. Sie konnten ihnen höchstens abträglich sein und überdies die Lebenshaltung verteuern. Das wird jetzt anders werden, nachdem die Textilindustrie sich in Carolina etabliert hat. Schon betrachtet man sorgenvoll die asiatische, vor allem die japanische Konkurrenz.

Das gleiche trifft in einem gewissen Grade für die Ölindustrie zu, die, soweit es sich um kleine und mittlere Produzenten handelt, über die Öleinfuhr aus Venezuela und Saudiarabien gar nicht glücklich sind und für Schutzzölle eintreten. (Wir Europäer bedenken gewöhnlich nicht, daß 40 Prozent der amerikanischen Ölproduktion in den Händen kleiner, selbständiger Produzenten liegt und nur 60 Prozent von den großen, internationalen Gesellschaften erbohrt wird.) Auch das ständige Abnehmen der ländlichen Bevölkerung, das Anwachsen der Städte, die starke Durchsetzung mit Zuwanderern aus dem Norden wird die noch immer sehr geschlossene Tradition des Südens auf die Dauer wohl sprengen.

Texas ist das Bindeglied zwischen dem Süden und Kalifornien im Westen. Alle drei Gebiete sind, obgleich untereinander sehr verschieden, gekennzeichnet durch dieselben Merkmale eines sich ständig beschleunigenden Kreislaufs: Bevölkerungszunahme, Marktausweitung, Industrialisierung, steigender Lebensstandard, neue Zuwanderung ... In Kalifornien wird das sehr deutlich. Es gab 1940: 6,9 Millionen Einwohner, 1950: 10,6, 1955: 12,6 Millionen.

Durch den Bevölkerungszuwachs in den Jahren 1940 bis 1950 ist die Zahl der Kongreßabgeordneten, die Kalifornien repräsentieren, von 23 auf 30 angewachsen (während die von New York und Pennsylvania in der gleichen Zeit zurückging). Wenn 1960 die Neufestsetzung stattfindet, wird Kalifornien voraussichtlich ebensoviel Repräsentanten ins Parlament schicken wie New York, das bisher unangefochten und weit vor allen anderen an der Spitze lag. Welch große politische Bedeutung man Kalifornien zumißt, geht schon aus der Tatsache hervor, daß man soeben beschlossen hat, die nächstjährige republikanische Konvention für die Präsidentenwahl in San Franzisko abzuhalten.

Texas hat 22 Vertreter im Repräsentantenhaus und stellt damit die bei weitem größte Delegation aller Südstaaten. So wie die Republikaner sich bemühen müssen, Kalifornien an die Kette zu legen, so hängt das Schicksal der Demokraten von Texas ab. Wenn es den Demokraten nicht gelingt, Texas beim *solid South* zu halten oder vielmehr es zurückzugewinnen – denn 1952 hat Texas mit ganz geringer Majorität für Eisenhower gestimmt –, dann ist das Schicksal der Demokraten wahrscheinlich bei der nächsten Präsidentenwahl besiegelt, so meinen jedenfalls viele Leute.

Amerika befindet sich in einem gewaltigen Umwandlungsprozeß, verursacht durch die große »Völkerwanderung« und die neue »industrielle Revolution« im Süden und im Westen. Vielleicht wird in zehn bis zwanzig Jahren das wirtschaftliche und damit auch das politische Gewicht sich weit mehr nach Süden und Westen verlagert haben, was ohne Zweifel für Europa wesentliche Veränderungen mit sich bringen dürfte. Denn das ist deutlich spürbar: Jede Küste Amerikas ist bis zu einem gewissen Grade ausgerichtet auf den ihr gegenüberliegenden Kontinent: Für den Osten ist es Europa, für den Süden Südamerika und für den Westen Ostasien. Europa sollte sich dies vor Augen halten und die Zeit nutzen.

Der Manager steht höher als der Dichter

Im Mittleren Westen:
mal Isolationismus, mal Säbelrasseln

Dallas, im Juni 1955

In Europa wird viel von amerikanischer Hast gesprochen – mir aber schien, daß man dort auch nicht rastloser lebt oder intensiver arbeitet als in Deutschland. Einen Platz allerdings habe ich gesehen, wo die Arbeitswut geradezu Orgien zu feiern schien, das war in der Zentrale bei *Sears Roebuck & Co.* in Chikago.

Sears Roebuck ist eine Versandfirma, bei der ein Farmer mit Hilfe eines Katalogs alles, was er braucht, bestellen kann, vom Eintagsküken über *blue jeans* bis zum Eisschrank. Dies Unternehmen, das 120 000 Angestellte beschäftigt, hat einen Umsatz von drei Milliarden Dollar, also mehr als zwölf Milliarden DM jährlich. Heute wird freilich nur ein Viertel dieses gewaltigen Umsatzes per Katalog bestellt, die übrigen drei Viertel werden in 700 Läden verkauft, die über das ganze Land bis nach Südamerika hinein verstreut sind.

Der Tag bei *Sears Roebuck* in Chikago beginnt morgens um 8 Uhr damit, daß die Post gewogen wird, ja, auf einer Waage gewogen! Man weiß nämlich, daß etwa 80 Prozent der täglich eingehenden rund 40 000 Briefe Bestellungen sind. Noch nie sah ich einen so vollkommen organisierten Dienst am Kunden: was bestellt wird, muß anderntags dem Kunden ins Haus geliefert werden – das ist die Regel. Jeden Tag werden 30 000 bis 35 000 Orders ausgeführt. Wozu aber die Waage? Nehmen wir an, die Norm seien etwa 32 000 Bestellungen, die Gewichtskontrolle aber ergibt, daß heute etwa 35 000 Aufträge zu erledigen sind: Sofort wird die Umdrehungsgeschwindigkeit des ganzen Apparates entsprechend erhöht, und dann arbeitet wirklich jeder mit fliegenden Händen.

Ich mußte immer an Charlie Chaplin denken, wie er in seinem

unvergeßlichen Film *Modern Times* an dem laufenden Band hinter den Schrauben herhüpft, die er anziehen soll. Und dann dachte ich, ob der Farmer Tom Brown in Iowa nicht vielleicht auf die Ausführung seines Auftrages verzichten würde, wenn er wüßte, was für eine gewaltige Apparatur er mit seiner Bitte, ihm ein Paar Socken für 1,15 Dollar zu schicken, in Bewegung setzt. Maschinelles Brieföffnen, Scheck herausnehmen, Order eintragen und, je nach Gattung, mit verschiedenen Farben versehen, die Ware heraussuchen, die dann über laufende Bänder zum Packer und schließlich zur Poststation im eigenen Hause geht. Dazwischen wird noch die Kartei, in der die Namen von drei Millionen Kunden registriert sind, bedient –: lange Reihen von anderthalb Meter hohen Kästen, an denen verstörte Damen – an beweglichen Schreibtischen sitzend – entlangrollen und ihre Eintragungen vornehmen.

Der Chef dieses Unternehmens ist seit 1923 General Wood, ein früherer *West Pointer*, ein charmanter, energischer, vornehmer alter Herr. »Sehen Sie diese ältere Dame dort«, sagte er und wies durch die offene Tür ins Nebenzimmer, »sie hat die vertraulichen Akten unter Verschluß. Als sie vor 40 Jahren, damals ein junges polnisches Mädchen, hier anfing, bekam sie sechs Dollar in der Woche. Heute ist ihr Anteil am Unternehmen 90 000 Dollar wert.«

»Wie ist denn das möglich?«

»Ja, 27 Prozent des Aktienkapitals dieser Firma gehören der Belegschaft. Jeder Angestellte hat das Recht, nach Ablauf eines Jahres fünf Prozent seines Gehaltes ›stehenzulassen‹, zu denen die Firma je nach seinem Dienstalter jährlich 80 bis 300 Prozent dazulegt.« Der Chauffeur, der mich nach Haus fuhr, sagte, er habe während rund 30 Jahren auf diese Weise ungefähr 30 000 Dollar zusammengespart.

Es ist schon etwas Wahres an der Behauptung, daß in diesem Land jeder Bürger, der tüchtig oder ein einfallsreicher Kopf ist, die Möglichkeit hat, es zu etwas zu bringen. Gewiß, auch in Amerika, und gerade in Amerika, verschwinden große Vermögen oft ebenso rasch wie sie einmal entstanden, und mühsam aufgebaute Existenzen werden an einem einzigen Tag ruiniert, aber ich staunte doch, als ich am gleichen Tag in der *Chicago Sun Times* las, daß eine alte Lehrerin, die gerade gestorben war, eine halbe Million Dollar hinterlassen hatte. Diese tüchtige Dame hatte 1930 in der Krise ihre ersparten 5000 Dollar in erstklassigen Werten *(US Steel, Standard Oil, Du Pont)* angelegt; von da an hatte sie sich dann überhaupt nicht mehr darum gekümmert. Sie hatte weder gekauft noch verkauft, sie hatte ihre Papiere einfach still liegenlassen und war selbst jeden Tag brav in ihre Schule gegangen, und siehe da, als sie in diesem Frühjahr 1955 starb, waren aus den 5000 Dollar 500 000 geworden.

Erstaunlich sind aber auch diese amerikanischen Generale! Zunächst hatte ich gedacht, es handele sich um *Public Relations,* wenn MacArthur von der *Remington Rand* als Aufsichtsratsvorsitzender »engagiert« wird – aber inzwischen hatte ich General Clay gesehen, der den Umsatz der *Continental Can Corp.* in den vier Jahren seines Wirkens fast verdoppelt hat. Da ist ferner General Vogel, der die TVA. mit 23 000 Angestellten verwaltet; General Wood, der *Sears Roebuck* zu dem entwickelt hat, was es heute ist. General Wedemeyer ist im letzten Jahr Vizepräsident und Direktor der *Rheem Manufacturing Co.* geworden, und Bedell Smith versieht den gleichen Posten bei der *American Machine & Founders Co.* Umgekehrt war der derzeitige Verteidigungsminister Stevenson vorher Manager von *General Motors.* In keiner Armee der Welt werden die Offiziere so vielseitig, bis weit hinein in die zivilen Bereiche der Technik und Organisation, geschult und von einem Spezialkurs zum andern geschickt wie in Amerika. Die Fluktuation zwischen den hohen Posten in Zivil und Militär ist daher sehr groß.

Chicago mutete mich wie eine Art Königsberg mit Wolkenkratzern an. Trotz seiner sechs Millionen Einwohner eine typische Provinzstadt, in der die Nähe des *agrarischen* Hinterlandes deutlich spürbar ist. Um 12 Uhr wird Mittag gegessen, wie überall, wo der Tag früh beginnt. Ein ganz anderer Typ Menschen begegnet einem dort als in New York. In Chicago sind die Menschen unraffiniert, laut, selbstbewußt, robust und auffallend derb gekleidet. Auf New York blickt man mit einem gewissen Widerwillen. »Das ist nicht Amerika«, sagte General Wood, »ein Drittel aller Bewohner schaut nach Jerusalem und ein anderer Teil nach Italien – sie alle kennen das Land nicht, und sie meinen auch gar nicht Amerika, wenn sie ›wir‹ sagen.«

Die meisten Middle-Westler, die ich kennengelernt habe, sind allem Intellektuellen gegenüber argwöhnisch und skeptisch. Für sie zählt nur Tüchtigkeit, Leistung, Erfolg. Der Manager rangiert weit über dem

Dichter, und das Tun steht über dem Sein. Einer der Manager, dessen Einladung, seinen Betrieb anzusehen, ich mit der Begründung ablehnen mußte, ich hätte ein *Appointment* mit Adlai Stevenson, sagte: »Ach, wissen Sie, der kann sehr klug reden, aber er hat ja nie etwas geleistet in seinem Leben, der Vater hatte einen großen Besitz, und da hat er natürlich nie etwas Vernünftiges gelernt.« Meine Freunde von der Universität in Chikago dagegen hatten mir erzählt, die ganze Universität habe Trauer angelegt, als Stevenson bei der Präsidentenwahl gegen Eisenhower durchfiel.

Für den Middle-Westler ist New York und Washington als Renommée und Anfechtung das, was dem östlichen Landjunker Berlin in den zwanziger Jahren war: ein Sündenpfuhl, in dem die jüdischen Familien die Exklusivität der Gesellschaft durchbrochen haben und wo die *Jeune noblesse* es amüsanter fand, bei Guttmann zu dinieren, als bei Exzellenz von Dirksen eingeladen zu sein und es *chicer* fand, Max Reinhardt zu kennen, als bei Prinz Oskar in Potsdam vorgestellt zu werden. Sehr ähnlich ist im amerikanischen *Middle West* die Stimmung. Die Erz-Amerikaner ärgern sich über die »*Fellow-travellers* in Washington«, über die Intellektuellen, die Juden und die Zugereisten in New York, die nichts mehr von der Tradition des großen, alten Amerika der Washington, Jefferson und Madison wissen, und sie mißtrauen der UNO, die einen zwingt, sich mit »Verrätern« und mit Kommunisten an einen Tisch zu setzen.

Der vielbesprochene Isolationismus dieser Gegend, der immer auf einem starken Nationalismus beruhte, ist mittlerweile in einen Hurra-Patriotismus wilhelminischer Prägung umgeschlagen: »Wir werden das Kind schon schaukeln! Man soll uns allein machen lassen! Keine Bündnisse, keine UNO, das sind alles nur Einschränkungen unserer Handlungsfreiheit.« (In Europa würde man sagen: unserer Souveränität!) Es ist eine nicht ungefährliche Mischung von Selbstbewußtsein, Imperialismus, Fortschrittsglauben und antikommunistischem Missionsgeist. Diese Stimmung wird ständig geschürt durch das Gefühl, nirgends die verdiente Anerkennung zu finden; in Europa und anderwärts immer nur angefeindet zu werden, sich immer wieder sagen lassen zu müssen, man habe keine Erfahrung und mache darum alles dumm; mit anzusehen, wie die Regierung die China-Politik verpfuscht hat, obgleich man doch immer nur das Beste wollte – das alles erzeugt ein Gefühl der *Frustration* (wie man dies Unbehagen in Amerika nennt), das den Mittelwesten zwischen der Resignation *Let's all go home* und dem ärgerlichen Ausbruch *To hell with it, after all we have the atom bomb* schwanken läßt.

Die wesentliche Frage ist natürlich: Wieviel Einfluß hat der Mittelwesten auf die amerikanische Politik? Das ist schwer abzumessen und wechselt gewiß auch; in der McCarthy-Periode war der Einfluß verhältnismäßig groß. Eines aber läßt sich wohl feststellen: Wenn dieses Gebiet den Politikern in Washington auch viel zu schaffen macht – mal mit Isolationismus, mal mit Säbelrasseln oder Kommunisten-Inquisition –, so hat Washington sich auf die Dauer doch immer noch durchzusetzen verstanden, unter Wilson, Roosevelt, Truman und einstweilen auch unter Eisenhower. Das ist eine Leistung, die in Europa, wo man die amerikanische Politik immer mit dem Maßstab der eignen Wünsche mißt, gar nicht genug gewürdigt wird.

Für unsere Vorstellung ist Amerika nichts anderes als ein England oder ein Deutschland »in groß«. Nur die wenigsten machen sich klar, was es heißt, jeweils die verschiedenen Minderheiten und ihre oft divergierenden Interessen zu befriedigen: die Italiener, Polen, Iren, Deutschen und die große jüdische Gemeinde in New York. Auch ist natürlich die Neigung der Staaten sehr groß, auf ihre *States Rights* zu pochen und mit dem Motto »Kampf der bürokratischen Zentrale« ihren föderalistischen Träumen freien Lauf zu lassen.

In Louisiana und in Texas spielen die *States Rights* eine besondere Rolle, seit Petroleum aus der See gefördert wird, weil jenseits einer bestimmten »Bannmeile« die Funde dem Bund gehören. In Kalifornien kollidierten die Rechte des Staates mit denen des Bundes vor allem hinsichtlich der größten Sorge des kalifornischen Staates, der Wasserbeschaffung. Und schließlich sind alle miteinander besorgt, daß Washington sie außenpolitisch durch Verträge zu weitgehend in anderen Teilen der Welt festlegen könnte. Eine begreifliche Sorge, wenn man bedenkt, daß die meisten Menschen, die heute in den Vereinigten Staaten leben, oder jedenfalls deren Vorfahren, ursprünglich nach Amerika auswanderten, um der Alten Welt, ihren Sorgen und Zwistigkeiten den Rücken zu kehren. Kaum haben sie nun im Schweiße ihres Angesichts einigen Reichtum gesammelt, so veranlaßt ihre Regierung sie, jenen Ländern, die sie unter Protest verlassen haben, riesige Summen zu spenden und zum Schutz wildfremder Leute in fernen Kontinenten Kriege zu führen.

Im vorigen Jahr hat der Senator Bricker einen Antrag auf Ergänzung der Verfassung gestellt, das sogenannte *Bricker Amendment*, das praktisch verlangt, außenpolitische Verträge müßten von den einzelnen Staaten gebilligt werden. Ein Antrag, der sich natürlich des Beifalls der Staaten erfreut, und der, wenn er durchkäme, den Präsidenten vollkommen lähmen würde, weswegen er denn auch von allen europäischen Politikern mit angstvoll besorgten Blicken verfolgt wird. Im letzten Jahr fehlte bei der Abstimmung eine Stimme an der notwendigen Zweidrittelmehrheit. So steht oft alles auf des Messers Schneide in Amerika, und man weiß nie recht, ob, wenn es gut ausgeht, dies der überlegenen Regie Washingtons oder einem gütigen Zufall zu danken ist. Die Wahrscheinlichkeit aber spricht nicht dafür, daß so verhältnismäßig viele glückliche Zufälle sich ohne weiteres aneinanderreihen.

Es ist gewiß keine leichte Aufgabe, die verschiedenen Nationalitäten, Konfessionen und Sekten alle gleichzeitig zufriedenzustellen; und es bedarf dazu schon einer fast habsburgischen Konzilianz. Dabei sind das noch nicht einmal die augenfälligsten Verschiedenheiten des Landes. Die wird man erst gewahr, wenn man vom Norden oder Mittelwesten in die Südstaaten reist. Der Süden ist ganz anders als alles, was ich von Amerika kenne. In seiner bewußt scharfen Abgrenzung gegen den Norden als den Sieger des Bürgerkrieges und späteren Bedrücker ist dieses Anderssein mittlerweile nun auch zu einer Art Tradition geworden. Es gibt im Süden sehr viel mehr historisches Empfinden als anderwärts – auf Schritt und Tritt spürt man das. »Das ist ein Ante-Bellum-Haus«, antwortete der Taxifahrer in New Orleans auf meine Frage, was das für ein Haus sei.

Der Bürgerkrieg, seine Folgen und Ursachen, sind noch heute für jedermann lebendige Vergangenheit. Es gibt kein ernsthaftes Gespräch, das nicht an diese Zusammenhänge anknüpft oder sehr bald dort endet. »*What you mean by civil war?*« sagte ein Arzt in Tennessee ärgerlich zu mir. »*It was the war between the States*«, also es war kein Bürgerkrieg, denn das könnte ja die Bedeutung Verrat einschließen, sondern es war ein Krieg zwischen den Staaten, der um das Recht ging, aus der Union auszutreten oder nicht.

In diesem Konflikt standen sich gegenüber der zentralistische, industrielle, änderungsfreudige Norden und der regionale, agrarische, konservative Süden, 20 Millionen Menschen im Norden gegen 10 Millionen im Süden. Der Krieg war unendlich blutig – allein in der Schlacht von Gettysburg blieben 17 Generale auf dem Schlachtfeld. Von den vier Millionen Mann, die unter Waffen standen (zwei Drittel vom Norden, ein Drittel vom Süden aufgestellt), sind über 700 000 gefallen. Am Ende des vierjährigen Ringens (1861–1865) waren die Südstaaten ruiniert, weite Landstriche verwüstet, die Häuser verbrannt, das Vieh abgeschlachtet, und dann begann unter der harten Fuchtel der Sieger erst die wirkliche Leidenszeit.

Fast hundert Jahre ist das alles her, und doch beeinflussen diese Ereignisse noch immer die Vorstellungswelt im Süden. Vielleicht weil die Südstaaten die Unterlegenen waren, vielleicht weil dies der letzte Krieg im eigenen Lande war ... Deutlich spürt man auch heute noch, daß hier der Atem der Geschichte die Menschen angerührt hat, daß sie als Gemeinschaft ein Schicksal haben; und das gibt es sonst in Amerika nicht, wo alles Zufall ist oder eine Funktion der eigenen Veranlagung, die man durch Psychoanalyse korrigieren kann, wo die Vorstellung eines tragischen, unabänderlichen Schicksals als abwegig und ungesund gilt und die Aufforderung *take it easy* nicht nur eine Methode charakterisiert, sondern Endzustand und Erfüllung bedeutet.

Einen gewissen Eindruck vom Süden gewinnt man schon, wenn man von Washington südwärts fährt, durch Virginia, die Heimat der amerikanischen Aristokratie und der ersten Großen der amerikanischen Geschichte: Washington, Jefferson und Madison. Man fährt durch die kleinen Städte, sieht auf dem Marktplatz die Kriegerdenkmäler, die alle nach Süden schauen – nicht so sehr, weil sie von dort her das Heil erwarten, als vielmehr, um dem Norden den Rücken zuzudrehen – und kommt nach *Mount Vernon*, zum Besitz des ersten amerikanischen Präsidenten George Washington.

Es war ein regenverhangener, noch winterlicher Tag, an dem ich dort war. Auf dem Potomac trieben graue Eisschollen. Von allen Bäumen im Park tropfte es in die stille Einsamkeit dieser versunkenen Welt. Kein Mensch war zugegen. Ein einfaches »ostelbisches« Landhaus, weiß mit graugrünen Fensterläden, davor ein großer Rasenplatz, von riesigen alten Bäumen eingefaßt, die »Gesindehäuser« und Ställe ein wenig abseits und nahebei ein paar große Pferdekoppeln, im englischen Stil von weißgestrichenen Zäunen eingefaßt. Innen ist alles ganz »friederizianisch«: karg, streng, nobel. Auf der Veranda stehen dieselben eigenartigen Stühle, die es in manchen ostpreußischen Schlössern gab und die angeblich aus dem Tabakskollegium Friedrich Wilhelms I. stammten, auf dem Tisch im Eßzimmer fast die gleichen Glasleuchter, die im Schloß Monbijou die Tafel zierten. Merkwürdig, wie der patriarchale Feudalismus überall den gleichen Stil hat: von Ostpreußen bis Virginia.

Noch einmal sollte ich das feststellen, viel weiter drin im Deep South, in Louisiana. – Louisiana ist Teil jenes riesigen Gebietes, das Amerika 1803 von Frankreich kaufte und das fast ein Drittel der Vereinigten Staaten ausmacht: 900 000 Quadratmeilen für 23 Millionen Dollar – wahrscheinlich war das der größte Landkauf, der je in der Geschichte getätigt worden ist. Napoleon, der beschlossen hatte, das englische Weltreich zu unterwerfen und dem derweil die großen Verbindlichkeiten in Amerika lästig waren, hatte sich entschlossen, diese gewaltigen Territorien, die noch nie ein Weißer wirklich erforscht hatte, zu verkaufen.

New Orleans, die bedeutendste Stadt in Louisiana, hat zwei ganz verschiedene Aspekte. Da ist die neue, vor Energie und Vitalität platzende Stadt, die alle Fesseln sprengt, schon zwei Rathäuser »ausgewachsen« und gerade den Grundstein für ein drittes gelegt hat, das 18 Stockwerke hoch werden soll, eine Stadt, die eine Brücke von 27 km Länge über den See Pontchartrain plant, um neues Wohngelände auf der anderen Seite zu erschließen. Und da ist das alte New Orleans, im 18. Jahrhundert von den Franzosen erbaut, mit seinen schönen *Ante-Bellum-Häusern*, jenen noblen, hohen, weißen Holzhäusern mit dem Säulenvorbau, die die strenge Würde und Distanziertheit ihrer Zeit in die Hochkonjunktur unserer flüchtigen Tage tragen. Sie liegen nicht, wie in dem modernen Teil, am Rande baumloser Straßen, dem Blick frei dargeboten, sondern entlang schattiger Eichenalleen.

Hinter den, man möchte sagen: »Stadtsitzen« blickt man in geheimnisvolle, dicht zugewachsene Gärten mit weit ausgelegten alten Bäumen, von denen langes, graues Moos herabhängt. Auf dem kurzgeschnittenen Rasen vor dem Haus spielen blonde Kinder, von einer dicken, schwarzen Aja im weißen Kleid gehütet. Generationen sind so aufgewachsen. Aber es waren immer wieder andere Familien. Jene ländliche Aristokratie französischer Herkunft, die vor dem Bürgerkrieg hier lebte, ist schon damals verarmt. Dann kamen jene, die Geld in der aufblühenden Schiffahrt verdient hatten, dann die Zuckerplantagenbesitzer, und, nachdem sie einen schweren Zusammenbruch erlebt hatten, die Ölmagnaten und jetzt die Grundstücksspekulanten und die Industriekapitäne.

Wenn man dem Lauf des Mississippi nordwärts bis *Baton Rouge* folgt, dann kommt man an einer Reihe sogenannter *Plantation Homes* vorbei: Es sind alte Landsitze aus der Zeit vor dem Bürgerkrieg, mit verträumten Parks, Ställen, weiten Feldern und weißgekalkten Häusern, den ehemaligen Sklavenquartieren. In diesem überaus fruchtbaren Tal residierten im vorigen Jahrhundert einige große französische und amerikanische Familien, die Aime, Bringier, Trépagnier, die Randolph und Andrews. Einer der reichsten Leute des Südens vor dem Bürgerkrieg war Valcour Aime, der seinen Obergärtner aus Paris geholt und eine Art Hofhaltung auf seiner Plantage entfaltet hatte. Das Haus war mit schönen Teppichen, französischem Porzellan und englischem Silber gefüllt, die ausgedehnten Gärten mit Pfauen, Schwänen und Pelikanen bevölkert. Heute sind die meisten dieser großen Häuser – genau wie in der Alten Welt, vom Baltikum bis zur Normandie – nur in den seltensten Fällen noch »in Betrieb«. Meist sind die Fensterläden geschlossen, und die Häuser – Zeugen einer vergangenen Lebensform – dämmern langsam ihrem Verfall entgegen.

Der Schwager jenes Valcour Aime, Telesphore Roman, hat 1830 den Landsitz Oak Alley erbaut, der auch heute noch »in Betrieb« ist. Oak Alley ist ein traumhafter Ort: das Haus, rosa getüncht, säulenumstanden, so daß ein luftiger Rundgang entstand, ist durch eine riesige alte Eichenallee mit dem Mississippi verbunden, der damals die Hauptverkehrsader des Landes darstellte. So breit ist die Allee, daß man bequem mit einem Viererzug darin umdrehen könnte, oben aber ist sie wie das Mittelschiff einer Kathedrale allmählich zusammengewachsen. Die Gartenanlage, der man noch die französische Provenienz ansieht, ist verwildert und aus den Fugen gegangen, Berge blühender Azaleen und üppig wuchernder, stark duftender Sträucher haben die strengen Konturen längst verwischt. In das Konzert fremdartiger Singvögel bricht hin und wieder scharf der metallene Schlag, mit dem zwei junge Neger auf dem Hof einen Pflug reparieren. In dem angrenzenden

Weidegarten steht das Vieh unter ein paar dicken Bäumen, Schatten suchend und Fliegen wedelnd – am Horizont zieht ein Trecker seine Kreise.

Diese Atmosphäre hat viel Ähnlichkeit mit der Alten Welt, aber sie ist eben auch ein Anachronismus. An sich hat der Farmer Amerikas nichts gemein mit dem Bauern Europas. Unser Bauer, der englische *peasant* oder der französische *paysan*, sie alle sind ein Typ, der etwas Hintergründiges hat, dessen Wurzeln weit zurückreichen, bis hinein in magische Urzeiten. Der amerikanische Farmer aber ist ein moderner Rationalist, der von der Natur im Grunde fast ebensoweit entfernt ist wie sein Landsmann in der Stadt. Der Rechenstift ist auch ihm ein vertrautes Werkzeug, und seine Umwelt und seine Tätigkeit sind oft mit dem Ausdruck Produktionsstätte am besten charakterisiert. Es gibt ungezählte Bauernhöfe, auf denen man kein Tier sieht und hört, nicht einmal ein Huhn, und die meisten haben etwas seltsam Provisorisches – so als sei die ganze Familie ständig im Aufbruch.

Eine landwirtschaftliche Produktionsstätte ganz besonderer Art sind die unvorstellbar großen Viehfarmen in Texas. Die größte von allen ist *King Ranch*. Sie ist 920 000 Acres groß, also über 400 000 Hektar. Vor hundert Jahren hatte Captain King, ein Dampfschiffkapitän, sie für ein Butterbrot gekauft. Damals war dieses Gebiet eine einzige riesige Wildnis. Durch Captain Kings Tochter kam die Farm dann in die Familie Kleberg, der sie auch heute noch gehört. Die Klebergs sind große Züchter. Ihren jahrelangen Bemühungen ist der große Wurf gelungen: Sie haben eine neue Viehrasse gezüchtet, die imstande ist, die Landwirtschaft der tropischen und heißen Gebiete vollkommen zu revolutionieren: die St. Gertraudis. Sie ist eine Kreuzung aus zähem, widerstandsfähigem, milcharmem indischem Zebuvieh und dem schnellwüchsigen, hochgezüchteten, in jenen Klimaten anfälligen, englischen Shorthorn. Es ist die erste selbständige Züchtung Amerikas und wahrscheinlich die erste neue Rasse, die in den letzten hundert Jahren irgendwo hervorgebracht wurde. 75 000 Stück Vieh werden heute in King Ranch gehalten, darunter eine Stammherde von 2500 erstklassigen Kühen.

Wenn man von Norden kommt, fährt man zunächst lange durch plattes, schwarzerdiges Baumwolland, ehe man an die Grenze von King Ranch kommt, diesem Mittelding von Prärie, Steppe und Busch.

Das erste Bild, das sich mir dort bot, als wir früh am Morgen an einem der Viehzentren hielten, hat sich mir tiefer eingeprägt als alles, was ich über Texas gelesen hatte: ein paar nissenhüttenartige Gebilde, von hohen Kantholzzäunen umgeben, stehen ein wenig verloren in dem afrikanisch anmutenden, weiten Land. In einem der großen Paddocks ist ein wildes Karussell im Gange, fünf Mexikaner jagen zu Pferd eine Herde von Stieren, die durch das geöffnete Tor des Paddocks zum Verladeplatz herausgetrieben werden sollen. Draußen stehen andere Reiter, die dann die Führung übernehmen werden. Sie warten dort angewurzelt wie Reiterstatuen, ein wenig vornübergelehnt auf den hohen Sattelknopf, und schauen gespannt der wilden Jagd zu, über der eine dicke Staubwolke liegt, von der schräg dahinterstehenden Sonne dramatisch beleuchtet.

Niemand spricht, kein Laut, kein Zuruf. Man hört nur das eilige Stampfen der kurzen, plumpen Schritte und Sprünge, das dumpfe Zusammenschlagen der Körper. Links verdecken Büsche und Bäume die Sicht, rechts schaut man über eine in der Hitze flimmernde, weite, braune Landschaft. Hier und da entstehen in der Ferne kleine Wirbel von Staub und Sand, die der Wind zusammentreibt ... 14 Tage zuvor war ich bei 20 Grad Kälte in Chikago gewesen – was für ein Land!

Von Intellektuellen, historischen Vorbildern und Schwarzen

Für die Amerikaner beginnt die Geschichte erst mit dem Unabhängigkeitskrieg

Princeton, im Juli 1955

Wenn man sich die Sache recht besieht, muß man sagen, daß Amerika wahrscheinlich das einzige Land ist, das indirekt und gewiß unbeabsichtigt aus Hitlers Existenz einen gewissen Nutzen gezogen hat. Fast an jeder Universität, selbst tief in der finstersten Provinz, findet man deutsche Professoren und Lektoren, die durch Hitler aus ihrer Heimat vertrieben wurden und die europäisches Denken und europäische Maßstäbe in ihren Wirkungsbereich mitgebracht haben.

Krebsforscher, Juristen, Atomphysiker, Historiker, Museumsdirektoren, Theaterleute, Schriftsteller, Künstler – große Männer wie Albert Einstein, Max Reinhardt, Thomas Mann, Max Beckmann haben jahrzehntelang in Amerika gewirkt. Eine endlos lange Kette von Persönlichkeiten, die weit hinausragen über die Köpfe ihrer Zeitgenossen, ist in jenen wenigen Jahren zwischen 1933 und 1939 Deutschland verlorengegangen und nach USA ausgewandert. Gerade die Tatsache, daß es sich dabei sowohl um eine breite Mittelschicht von Akademikern, Künstlern und gebildeten Menschen handelte wie auch um einige »Spitzenprodukte« der europäischen geistigen Welt, ist dabei von entscheidender Bedeutung gewesen.

Noch nie zuvor ist einem Lande in so kurzer Frist ein so gewaltiger Zuwachs an Geist, Wissen und künstlerischem Können zuteil geworden. Wie eine Spritze Pervitin hat das gewirkt. Die Bedeutung auf lange Sicht aber wird man erst in Jahrzehnten wirklich ermessen können; genau wie der Einfluß der französischen Hugenotten auf den bis dahin recht barbarischen preußischen Staat erst späteren Generationen deutlich wurde.

Wenn man in Princeton das *Institute of Advanced Studies* betritt, dieses Gehirnzentrum der westlichen Welt, an dem Albert Einstein und Robert Oppenheimer, John von Neumann, Ernst Kantorowicz und Erwin Panofsky lebenslänglich angestellt sind, und wenn man erfährt, wer dort alles ständig oder zeitweilig mitwirkt, meint man, ein Riese von Gullivers Format sei mit einem großen Löffel einmal über den Globus gefahren und habe die Crème abgeschöpft: deutsche Namen, polnische, ungarische, chinesische . . . Flüchtlinge aus Europa und Asien.

Princeton hat nur 14 000 Einwohner und etwa 3000 Studenten. Es ist wirklich eine Stadt des Geistes und der Forschung – ein Ort mit unglaublich viel Stil: Luxus und dabei doch eine betont schlichte Strenge der Lebensführung. Luxus vor allem im Zuschnitt der Colleges und der wissenschaftlichen Möglichkeiten. Die Firestone-Bibliothek mit 500 000 Bänden, in vielen zum Teil ganz intim wirkenden Räumen untergebracht, ist den Studenten direkt zugänglich, das heißt, sie können selber an die Regale herangehen, »herumstöbern« und sich herausholen, was sie brauchen.

Mich erinnerte der Ort sehr an Oxford. »Ja, aber gleichzeitig ist es auch Bad Ems«, meinte Ernst Kantorowicz, als wir über die leichtgewellten großen Rasenflächen des Golfplatzes herüberschauten zu einem der Colleges mit seinen typisch *oxfordian* Türmen. Was damit gemeint war, wurde mir klar, als wir durch die weiten, parkartigen Anlagen fuhren. Es gibt eigentlich nur eine richtige Hauptstraße in Princeton, alles andere sind Parkwege, an denen hübsche Häuser und große Villen stehen, im Kolonialstil gebaut: Holz, weiß gestrichen, mit roten, schwarzen oder dunkelgrünen Fensterläden und über dem Eingang ein vorgezogenes Dach, das auf zwei Säulenpfeilern ruht. Auch reiche Leute und Millionäre, denen mehr an Ruhe und geistiger Atmosphäre als an *society* und Wirbel gelegen ist, haben sich hier niedergelassen.

Ernst Kantorowicz, der Verfasser des seinerzeit vielbewunderten und aufsehenerregenden Werkes »Friedrich II.«, der mit 34 Jahren Professor an der Universität Frankfurt am Main war, vertritt heute die mittelalterliche Geschichtsforschung im *Institute of Advanced Studies*.

Das Institut hat zwei Abteilungen: Eine mathematische mit 13 ständigen (lebenslänglich angestellten) Professoren und eine historische mit acht ständigen Professoren oder, wie es dort heißt, *senior scholars of eminence* – denn die Tätigkeit dieser Scholaren besteht nicht im Lehren, sondern im Forschen. Und in der Tat sind auf mathematisch-physikalischem Gebiet heute die Erkenntnisse überall in der Welt entscheidend durch die Forschungen Einsteins und Oppenheimers in Princeton beeinflußt worden; während John von Neumann derjenige war, dem es 1952 nach jahrelanger Forschung gelang, die *high speed electronic computing machine,* jenes künstliche Riesengehirn zu konstruieren, mit dem Rechnungen, die bisher Monate in Anspruch nahmen, in Minuten bewältigt werden: Das Kubizieren neunstelliger Zahlen zum Beispiel – was für die Atomforschung wichtig ist, aber auch für die Meteorologie und viele andere Bereiche des heutigen Lebens.

Vor jenem College, das wir über die hügeligen Rasenflächen hinweg betrachtet hatten, stand eine große Zahl uralter, alter und ganz neuer Wagen, und im Torbogen waren viele Fahrräder an die Mauer gelehnt, mit Körben vorn an der Lenkstange, in denen die Studenten ihre Bücher befördern, genau wie in Oxford. Aus den geöffneten Fenstern tönte allenthalben Musik, klassische Musik – nicht, wie man vielleicht erwartet hatte, Jazz.

Auch das ist eine Entwicklung, die sich in den letzten 20 Jahren sehr verstärkt hat, die Rolle der Musik. In der geistigen Oberschicht gehört es zum guten Ton, sich für Musik zu interessieren, und was auf diesem Gebiet geboten wird, ist ganz außerordentlich. Ein Drittel aller Schallplatten, die heute hergestellt werden, sind Aufnahmen klassischer Musik (in Deutschland beträgt der Anteil der »schweren« Musik 20 Prozent an der Schallplattenproduktion).

Es läßt sich offenbar statistisch beweisen, daß die Anzahl der Leute, die Konzerte anhört, etwa der Anzahl der Leute entspricht, die zum Fußballspiel geht. Es gibt in Amerika ungefähr ein Dutzend großer und wahrscheinlich über 120 kleinere Symphonieorchester, und keines dieser vielen Gremien bekommt irgendeinen Zuschuß vom Staat; sie alle werden von der jeweiligen Gemeinde oder von wohlwollenden Mäzenen erhalten.

Man muß sich natürlich klar darüber sein, daß die Entwicklung des Qualitätsgefühls und der Differenzierung geistiger Bedürfnisse sich wie überall so auch in Amerika nur in einer bestimmten Schicht vollzieht. Daneben oder vielmehr darunter aber gibt es eine breite Bewegung, die eine ständige Hebung des Bildungsniveaus der Massen bewirkt. Der Anteil der Bevölkerung, der heute die verschiedenen Bildungsmöglichkeiten oberhalb der Volksschule ausnutzt: *Highschool, College,* Universität, ist um das Vielfache gestiegen, verglichen mit der vorigen Generation. Bei Kaiser-Aluminium in New Orleans, der größten Aluminiumfabrik der Vereinigten Staaten, sagte mir der Personalchef, daß die Betriebsleitung nur Arbeiter einstelle, die die *Highschool* absolviert haben.

Es ist gar kein Zweifel, daß der hohe Grad der Technisierung in der Industrie, genau wie in der Armee, ein höheres Intelligenz- und Bildungsniveau erfordert als vor 50 Jahren. Besonders in Amerika, wo die Entwicklung zur *Automation* hingeht, also zu einem Zustand, bei dem nicht nur gewisse Handgriffe und Arbeitsvorgänge maschinell bewältigt werden, sondern Elektronenhirne den Menschen in seiner Eigenschaft als denkendes, planendes und prüfendes Wesen immer mehr ersetzen. Ein Stadium der »Mechanisierung«, das hochqualifizierte Arbeitskräfte erfordert.

Natürlich ist in Amerika, genau wie in Europa, zu beobachten, daß das Interesse der Schüler und Studenten sich dem Praktischen, dem Verwendbaren, zuwendet. Die erste Frage, auch dem Studium gegenüber, lautet stets: Was kann ich damit werden und verdienen? Ein Studium an der Universität – als *Universitas* – zur Weitung des Horizontes, Vertiefung der Einsichten, Mehrung des Wissens interessiert im Grunde niemanden.

In Chikago besuchte ich das berühmte *Institute of Oriental Studies,* eine in der Welt einzig dastehende, von Rockefeller gestiftete Einrichtung. Das Institut hat viele Ausgrabungen unternommen in Ägypten, in Persien, Mesopotamien und herrliche Veröffentlichungen herausgebracht. Seit längerem beschäftigt man sich im *Oriental Institute* damit, das erste assyrische Wörterbuch zusammenzustellen, ein Vorhaben, das noch die nächsten 25 Jahre in Anspruch nehmen wird.

Heute gehören zum Institut sechs Assyrologen und sieben Ägyptologen – das gibt es in der ganzen Welt nicht wieder. Wie es denn mit Studenten sei, fragte ich den Direktor und Professor Landsberger, der mich freundlicherweise herumführte. Die beiden sahen sich verlegen lächelnd an, und dann sagte der Direktor, auf einen bisher stummen jungen Mann weisend, der der Unterhaltung beiwohnte. »Das ist unser Nachwuchs.« – Ein einziger Student? Ja, in der Tat nur ein einziger. Ich habe dessen Mut riesig bewundert: Ganz allein dem Ansturm eines so gewaltigen »Lehrkörpers« standzuhalten.

»*You know*«, fügte Professor Landsberger, früher Orientalist in Leipzig, erklärend hinzu, »*in this country they study the sex behaviour of sheep or they learn to blow up the world by atom bombs, but they don't know anything about Geisteswissenschaften*« – man studiere das Geschlechtsleben der Schafe und lerne, wie man die Welt mit Atombomben in die Luft jagen könne, aber von Geisteswissenschaften wisse man nichts. Freilich stammte seine offenbar rosige Erinnerung an europäische Universitäten aus der Zeit vor 1933 und stimmt darum mit der heutigen Wirklichkeit nicht mehr überein.

Mir schien jedenfalls, daß in großen Zügen der Typ der jungen Generation bei uns und drüben sich immer mehr einander angleicht. Das ist ja auch ein sehr natürlicher Vorgang, wenn man bedenkt, wie die Angehörigen der verschiedenen Nationen heutzutage durcheinandergewirbelt werden. Millionen von Amerikanern waren während und nach dem Krieg in Europa und Asien – kämpfend, besetzend und reisend. Das, was in Paris gemalt, musiziert und modisch kreiert wird, ist heute für eine gewisse Schicht in Amerika genauso maßgebend wie für die entsprechenden Kreise in Europa. Das war natürlich in früheren Zeiten schon rein technisch gar nicht möglich, weil das Reisen und auch die Vermittlung von Nachrichten viel zuviel Zeit in Anspruch nahmen.

Als Jefferson 1803 in Paris ein Drittel des Bestandes der heutigen Vereinigten Staaten kaufte, gelangte die Nachricht, daß der Vertrag unterzeichnet sei, erst sechs Wochen später nach Washington. Vor den Toren von New Orleans sah ich eine Gedenktafel an der Stelle, an der im Januar 1815 die letzte Schlacht zwischen amerikanischen und englischen Truppen geschlagen worden war – nach Kriegsschluß geschlagen worden war, denn die Kunde, daß im Dezember 1814 im Vertrag von Gent der Krieg zwischen England und den Vereinigten Staaten beendet worden war, hatte die Amerikaner damals noch nicht erreicht.

Diese Schlacht, die also im Frieden stattfand, war übrigens die einzige jenes Krieges, in der die Amerikaner einen Sieg errangen. Überhaupt war das ein wunderlicher Krieg. Er hatte nämlich erst begonnen, nachdem der Kriegsgrund bereits entfallen war, aber bei der langsamen Nachrichtenübermittlung jener Zeit war das den Beteiligten nicht zur Kenntnis gelangt. Der Kongreß hatte nämlich am 18. Juni 1812 dem in der Auseinandersetzung mit Napoleon befangenen England den Krieg erklärt, ohne zu wissen, daß England bereits zwei Tage zuvor, am 16. Juni, die Handelskriegführung gegen Amerika eingestellt hatte.

Wir Europäer stellen oft mit Verwunderung fest, wie wenig die Amerikaner von Europa und seiner Geschichte wissen (oft allerdings, ohne uns darüber klar zu sein, wie gering unsere eigene Kenntnis ihrer Vergangenheit ist). In einer Stadt in Texas fragte mich eine Dame, die mir zuvor von gemeinsamen Freunden als *die* Intellektuelle des Ortes geschildert war, warum man denn nicht mit dem Einfachsten anfange, nämlich damit, alle Europäer zu veranlassen, die gleiche Sprache zu sprechen – wenn das in Amerika gehe, müsse es ja schließlich auch in Europa möglich sein.

Für die Amerikaner beginnt die Geschichte mit der Besiedlung Amerikas und mit dem Unabhängigkeitskrieg. Sie schleppen nicht wie wir die lange Kette historischer Erinnerungen mit sich, von den großen orientalischen Imperien über Griechenland, Rom bis hin zu den Nationalstaaten der modernen Zeit. Vor ihren Augen zog nicht jener endlose Reigen mächtiger Reiche über die Bühne der Weltgeschichte – aufblühend und wieder verfallend, den Pflanzen gleich im jahreszeitlichen Rhythmus –, der unser Geschichtsbild prägt. Für sie beginnt die Welt mit den Pilgervätern und entwickelt sich in gleichmäßig aufsteigender Linie von der *Boston Tea Party* bis zu den Vereinten Nationen, von den Planwagen der ersten Pioniere bis zum Elektronenhirn in Princeton. Daher jener Optimismus und Fortschrittsglaube, die uns zuweilen so naiv anmuten und die doch so wohltuend sind und unentbehrlich in der skeptisch gewordenen westlichen Welt.

Für den werdenden Staatsbürger der USA, der schon im Kindergarten jeden Morgen angesichts des Sternenbanners die rechte Hand aufs Herz legt und den Treueid leistet: *I pledge loyalty . . .* gibt es natürlich Leitbilder, die den europäischen keineswegs nachstehen. Fairneß Freund und Feind gegenüber und die moralische Verpflichtung, dem Schwächeren beizustehen, sind Maximen, für die es großartige Vorbilder gibt. Da sind beispielsweise General Lee und General Grant, die beiden großen gegnerischen Heerführer des Bürgerkriegs; auch Lee, obgleich

Rebell als Anführer der Südstaaten, gilt als einer der Großen, Beispielhaften der Geschichte.

Lees Besitz, der nicht weit von Washington entfernt ist – ein hübsch gelegenes altes Haus in einem parkartigen Walde –, wurde, nachdem er geschlagen war, von den Siegern beschlagnahmt mit der Begründung, sie wollten dort einen Heldenfriedhof errichten. Lee protestierte mit aller Vehemenz und führte einen langwierigen Prozeß. Am Tage aber, an dem er schließlich den Prozeß gewann, schenkte er seinen Besitz der Nation, damit dort ein Soldatenfriedhof eingerichtet werde, der übrigens noch heute »benutzt« wird. Als Lee an jenem 9. April 1865 bei Appomatox kapitulierte, erhoben sich Hochrufe in den Reihen der Nordtruppen, woraufhin General Grant Stillschweigen befahl mit den Worten: »Der Krieg ist vorüber, die Aufständischen sind wieder unsere Landsleute.«

Auch Grant, der spätere Präsident, war eine der großen Figuren der amerikanischen Geschichte. Ein wirklich ungewöhnliches Dokument menschlicher und politischer Größe ist seine Schilderung der Kapitulation Lees nach vierjährigem blutigem und erbarmungslosem Ringen. Wie Bismarck ein Jahr später in Nikolsburg, war auch Grant einzig darauf bedacht, die Grundlage für einen konstruktiven Frieden zu legen und nicht Rache zu nehmen.

Gefühlsmäßig neigt Amerika dazu, sich auf die Seite des Unterlegenen zu stellen. Das mußte schon der erste französische Gesandte der Ersten Republik feststellen, der im April 1793 als Vertreter der neuen französischen Demokratie beim Präsidenten der Vereinigten Staaten sein Akkreditiv überreichte. Obgleich die Väter der Vereinigten Staaten als bewußte und begeisterte Demokraten sich gewiß die Herrschaft der französischen Könige nicht zurückwünschten, mißbilligten sie das Schreckensregime in Paris aufs schärfste. Um dem Ausdruck zu verleihen, empfing George Washington damals den neuen französischen Gesandten unter dem Bild Ludwigs XVI. und Marie Antoinettes.

Jene fast immer unwillkürlich einsetzende Gefühlswallung für den Schwächeren ist vielleicht mit ein Grund, warum das Negerproblem in USA ungeachtet erstaunlicher Ungereimtheiten nie in eine ganz ausweglose Sackgasse geraten ist. Es gibt selbst in den Südstaaten, in denen die *colour bar,* die Rassentrennung, noch immer streng geübt wird, keine kommunistische Infiltration unter den Negern, ja nicht einmal eine organisierte Widerstandsbewegung.

Für den Fremden ist es überraschend, zu sehen, wie stark das Rassebewußtsein der Weißen, im Zeitalter der allgemeinen Menschenrechte, in den Südstaaten Nordamerikas noch immer ist. Während der ersten vierzehn Tage, die ich in den Vereinigten Staaten verbrachte, erregten in diesem Zusammenhang zwei Ereignisse die Gemüter: In Washington sollte in die etwa 600 Mitglieder zählende *Press Association,* den dortigen Journalistenklub, zum erstenmal ein Neger aufgenommen werden. Bei der Abstimmung wurden etwa 300 Stimmen für ihn, aber über 200 gegen ihn abgegeben. Es gab also mehr als 200 Mitglieder, die sich der Aufnahme eines schwarzen Kollegen widersetzten, und zwar nicht irgendwo in der Provinz, sondern in der Hauptstadt des Landes. Um der Gerechtigkeit willen muß man allerdings hinzufügen, daß die *Press Association* (Frauen sind nicht zugelassen) den Antrag einer weiblichen Kollegin sicherlich nicht mit nur 300 Stimmen angenommen, sondern ihn mit annähernd 600 Stimmen abgelehnt hätte!

Der zweite interessante Vorfall ereignete sich in Miami in Florida. Am 14. Februar, dem nationalen Feiertag, *Lincoln Day,* fand in einem Hotel, das Neger nicht aufnimmt, ein Galadiner statt, zu dem auch 35 Neger geladen waren. Als diese im vorschriftsmäßigen Abendanzug erschienen, verweigerte der Hotelbesitzer ihnen den Zutritt. Es entwikkelte sich ein gewaltiger Disput, der Besitzer gab nicht nach, und schließlich verließen 150 Gäste unter Protest vor Beginn des Diners die Festveranstaltung. Der Bürgermeister von Miami, Aronowitz, aber entschuldigte sich anderentags bei der gesamten Nation für diese Verunstaltung des *Lincoln Day.*

Es ist schwer, sich ein zutreffendes Bild zu machen von dem, was man gemeinhin die Negerfrage in USA nennt, weil die vielen verschiedenen Steinchen dieses Bildes, die man hier und da aufliest, oft gar nicht zueinander passen. Ich habe im Süden Neger-Universitäten gesehen, die auch den besten weißen Universitäten nicht nachstehen.

Da ist zum Beispiel die *Dillard University* in New Orleans: Moderne, ästhetisch schöne, helle Gebäude wachsen aus wunderbar gehaltenen lichtgrünen Rasenflächen. Eine Gruppe von gut gewachsenen Mädchen in *shorts,* halblangen Hosen oder *blue jeans* geht schwätzend auf und ab – einige Burschen in staunenswert bunten Hemden spielen lässig Handball mit langen, ausgreifenden Bewegungen. »Man sieht viel mehr Mädchen als Jungen hier«, sage ich fragend zu der jungen eleganten Assistentin, die mich umherführt. »Ja, dreiviertel aller Studierenden sind Mädchen, die jungen Männer versuchen meist, gleich Arbeit zu bekommen und Geld zu verdienen.« Wahrscheinlich verdienen sie mit abgeschlossenem Studium auch nicht mehr als ohne, dachte ich, denn es gibt einstweilen nur wenige gehobene Tätigkeiten, die den Schwarzen praktisch zugänglich sind; die meisten gehen nach Beendigung ihres Studiums als Lehrer in die überall neu entstehenden und anwachsenden *Negro Highschools.*

In Birmingham in Alabama besuchte ich eine jener höheren Schulen, die *Parker Highschool,* die von 3000 Kindern besucht wird. Eine intelligente Lehrerin, die auf ihren tief dunklen Teint Rouge aufgelegt hatte, führte mich durch alle Klassen, Sporträume und Handwerkslehrstätten. Überall war voller Betrieb, überall hoben sich eine Sekunde lang die vielen schwarzen Köpfe, schauten interessiert zur Tür, widmeten sich dann aber gleich wieder, gewissermaßen enttäuscht, ihrer Beschäftigung. Weder Neugier noch Ressentiment oder gar Haß lag in irgendeinem der Blicke, vielmehr so etwas wie: ach, nur so eine langweilige weiße Dame. Als ich mich später von Mr. Johnson, dem schwarzen Direktor, vor dem Hause verabschiedete und einem Taxi winkte, sagte er: »Mit dem dürfen Sie nicht fahren, das ist ja ein Neger.« Ein »weißes« Taxi aber kam nicht, und so mußte ich schließlich den langen Weg zur Stadt hinein zu Fuß gehen, neidisch die Neger betrachtend, die in »schwarzen« Taxi an mir vorbeibrausten. Weiße und schwarze Bürger dürfen auch nicht unter einem Dach schlafen. Darum verlassen jeden Abend sämtliche schwarze Dienstboten das Haus und kehren jeden Morgen dorthin zurück.

Bevor ich mich zur *Parker Highschool* aufmachte, hatte ich einen Bekannten gefragt, wie ich den Direktor wohl nennen sollte – ich war mir nicht klar, ob er Headmaster, President, Principal oder was sonst sei. »Oh«, antwortete der, *»you just call him Sam«,* und er fügte hinzu, er habe noch nie einen Neger mit Mister und seinem Nachnamen angeredet. Derselbe *Southerner* hatte mir am Tage zuvor mit großer Wärme von seinen schwarzen Angestellten gesprochen.

»Was wird denn nun die Folge sein jenes Urteilsspruchs, den das Oberste Gericht gefällt hat und demzufolge die Rassentrennung in den

Schulen verfassungswidrig ist?«, fragte ich einen anderen Bürger von Birmingham. »Da wird sich gar nichts ändern«, antwortete er. »Wenn der Bund den Staaten wirklich eine solche Regelung aufzwingen sollte, dann gründen wir hier im Süden eben Privatschulen.«

Ja, es wird noch lange dauern, bis sich ein vernünftiger Modus vivendi herauskristallisiert, auch wenn die Entwicklung in den letzten fünfzehn Jahren sehr rasch vorwärtsgegangen ist und die heutige junge Generation anders empfindet als alle ihre Vorgänger. An Ort und Stelle wird allerdings deutlich, daß mit der Preisgabe der Rassentrennung noch längst keine Garantie für eine Ideallösung des Schwarz-Weiß-Problems gegeben ist, denn im echten Konkurrenzkampf ist die Masse der Schwarzen in Amerika den Weißen vermutlich noch auf lange Zeit unterlegen.

Man kann sich in der Tat des Eindrucks nicht erwehren, daß die Neger, die am Rande der industriellen Großstädte des Nordens ihr Leben fristen, trauriger wirken als die im Süden, auch wenn diese von der Abc-Schule bis zum Kirchhof ihr Leben unter dem Gesetz der Rassentrennung zubringen müssen. Die Rassentrennung im Süden schmeichelt eben nicht nur dem Dünkel der Weißen, sondern dient in mancher Hinsicht auch dem Interesse der schwarzen Bevölkerung – vor allem, solange noch gewisse Überreste eines patriarchalischen Verantwortungsgefühls bei den Weißen lebendig sind.

Pax atomica

Aus dem Kalten Krieg in
den kühlen Frieden

Genf, Ende Juli 1955

Nun haben sie sich wieder in alle Winde zerstreut, die Großen dieser Welt, mit ihren Diplomaten, Generalen, Expertenstäben, die 1500 Journalisten und die kuriosen Randfiguren weltgeschichtlicher Ereignisse. Geblieben ist die Frage: Sind wir, ist Deutschland, Europa, die Welt besser oder schlechter dran als vor dieser Gipfel-Konferenz?

Eines ist zunächst sicher: Es geht in dieser Welt und es ging immer im politischen Bereich um Machtpositionen, um handfeste Realitäten, um Schlüsselstellungen, Sicherheit und Herrschaft. Es ist ein Irrtum, zu glauben, daß es sich irgendwann um eine Spannung handele, die man leicht aus der Welt schaffen könne, wenn sich die führenden Staatsleute nur einmal gemeinsam an den Tisch setzten und miteinander redeten. Der Kampf um Machtpositionen, das natürliche Gewicht der Dinge und Kräfte läßt sich auf Konferenzen und durch diplomatische Diners niemals entscheidend verändern. Die Veränderungen erfolgen auf einer anderen Ebene. Der Atlantikpakt, die NATO, die Ratifizierung der Pariser Verträge waren beispielsweise solche Veränderungen. Konferenzen sind nur dazu da, festzustellen, wieweit jeder der Beteiligten derartige Gewichtsverschiebungen realisiert, anerkennt und respektiert – mit anderen Worten: wer wen wie hoch einschätzt und wofür er wieviel zu zahlen bereit ist.

So gesehen war es ein recht unbilliges Verlangen, zu erwarten oder zu hoffen, daß die Genfer Konferenz im Verlauf von sechs Tagen dem deutschen Volk die Wiedervereinigung bescheren könnte, wie allzu ungeduldige Landsleute meinten, die schon am dritten Tag erklärten, für uns komme nun ja doch nichts mehr heraus. Für uns ist etwas sehr Wichtiges herausgekommen, nämlich die Zusage der drei Westmächte, über die europäische Sicherheit, um die es den Russen geht, nur dann zu verhandeln, wenn gleichzeitig über die deutsche Wiedervereinigung verhandelt wird. Gewiß ist uns von den Alliierten schon oft (sogar vertraglich) zugesichert worden, daß sie die Wiedervereinigung Deutschlands immer als ihre eigenste Sache betreiben werden; aber bis zur Genfer Konferenz haben sicherlich viele Zweifel an der Ernsthaftigkeit dieses Versprechens gehegt. Solche Zweifel aber wären *nach* Genf nun wirklich unberechtigt.

Wenn eine solche Konferenz dem Wägen und Konstatieren der Kräfte und Möglichkeiten dient, so muß man sich zunächst die Frage vorlegen, mit welchen Vorstellungen beide Seiten eigentlich nach Genf gekommen sind und mit welchen sie diese Stadt wieder verlassen haben. Ganz offensichtlich spekulierte zunächst jeder auf die Schwäche des anderen. Die amerikanische These lautete: Rußland ist geschwächt, seine Landwirtschaft funktioniert nicht, es möchte den Rüstungswettlauf verlangsamen. Darum habe Moskau seine bisherige Taktik geändert: den Staatsvertrag mit Österreich unterschrieben, einen Canossa-Gang nach Belgrad unternommen, und darum werde es mit der Zeit auch in der Deutschland-Frage nachgeben. Auch sei, so meinten einige Amerikaner, eine Diktatur ohne Diktator nur eine halbe Sache. (Bismarck hat einmal gesagt: Eine Monarchie ohne Monarch ist wie ein Hasenpfeffer ohne Hasen.) Aus all diesen Gründen schien den Amerikanern ursprünglich eine Verhandlung über die deutsche Wiedervereinigung noch verfrüht, weil sie glaubten, durch ein Abwarten der weiteren Entwicklung den Preis drücken zu können, den man heute vermutlich noch würde zahlen müssen.

In Genf aber hat sich nun herausgestellt, daß auch die Russen es gar nicht eilig haben, daß sie also offenbar der Meinung sind, die Zeit arbeite für sie. Sie sind zwar sehr interessiert an Entspannung und Sicherheit, aber sie sind nicht bereit, dafür der Wiedervereinigung Deutschlands zuzustimmen und also das Vorfeld ihres Machtbereichs zu räumen. Das kann verschiedene Gründe haben: Entweder sind die Russen gar nicht so ruhebedürftig, wie der Westen meinte, oder sie wollen, wie echte Orientalen, den Teppich nicht in den ersten fünf Minuten verkaufen, sondern das Handeln genießen und seine ungeahnten Möglichkeiten wirksam ausschöpfen. Vielleicht auch halten sie den Zeitpunkt und die Umstände nicht für optimal günstig, weil auch sie auf Zeit und auf Baisse spekulieren, beispielsweise darauf, daß eines Tages der Bundeskanzler Adenauer ausfallen werde – was ihnen als die bei weitem »billigste« Veränderung der Weltsituation erschiene.

Oder noch anders und vielleicht am wahrscheinlichsten: Die Genfer Konferenz war für die Machthaber der Sowjetunion nicht der geeignete Ort, weil die Russen sich mehr versprechen von dem Versuch, die Behandlung des Deutschland-Problems von der Vier-Mächte-Ebene auf die nationale Ebene herunterzuspielen. Denn natürlich ist es schwerer, gegen die Front des vereinigten Westens zu verhandeln als mit einem einzelnen Lande – siehe Österreich und Jugoslawien, zumal die Russen sowohl aus dem Gelingen wie aus dem Scheitern eines solchen Versuches Vorteile ziehen können. Würden nämlich die Russen dem Bundeskanzler Adenauer in Moskau ein großartiges Angebot machen, so gäbe es theoretisch nur zwei Möglichkeiten: entweder er lehnt es ab, was ihn innenpolitisch kompromittieren, oder er nimmt es an, was ihn außenpolitisch diskreditieren würde.

Wenn man einmal den Verlauf und die Atmosphäre der Genfer Konferenz vergleicht mit allen vorangegangenen Veranstaltungen ähnlicher Art, von den Sitzungen im *Palais Marbre Rose* über die Waffenstillstandsverhandlungen in Korea bis zur Berliner und zur vorjährigen Genfer Konferenz, so erscheint der Wandel fast unglaubwürdig. Wäre es je zuvor denkbar gewesen, daß ein sowjetischer Ministerpräsident auf die Friedensbeteuerungen eines US-Präsidenten geantwortet hätte: »Wir glauben Ihnen, Herr Präsident«? Oder, daß jene Rede Eisenhowers und sein Abrüstungs- und Kontrollangebot in den russischen Zeitungen abgedruckt würde, ohne als imperialistisches Scheinmanöver kommentiert zu werden?

Das Endkommuniqué – die Direktive für die bevorstehende Außenministerkonferenz – ist ein Kompromiß, der alle Möglichkeiten offenläßt. Gewiß, es gibt keine Garantie für den von uns erhofften Ausgang; aber es ist doch ein Fortschritt, daß man wieder zu einer echten Schachpartie zurückgekehrt ist, die nicht dadurch entschieden wird, daß einer der beiden Spieler plötzlich eine Pistole aus der Tasche zieht. Auch die Feststellung, daß man einen Zustand der Balance erreicht hat, ist ein wichtiges Ergebnis von Genf.

Eines ist hier ganz deutlich geworden: Unter dem apokalyptischen Zeichen der Wasserstoffbombe ist der Wille, unter allen Umständen

den Frieden zu erhalten, mächtig angewachsen. Es wird also tatsächlich so etwas wie eine *pax atomica* geben. Der Kalte Krieg wird in einen kühlen Frieden übergehen – *kühl,* weil die politischen, weltanschaulichen und wirtschaftlichen Divergenzen bleiben, aber doch immerhin *Frieden.* Man muß sich allerdings darüber klar sein, daß das ein Fortschritt ist, der auch seine Schattenseiten hat. Die Spannung, in der wir gelebt haben, hätte zwar eines Tages zur Katastrophe führen können, aber die Entspannung ist auch nicht ohne Risiko.

Ein Amerikaner hatte kürzlich dafür eine schlagende Formulierung. Er sagte: »Wenn wir in den Demokratien die Spannung abbauen, dann hält sehr bald niemand es mehr für nötig, auf der Hut zu sein, und dann wird man eines Tages erst recht gefressen.« An diese Worte wird man jetzt erinnert, wenn man die Begeisterung sieht, die die Erklärung Eisenhowers zur Demilitarisierung und Rüstungsbeschränkung in Amerika ausgelöst hat, oder wenn man den Siegeszug der russischen Farmer und Agronomen durch den amerikanischen Staat Iowa verfolgt. Der Kontakt zwischen den Amerikanern und den Russen, der hier in Genf zustande gekommen ist, muß, wenn er weiter ausgebaut wird, bald eine Art Eigengesetzlichkeit entfalten. Das zeigen schon die Reisen amerikanischer und deutscher Journalisten in die Sowjetunion.

Für Deutschland hat die Genfer Konferenz zweierlei gebracht, eine *Beruhigung* und eine *Sorge:* die beruhigende Zusicherung, daß der Westen einen europäischen Sicherheitspakt nur abschließen wird, wenn es gleichzeitig zur Wiedervereinigung Deutschlands kommt, und die beunruhigende Vision einer *globalen Demilitarisierung,* die unter Umständen das Sicherheitsbedürfnis der Russen so ausreichend befriedigt, daß sie an dem *europäischen* Sicherheitspakt, der uns die Wiedervereinigung bringen könnte, nicht mehr interessiert sind. Aber auch hier hängt alles von den Realitäten und nichts von den Konferenzen ab. Die Realität aber sieht so aus, daß die Sowjetunion eine unlimitierte Kontrolle im eignen Lande kaum zulassen kann, und die USA es sich im Hinblick auf die Wahlen und die osteuropäischen Bevölkerungsgruppen im eignen Land nicht leisten können, die Satellitenregierungen in einem solchen globalen Abkommen anzuerkennen.

Hoffen wir also auf den europäischen Sicherheitspakt, und der wird davon abhängen, daß die Deutschen sich nicht entmutigen lassen, neue Realitäten zu schaffen – denn Konferenzen allein tun es nicht.

Verwirrung in den Vereinigten Staaten

Die historischen Wurzeln
des amerikanischen Dilemmas

Hamburg, im Juni 1956

An eine gewisse Unstetigkeit der amerikanischen Außenpolitik ist man seit langem gewöhnt. Eisenhower meinte kürzlich, ein wenig entschuldigend, »die Welt verändert sich dauernd und heutzutage sogar sehr rasch; eine Politik, die vor sechs Monaten gut war, ist nicht notwendigerweise auch heute noch die richtige« – eine Feststellung, die man vor allem, soweit es sich um die Revision der Politik in Nah- und Fernost handelt, durchaus unterschreiben kann. Schwieriger wird die Sache allerdings, wenn nicht nur heute (Eisenhower: »Es gibt ein Recht auf Neutralität«) andere Erkenntnisse vermittelt werden als gestern (Eisenhower Weihnachten 1954: »Da gibt es Leute, die glauben, es sei möglich und wünschenswert, abseits zu stehen in dem weltweiten Streit . . .«), sondern wenn innerhalb von 48 Stunden Präsident und Außenminister zum Thema Neutralität ganz verschiedene Erklärungen abgeben. Neutralität ist ein »uraltes« Thema der Amerikaner. Ja, man könnte fast sagen, sie ist das Gesetz, wonach die USA angetreten. An jedem 22. Februar wird noch heute im Repräsentantenhaus die Abschiedsadresse des ersten Präsidenten George Washington laut verlesen. Darin heißt einer der entscheidenden Ratschläge an seine Landsleute: *As little political connection as possible with foreign nations* – so wenig politische Beziehungen mit fremden Nationen wie nur möglich! Es sollte also verhindert werden, daß der Geist der alten Welt mit ihren nationalen Kriegen, sozialen Privilegien und alten Zöpfen, in die neue Heimat eingeschleppt würde.

Dieser Wunsch, der in allen Dokumenten und Resolutionen jener Zeit zum Ausdruck kommt, fand dann seine erste außenpolitische Formulierung in der Nichteinmischungsthese (1823) des Präsidenten

Monroe, die für Europa und Lateinamerika zur gültigen Richtlinie wurde, bis – ja eigentlich bis zum Zweiten Weltkrieg. Für Ostasien galt seit der Jahrhundertwende und ebenfalls bis zum Zweiten Weltkrieg die »Politik der offenen Tür«, die die Gleichberechtigung des US-Handels in China forderte, aber gleichzeitig auch die Unabhängigkeit und territoriale Integrität Chinas – also auch dort Nichteinmischung – verkündete.

Allerdings sind die Vereinigten Staaten, ungeachtet dieser Richtlinien, in drei große Kriege verwickelt worden; aber die Grundstimmung: Neutralität und Nichteinmischung konnte in allen drei Fällen jedesmal nur durch ein Ereignis überwunden werden, das die Gefühle gewaltig aufpeitschte: der Untergang der *Maine* 1898 am Vorabend des japanischen Krieges; die Versenkung der *Lusitania,* die entscheidend zum Eintritt Amerikas in den Ersten Weltkrieg beitrug; und *Pearl Harbor,* das Fanal für Amerikas Teilnahme am Zweiten Weltkrieg.

Der Wunsch zur Neutralität, oder wie wir es heute nennen, zum Isolationismus, entsprach so sehr der amerikanischen Tradition, daß nach Beendigung des Ersten Weltkrieges der Senat den Beitritt der USA zu Wilsons Völkerbund glatt verweigerte. Und 1941 noch, nach dem Angriff Hitlers auf die Sowjetunion, hielt Hoover eine große Rede, in der er die Amerikaner ermahnte, neutral zu bleiben.

Diese Grundeinstellung war nun von jeher (und auch dies aus naheliegenden historischen Gründen) gekoppelt mit ausgesprochen antikolonialistischen Gefühlen. Immer haben die Vereinigten Staaten an allen revolutionären Bewegungen einen starken Anteil genommen. Mit großem Beifall wurde der Freiheitskampf Griechenlands im vorigen Jahrhundert und wurden die Nationalitätenkämpfe auf dem Balkan begleitet. Eine Einstellung, die sich in unseren Tagen noch einmal in der Begeisterung für den Freiheitskampf Berlins manifestierte.

Man muß sich natürlich klar darüber sein, daß diese beiden Ideale einander ausschließen, denn einerseits Neutralität und andererseits Solidarität mit den unterdrückten Völkern, das läßt sich nun einmal schlecht vereinen. Und eben darum hat die Politik der Vereinigten Staaten immer hin und her geschwankt in einer merkwürdigen Antithese zwischen *politischer Nichteinmischung* und *moralischer Einmischung* (von der die Wilsonschen Weltbeglückungsideen, die sich auch bei Roosevelt und Eisenhower finden, nur eine Abart darstellen). Als die USA durch den Zweiten Weltkrieg zu der entscheidenden Weltmacht wurden, änderte sich dies zwangsläufig, denn eine Weltmacht, die überall Stützpunkte, Interessensphären und Verbündete besitzt, mußte natürlich allen Träumen von Neutralität und auch allen romantischen Sympathien den Laufpaß geben. Vor allem, wenn sie den Totalitarismus zum permanenten Gegner hat. Jetzt hieß die Devise, »wer neutral ist, hilft dem Aggressor«. Auch die Begeisterung für die Freiheitsbewegungen nahm nach dem Zweiten Weltkrieg rasch ab, als sich zeigte, daß die asiatischen Nationen, deren Befreiung die USA so laut akklamiert hatten, im allgemeinen geneigt waren, kurz darauf in der UNO mit den Kommunisten zu stimmen.

In der Ratlosigkeit, die durch die Preisgabe der alten Ideale: politische Nichteinmischung und moralische Anteilnahme, entstanden war, erfand das *State Department* eine Art Kompromiß, nämlich die kollektive Sicherheit, die von nun an das Modell für alle politischen und militärischen Verträge wurde. Als die USA 1949 den Atlantikpakt ratifizierten, vollzogen sie damit endgültig die Abkehr von der klassischen amerikanischen Politik: *As little political connection as possible.*

Es ist gar keine Frage, daß seither die amerikanische Außenpolitik in eine gewisse Krise geraten ist. Für die Amerikaner, die jahrzehntelang Gandhis Unabhängigkeitskampf mit aufrichtiger Sympathie begleitet hatten und die sich voller Stolz als Bürger des freiesten Staates der Welt fühlten, war es einfach unverständlich, plötzlich an der Seite von Persönlichkeiten zu stehen, die jedermann als reaktionär bezeichnete: Syngman Rhee, Bao Dai, Tschiang Kai Schek.

John F. Dulles versucht weiterhin an der alten Version festzuhalten: »Nur ein auf militärischen Bündnissen aufgebautes System der kollektiven Sicherheit bietet eine Garantie gegen die kommunistische Herrschsucht – Neutralität gibt es nicht.« Während Eisenhower sagt, moralische Neutralität sei nicht identisch mit militärischer Neutralität, die ihre Berechtigung sehr wohl habe.

Die Verwirrung ist groß. Der Sprung von den gestrigen Drohungen »massive Vergeltung« und »wir werden Tschiang aufs Festland loslassen« bis zur heute proklamierten Koexistenz ist sehr weit, vor allem für ein Volk, das gewöhnt ist, für die politischen Maßnahmen moralische und emotionale Begründungen zu bekommen.

Washington lernt um

Dulles akzeptiert den »positiven Neutralismus« von Nasser und Nehru

Neu-Delhi, im Oktober 1958

Winston Churchill mit seiner unvergleichlichen Formulierungsgabe hat einmal gesagt: – »*It is good to be farsighted – but it is difficult to look further than you can see.*« – Weitblick ist unerläßlich, aber es ist schwer, weiter zu blicken, als man sehen kann. Genau dies ist es.

Die politische Weitsicht von Völkern, Regierungen oder einzelnen Individuen ist nicht wie die Reichweite der Mondrakete von der Energieentfaltung abhängig, die bei ihrem Start aufgewandt wird, sondern von tausend verschiedenen und zum Teil so unberechenbaren Dingen wie Erinnerungen, Vorurteilen, Gefühlen, Wünschen, die – addiert oder gar multipliziert – Mißverständnisse und Fehlurteile gigantischen Ausmaßes ergeben können. Wir Deutsche, deren Weitsicht ein Jahrhundert lang durch nationale Scheuklappen arg behindert war, können ein Lied davon singen.

Wenn dann aber einer schließlich solche Mißverständnisse wahrnimmt, die Fehlurteile beiseite schiebt und nun weiterblickt, als er bisher sehen konnte, so sollte man ihm Lob, Preis und Dank zollen und nicht, wie es viele jetzt tun, sich noch rückblickend über frühere Irrtümer lustig machen.

Augenblicklich nämlich ist es ein beliebter Sport, sich über Außenminister Dulles zu mokieren, der starrköpfig durch Jahre eine ganz bestimmte (von vielen kritisierte) Politik in Nah- und Fernost verfolgte und der dabei ist, diese nun endlich zu revidieren. Der Moment, in dem ein Starrköpfiger elastisch wird, ist sicher nicht der richtige, um ihn zu tadeln.

Die US-Außenpolitik ist tatsächlich entscheidend verändert worden. Die ersten Anzeichen jenes Wandels waren schon vor Wochen sichtbar; jetzt wurde er in Neu-Delhi bei der Weltbanksitzung ganz deutlich. Die Beschlüsse, die dort zur Erweiterung der Kompetenzen und Möglichkeiten der Weltbank gefaßt worden sind, brachten den Wunsch der Amerikaner zum Ausdruck, ihre Auslandshilfe mit den Unterstützungen anderer Staaten für die Entwicklungsländer zu einer Gemeinschaftshilfe des Westens zusammenzulegen. Dadurch soll der Eindruck verhindert werden, Amerika wolle durch finanzielle Unterstützungen einen politischen oder moralischen Druck auf die Empfänger ausüben.

Es wird also in Zukunft kein Unterschied mehr gemacht werden zwischen verdienten und verdienstlosen Hilfsbedürftigen. Wer immer bei der neuen Gemeinschaftshilfe um Unterstützung einkommen will, mag dies tun. Hilfe soll mit anderen Worten nicht dazu benutzt werden, den einen zu belohnen und den anderen gefügig zu machen. Politisch heißt das, man hat erkannt, daß der Versuch, seine Stützpunkte, wie beim Mühlespiel die Steine, in bisher unerschlossenes Gelände zu setzen, nur den Gegner auf den Gedanken bringt, nun seinerseits diese Stellungen zu blockieren: Wenn es dem Westen gelingt, sich den Irak im Bagdad-Pakt zu sichern, liefert der Ostblock Waffen an Ägypten; flugs verstärkt der Westen seinen Einfluß im Libanon, worauf der Osten, nicht faul, sich Syriens Gunst erkauft und so weiter . . .

Man hat in Washington ferner erkannt, daß es unzweckmäßig war, Vertreter des alten Regimes, die dem Westen gewogen waren, zur Zielscheibe der oppositionellen Kritik zu machen, indem man sie in ein verpöntes Paktsystem zwang. Man hat eingesehen, daß in einer Epoche, in der nationale Bewegungen und soziale Revolutionen sich überschneiden und alte Schichten hinweggefegt werden, solche Pakte keinerlei Garantie bieten. Die irakische Regierung, die 1955 den Bagdad-Pakt schloß, fiel 1958 einem Staatsstreich zum Opfer; die libanesische Regierung, die 1957 die Eisenhower-Doktrin als verbindlich akzeptierte, wurde ebenfalls 1958 hinweggefegt.

Die neue Einstellung Washingtons bringt zum Ausdruck, daß Amerika den arabischen und den asiatischen Nationalismus nicht mehr wie bisher für lokale – durch eigene Unachtsamkeit und Moskaus Pyrotechnik verursachte – Brandherde hält, die mit einer mobilen Feuerwehr bekämpft werden können und müssen. Sie zeigt, daß die US-Regierung vielmehr eingesehen hat, daß es sich um große revolutionäre Bewegun-

91

gen handelt, zu denen ein Verhältnis gefunden werden muß, will man sie nicht gradewegs dem Osten zuleiten.

Das Problem der finanziellen Unterstützung ehemaliger Kolonialgebiete ist deswegen so schwierig, weil beide Seiten beim Wort »Hilfe« ganz verschiedene Assoziationen haben. Die »Weißen« denken an patriarchalische Zusammenarbeit, die »Farbigen« an Ausbeutung. Darum ist die Regelung von Neu-Delhi von großer Bedeutung.

Daß ausgerechnet die Vereinigten Staaten, deren Vergangenheit vom Vorwurf kolonialer Ausbeutung frei ist, ja, die in der Geschichte, fast könnte man sagen: »nach dem Gesetz des Antikolonialismus angetreten« sind, heute in Arabien und Asien als Ober-Unterdrücker und Super-Imperialisten angesehen werden, ist eine tragische Ironie.

Kaum ein Volk hat sich im 19. Jahrhundert für die Freiheitskämpfe der Griechen und die nationale Revolution anderer Völker so begeistert wie die Amerikaner. Schließlich waren sie selbst ja durch einen revolutionären Akt zur staatlichen Selbständigkeit gelangt. Nirgends ist der nationale Widerstand Gandhis oder in unseren Tagen der Kampf der Berliner (»our Berliners«) mit so viel Anteilnahme und Bewunderung begleitet worden wie in USA. Ein Gutteil der Unlust, die die Amerikaner empfanden, als sie zur Weltmacht wurden, mochte daher stammen, daß sie nun in fremden Kontinenten Verantwortungen übernehmen mußten und ihren Gefühlen nicht mehr freien Lauf lassen konnten; daß sie von nun an *politisch* denken mußten und sich nicht mehr *moralisch* begeistern oder entrüsten durften.

Kein Wunder, daß unter diesen Umständen zunächst der politische Weitblick, von dem eingangs die Rede war, in dem Dilemma zwischen alten Gewohnheiten und neuen Erfordernissen zu leiden hatte.

Wenn Washington nun also die bisherige Einstellung revidiert, wenn es einsieht, daß der »positive Neutralismus« von Nasser bis zu Nehru eine durchaus tragbare Basis für eine Gemeinsamkeit mit dem Westen bietet, und wenn jene sehen, daß sie nicht mehr in Pakte verwickelt werden, sondern in Ruhe ihre Volkswirtschaften aufbauen können, dann zeichnen sich neue Möglichkeiten ab. Zumal jene Völker mittlerweile gesehen haben, daß die Sowjetunion an ihre Anleihen stets Bedingungen knüpft. Welche Chance für ein allmählich sich anbahnendes Vertrauensverhältnis, wenn der Westen dies in Zukunft nicht mehr tut!

Die sechziger Jahre

Präsident Kennedys Ideen zur Rüstungskontrolle

Die modernen Waffen verringern die Sicherheit, anstatt sie zu vergrößern

Hamburg, im Februar 1961

In allen Berichten wird in diesen Wochen der Wendepunkt gepriesen, der durch den Einzug Präsident Kennedys ins Weiße Haus markiert wird. In allen Sprachen lesen wir es: »Der Geist des Neubeginns« – »*a new approach*« – »*une nouvelle initiative*«. Gibt es konkrete Anhaltspunkte für solchen Optimismus? Und welches sind die Anzeichen, die für einen neuen Beginn, vor allem in den Beziehungen zwischen Moskau und Washington sprechen?

Der *new approach* begann mit dem Glückwunschtelegramm Chruschtschows an Kennedy vom 9. November 1960, in dem er die Zeiten glücklicher Zusammenarbeit mit Roosevelt beschwor: »Wir sind bereit, die freundschaftlichen Beziehungen zwischen den Regierungen der Sowjetunion und den USA zu entwickeln.« Und ähnliche Worte sandte er noch einmal zu Neujahr und zur »*Inauguration*«.

In seiner Antwort sprach auch Kennedy die Hoffnung aus, daß sich die Beziehungen zwischen den beiden Völkern verbessern werden. In seiner Antrittsrede am 20. Januar 1961 sagte er: »Beide Seiten sollten zum ersten Male ernsthafte und präzise Vorschläge über die Inspektion und Kontrolle der Rüstung ausarbeiten.« Womit er entgegenkommenderweise zugab, daß dies auch auf amerikanischer Seite bisher nicht wirklich geschehen sei. Im übrigen enthielt allerdings seine programmatische Rede einige ganz unmißverständliche Warnungen: Die Amerikaner seien nicht bereit, der allmählichen Abschaffung der Menschenrechte tatenlos zuzusehen … Sie würden verhindern, daß die UN zu einem Forum für Schmähreden wird … Den neuen Staaten gab er die Zusicherung, daß die koloniale Kontrolle nicht beendet worden sei, um durch eine noch ungleich härtere Tyrannei ersetzt zu werden. Und schließlich: »Wir dürfen die Gegner nicht durch Schwäche in Versuchung führen.« Die *Iswestija* veröffentlichte den vollen Text der Rede, eine zweifellos bemerkenswerte Geste.

Am folgenden Tage, am 21. Januar, erfolgte die erste Kontaktaufnahme. Der US-Botschafter Thompson hatte eine zweistündige Unterredung mit Chruschtschow, der mitteilte, er sei bereit auf eine Diskussion des U2-Zwischenfalls vor der UN zu verzichten, was die sowjetische Presse als Beginn eines neuen Kapitels bezeichnete: »Das Sowjetvolk erwartet, daß der Initiative der Sowjet-Regierung neue Schritte seitens der Vereinigten Staaten folgen.« Anschließend flog Thompson zur Berichterstattung nach Washington, und seither verlautet immer vernehmlicher, daß Chruschtschow zur Vollversammlung der UN, die am 7. März beginnt, nach New York reisen und bei dieser Gelegenheit Kennedy sprechen wolle.

Vier Tage später, am 25. Januar, hielt Kennedy seine erste Pressekonferenz, in der er ankündigte, er werde eine Vertagung der Genfer Atom-Stopp-Verhandlungen vom Februar auf Ende März beantragen, um Zeit für eingehende Vorbereitungen zu gewinnen. Ein Entschluß, der von Radio Moskau lobend kommentiert wurde: Der freimütige Ton Kennedys habe erfreulich abgestochen von dem seines Vorgängers, »der oft die Kontrolle über sich selbst verloren hat«.

Kein Zweifel, es geht beiden, Kennedy und Chruschtschow, darum, die Atmosphäre zu entgiften und eine gewisse Beruhigung in den Beziehungen eintreten zu lassen. Aus diesem Grund hat Kennedy den Generalen und Admiralen des Pentagon bedeutet, daß sie nicht befugt seien, sich offiziell über amerikanische Außenpolitik zu äußern. Admiral Burke mußte sogar eine Rede umschreiben, in der er der Sowjetunion ständige Vertragsbrüche vorwerfen wollte.

Entgiftung der Atmosphäre und Verhütung des großen Krieges – ja, darum geht es beiden Seiten. Aber heißt das, daß wir wirklich vor einem neuen Kapitel der Geschichte stehen, vor einem neuen Beginn? Konkreter gefragt: Wie groß ist eigentlich für die beiden Giganten der Spielraum der Verständigung und die Möglichkeit, Kompromisse zu schließen? Um die Antwort gleich vorwegzunehmen: er ist minimal.

Der Spielraum ist minimal, denn seit Jahren hat die *brinkmanship* – die Meisterschaft, am Rande des Abgrundes zu balancieren – Millimeterarbeit geleistet. Politisch und geographisch ist für keine der beiden

Seiten ein Geschäft zu machen. Der Status quo, um dessentwillen einst eine Luftbrücke nach Berlin errichtet und um den in Korea ein lokal begrenzter Weltkrieg geführt wurde, bis man ihn am 38. Breitengrad wieder erreicht hatte, dieser Status quo liegt als Linie sowohl in Asien wie in Europa fest. Nur um den Kontinent Afrika, der – eben erst aus dem politischen Urbrei hervorgetreten – allmählich Gestalt gewinnt, wird noch viel gerungen werden. Dort gibt es sozusagen noch keinen Status quo.

Die Schwierigkeit ist eben, daß jede Konzession, die der eine macht, potentiell dem anderen zuwächst, so als handle es sich um ein Null-Summenspiel. Darum ist ja auch in Abständen immer wieder der Vorschlag gemacht worden, gewisse Gebiete zu neutralisieren und sie damit dem Einfluß beider Rivalen zu entziehen. Das würde zwar das negative Interesse an Konzessionen verringern, erhöht aber auch nicht gerade das positive Interesse an ihnen.

Man kann also nur dort auf Erfolg hoffen, wo die Interessen nicht kontrastieren, sondern parallel sind; denn auf die Interessen kommt es doch letzten Endes an, nicht auf die Persönlichkeiten, die sie jeweils vertreten.

Darum gibt es nur ein Gebiet, auf dem gemeinsame Aktionen möglich sind und vielleicht Erfolg versprechen, nämlich die *Abrüstung*. Die neuen Männer in Washington sind gewiß keine Träumer, die dem Phantom einer Welt ohne Waffen nachjagen. Sie wissen viel zu gut, daß ihr Land angesichts der weltweiten Bedrohung nicht schwach werden darf. Kennedys Rede vor den beiden Häusern am 30. Januar, in der er drei Sofortmaßnahmen für die Beschleunigung der Rüstungsproduktion anordnete, beweist dies sehr deutlich. Übrigens war es ja in der Vergangenheit keineswegs so, daß die Republikaner für »starke Politik« waren und die Demokraten dagegen opponierten. Vielmehr ist Eisenhower von den Demokraten sehr oft als weichlicher Pazifist kritisiert worden, besonders als er 1956 die Verbündeten aus Suez zurückpfiff, war der Ärger der Demokraten groß.

Die neuen Männer in USA wissen aber auch, daß das Wettrüsten, sollte es ungehemmt fortdauern, eine apokalyptische Katastrophe wahrscheinlich macht. Jerome B. Wiesner, neben McCloy der Hauptberater des Präsidenten in Abrüstungsfragen, macht keinen Hehl daraus: Je länger der Rüstungswettlauf dauert, so sagt er, desto größer wird die

Wahrscheinlichkeit, daß an seinem Ende die Vernichtung der Menschheit steht. Der zweite Ausgangspunkt für alle amerikanischen Überlegungen zum Thema Abrüstung ist die Erkenntnis, daß sich das Wettrüsten keineswegs auszahlt. Wiesner erklärte: »Wir haben erlebt, wie auf jede unserer Erfindungen die sowjetische entsprechende Gegenerfindung erfolgte. Der einzige sichtbare Erfolg war nur, daß beide Nationen immer vernichtendere Waffen hergestellt haben, gegen die es keine Verteidigung gibt.«

An diesem Punkt setzt die dritte Erwägung an, die das Denken der neuen US-Abrüstungsfachleute bestimmt: Die modernen Waffen haben die Sicherheit verringert, anstatt sie zu vergrößern. Sie haben sozusagen eine eigengesetzliche Problematik abseits der Politik geschaffen, anstatt der Politik zu dienen. Professor Schelling von der Harvard-Universität meint, die Waffenentwicklung der letzten sieben oder acht Jahre sei selber die Ursache für die alarmierenden Aspekte der gegenwärtigen Lage.

Das Ziel der Regierung Kennedy heißt also nicht totale Abrüstung, sondern *Rüstungskontrolle;* nicht Abschaffung der gegenseitigen Abschreckung, sondern ihre *Stabilisierung* auf einem die Sicherheit verbürgenden Niveau. Der Zauberlehrling aus der Raketenküche soll wieder unter Kontrolle gebracht werden.

Auch Chruschtschow stellt sicherlich aus ähnlichen Gründen die Abrüstung in den Vordergrund aller Verhandlungen. Ihm aber schwebt offenbar die *totale Abrüstung* vor. Es heißt, er habe bei der Unterhaltung mit Botschafter Thompson gesagt, er werde jede Form der Kontrolle akzeptieren, sofern auch der Westen die stufenweise totale Abrüstung als Ziel anerkenne. Und sofern der erste Schritt auf diesem Wege so beschaffen sei, daß er nicht widerrufen werden könne.

Auch auf diesem Gebiet dürfte also der Verhandlungsspielraum nicht sehr groß sein, aber wenigstens sind die Interessen ähnlich gelagert. Viel wird von den Verhandlungs*methoden* abhängen, und da allerdings könnte wirklich ein neues Kapitel beginnen. Vielleicht ist jetzt der Moment gekommen, auf westlicher Seite zu erwägen, ob die Allianzpartner sich nicht entschließen können, die Amerikaner zu bevollmächtigen, zugleich auch in ihrem Namen zu sprechen, anstatt auf ein Mitspracherecht zu pochen und dadurch die Verhandlungen zu erschweren. Das wäre ein positiver Beitrag zum *new approach.*

Washington wird zum neuen Kraftfeld

Kennedy – der erste Staatsmann, der die Sprache
der neuen Generation spricht

Washington, im Februar 1961

Wer in diesen Tagen nach Washington kommt und sich bemüht, das
politische Klima zu wittern, stellt mit Erstaunen fest: Amerika ist wie
verwandelt, wie aus langjährigem Bann erlöst. Nicht, daß das amerikanische Volk in den Jahren zuvor passiv gewesen wäre. Nein, viele
Hände haben sich geregt. Viel ist gearbeitet und geleistet worden.
Aber über dem Zentrum der politischen Macht lag es wie ein Bann.
Dort, wo Feuer aus der Nation hätte geschlagen werden müssen,
wurde bürokratisch verwaltet. Dort, wo der Geist frei hätte schweifen,
kritisch prüfen und immer wieder sondieren sollen, gab es nur ein
bürokratisches Schaltwerk. Viele Begabungen, viele kritische Köpfe
hatten sich unter solchen Umständen zurückgezogen. Einer der großen Gelehrten dieses Landes, Robert Oppenheimer, sagte mir: »Die
Vereinigten Staaten sind wie ein Geschäftsunternehmen verwaltet worden, kommerziell und effizient, aber ohne Inspiration!«

Heute wirkt die Regierung wie ein magnetisches Feld, das eine
ungeahnte Anziehungskraft ausübt. Ein Beispiel: In vielen amerikanischen Colleges ist Kennedys Friedenskorps-Idee, welche die Jugend
aufruft, in den unterentwickelten Gebieten Dienst zu tun, so begeistert
aufgenommen worden, daß man dabei ist, eine eigene Organisation
aufzubauen.

Gewandeltes Washington! Im Weißen Haus, wo bisher ein streng
hierarchischer Apparat dafür sorgte, daß oben beim Präsidenten nur
das ankam, was sorgfältig durch viele Filter gegangen war, hat heute
eine ganze Anzahl von ökonomischen Sachverständigen, politischen
Anregern und militärischen Experten ständig direkten Zugang zum
Regierungschef. Statt der »grauen Eminenz« des Präsidenten, wie

Sherman Adams es einst war, wurde ein offizielles Kollektiv von Beratern einberufen. Neben diesem Stab ständiger Mitarbeiter gibt es Gruppen von Professoren, Gewerkschaftsführern, Geschäftsleuten und Privatpersonen, die auf höchst unorthodoxe Weise zusammengestellt wurden und zu bestimmten wirtschaftspolitischen oder sozialen Maßnahmen gehört werden. Allerorten sind Untersuchungen über handelspolitische Fragen und Währungsprobleme in Arbeit, allenthalben wird der Sachverstand mobilisiert. Jeder Stein wird umgedreht, um zu sehen, was darunter ist, alles von neuem überprüft und durchdacht. Politik als geistige Kategorie aufzufassen – dies Abenteuer hat die schöpferischen Kräfte in Bann geschlagen. Und so entstehen denn »Politiker neuen Typs«.

Soweit man es wagen kann zu generalisieren, lassen sich vielleicht folgende Stichworte anmerken: Ihr Humor hat ernste Töne, man gibt sich leise und trumpft nicht auf, man ist intellektuell, aber fern von Zynismus. Die jungen Leute, die heute überall an den verantwortlichen Stellen sitzen, sind zwar skeptisch, aber von menschlicher Wärme. Und sie lieben ihre Arbeit.

Den Präsidenten sah ich während der wöchentlich einmal stattfindenden Pressekonferenz des Weißen Hauses: Die Schultern ein wenig hochgezogen, betrat er den Raum und ging mit raschen Schritten auf das Katheder zu. War seine Haltung Entschlossenheit oder verhaltene Scheu? Es lag wohl ein wenig von beidem darin. Kennedy wirkte intensiv und konzentriert. Er zeigte sich in jeder Einzelheit von frappierender Beschlagenheit. Sobald eine innenpolitische Frage auftauchte, benutzte er die Gelegenheit, die bestehenden Schwierigkeiten einprägsam vor Augen zu führen und um Anspannung aller Kräfte zu werben. Und auf außenpolitischem Gebiet ließ seine Antwort auf den sowjetischen Abbruch der Beziehungen zu Hammarskjöld keinen Zweifel an seiner äußersten Entschlossenheit. Kennedy scheint nicht unter der Bürde dieses Amtes zu leiden. Dieser Mann ist offenbar mit Vergnügen Präsident.

Damals, während des Wahlkampfes, ist im Zusammenhang mit seinem Namen häufig die Vokabel »Charisma« aufgetaucht. Woher dies Wort? Wirkt Kennedy nicht eher kühl als mitreißend? Oder gibt es ein Charisma des Intellekts? Das wäre freilich etwas ganz Neues. Und in der Tat ist vieles neu an der hier beginnenden Epoche. Kein Zweifel, daß Kennedy der erste Staatsmann ist, der die Sprache der neuen Generation spricht.

Es ist aufregend, mitzuerleben, wie alles sich formt. Erst in sechs bis acht Wochen wird die neue Politik formuliert sein, um die jetzt »gerungen« wird – gerungen nicht zwischen parteipolitischen Gegnern, sondern mit der eigenen Einsicht und dem eigenen Gewissen.

Welche Rolle werden wir Deutschen in der neuen amerikanischen Konzeption einnehmen? Einer der großen alten amerikanischen Freunde der Bundesrepublik sagte mir in Washington: »Noch nie waren die deutsch-amerikanischen Beziehungen so sehr auf dem Tiefpunkt wie eben jetzt.« Das war am Tage vor Brentanos Ankunft, dessen Besuch keineswegs »verfrüht« war, wie viele zunächst geglaubt hatten. Im Gegenteil – es war höchste Zeit, daß aufgelaufene Verärgerung und Entrüstung beseitigt wurden. Und wahrhaftig hatten die Amerikaner auch Gründe genug, enttäuscht zu sein.

Nun, diese unmittelbaren Reibungspunkte sind beseitigt. Brentanos Zusage, die Entwicklungshilfe zu einer permanenten Einrichtung werden zu lassen, hat eine überall spürbare Erleichterung gebracht. Es gibt hier aber nun einmal eine »unterschwellige« Strömung, die nicht durchaus günstig für Deutschland ist. Sie wird überdeckt, wenn alles gutgeht, aber sie schwillt mächtig an, wenn sich Gelegenheit zu berechtigter Kritik ergibt. Dafür gibt es derzeit wieder verschiedene Anzeichen. Und obendrein dürfte der bevorstehende Eichmann-Prozeß manche alten Vorbehalte wieder wachrufen.

Noch einmal: Welche Rolle werden wir Deutschen in der neuen amerikanischen Konzeption spielen? In Amerika rüstet sich eine Nation, die vor langer Zeit gegen ihren Willen zur Weltmacht wurde, nun auch ganz bewußt für die Aufgabe, geistig die Führung der westlichen Welt zu übernehmen. Es mag wohl sein, daß diese Leute mit ihrer politischen Vitalität stark genug sind, die Integration der freien Welt herbeizuführen. Integriert aber kann nur werden, wer bereit ist, sich auf das gleiche Koordinatensystem einzustellen, das heißt, nur wer bereit ist, seinerseits alle geistigen Kräfte zu mobilisieren, wer also entschlossen ist, die Nation und ihr Schicksal in den Mittelpunkt zu stellen und nicht bloß das Wohlbehagen des einzelnen und die Sucht, Geld zu verdienen. Wir selbst werden es also sein, die unseren Platz bestimmen und niemand sonst.

Die Zeit arbeitet gegen den Kommunismus

Washington rüstet auf und
entwickelt neues Selbstvertrauen

Washington, im Juni 1962

Als Konrad Adenauer 1955 in Moskau eher versonnen als fragend sagte: »Wie wohl die Welt in hundert Jahren aussehen wird?«, da stieß Chruschtschow sofort zu: »Wir können Ihnen das sagen, denn Marx hat es uns genau beschrieben.« Wir Korrespondenten, die den Bundeskanzler damals begleiteten, lachten zwar über diese Bemerkung, aber gleichzeitig war uns ein wenig gruselig zumute: Welch ungeheure Stärke, wenn man so sicher ist, im Einklang mit der Geschichte zu leben!

Genau dieses Gefühl besorgten Gruselns war es, das in den ersten Jahren nach dem Kriege viele Europäer, vor allem Deutsche, nach Australien, nach Südamerika oder Nordamerika auswandern ließ. Ihnen war es in der unmittelbaren Nachbarschaft der Kommunisten, die eben erst die Grenzen ihres Machtbereichs tausend Kilometer nach Westen vorgeschoben hatten, zu ungemütlich. »In 24 Stunden rollen die bis zum Atlantik durch« – das war eine vom Krieg geprägte Vorstellung, die bis in die fünfziger Jahre hinein viele Deutsche bedrückte.

Auch in den Vereinigten Staaten lief damals das Wort um vom *nibbling away,* vom »Abknabbern«. Ganz Osteuropa war nach und nach verspeist worden, China, Nordkorea, Nordvietnam folgten – der Kommunismus hatte sich allmählich unaufhaltsam weitergefressen. *Eindämmen* hieß darum das Stichwort in den USA, wenigstens eindämmen. Auf mehr konnte man nicht hoffen. Als Eisenhower 1952 die Regierung übernahm, war zwar viel die Rede von *Rollback* und *Liberation,* von zurückrollen und befreien – aber das waren militärische, nicht politische Vorstellungen, die sich sehr bald in den Dunst auflösten, dem sie entsprungen waren. Was zurückblieb, war ein Gefühl der Führungslosigkeit und des Preisgegebenseins.

Heute ist von diesem Gefühl nichts mehr zu spüren. Ich war zuletzt vor fünfzehn Monaten in Washington, und ich war jetzt verblüfft über die Veränderungen, die sich im vergangenen Jahr vollzogen haben; verblüfft über das hohe Maß an Vertrauen in die eigene Kraft und über den Wandel von einer rein defensiven Geisteshaltung zu offensivem politischem Denken. Für den »Mann von der Straße« war dieser Wandel bewußt oder unbewußt mit dem Raumflug von Oberst Glenn verknüpft, der den schrecklichen Verdacht, Amerika sei heimlich von den Russen überrundet worden, so sichtbar widerlegte. Für das politische Washington aber hat von den vielen Politikern, Diplomaten und Kommentatoren, die ich sprach, niemand die Gründe für jenen Wandel so überzeugend analysiert wie Professor Walt Rostow, der Leiter des Planungsstabes im *State Department*. An ihn, einen eindrucksvollen, liebenswürdigen Mann von hohem politischem Geistesflug, der sich mit der langfristigen und mittelfristigen Planung der amerikanischen Außenpolitik beschäftigt, richtete ich die Frage: »Arbeitet die Geschichte eigentlich *für* uns oder *gegen* uns? Sind *wir* im Einklang mit der Geschichte oder die anderen?«

Rostow ist der Meinung, daß die Entwicklung der letzten Jahre für den Westen gearbeitet hat. Seine Gründe:

1. Auf der ganzen Welt setzt sich die Anschauung vom Lebensstandard als dem Barometer politischen Erfolges immer mehr durch; dies beschwört für die Kommunisten mit ihrem unzulänglichen Landwirtschaftssystem besondere Probleme herauf.

2. Es hat sich gezeigt, welch außerordentliche Vitalität dem demokratischen Kapitalismus des Westens mit seinen großen Wachstumsraten und der Integration der europäischen Staaten zukommt.

3. Die Hoffnungen der Russen, die unterentwickelten Völker zu betören, scheinen sich nicht zu erfüllen. Auf diesen Punkt legt Rostow begreiflicherweise besonderes Gewicht, denn es war ja der Plan der Sowjets, die westliche Welt auf lange Sicht sozusagen von den Flanken her zu isolieren. Die Vorstellung, China werde für die neuen Staaten gewissermaßen das Modell sein, an dem demonstriert werden könne, was der Kommunismus für die unterentwickelten Gebiete zu leisten vermag, ist schwer enttäuscht worden, meint der Planungschef. Er fügte hinzu, das gleiche gelte hinsichtlich Kubas für Lateinamerika. Und noch etwas, so glaubt er, arbeite für den Westen: Der Wunsch all

der unterentwickelten Völker, unabhängig zu bleiben, was im Rahmen der westlichen Anschauungen keinerlei Schwierigkeiten bereite, für die Kommunisten aber fast unüberwindbare Probleme aufwerfe.

4. Die schleichende Krise innerhalb des Ostblocks zeigt, wie schwierig es für den Kommunismus ist, mit den divergierenden nationalen Interessen der Mitgliedstaaten fertig zu werden. Vielleicht wird man einmal, so sagt Rostow, auf die Mitte des 20. Jahrhunderts als auf die Phase zurückblicken, in der die kommunistische Heilsbotschaft ihre angebliche Unfehlbarkeit einbüßte und in der sich herausstellte, daß das von ihr verkündete Wirtschaftssystem mit den Forderungen und Möglichkeiten unseres Jahrhunderts nicht fertig zu werden imstande war.

Würde der Bundeskanzler Walt Rostow fragen, wie wohl die Welt in hundert Jahren aussehen mag, so würde der Planer des *State Department* wahrscheinlich antworten:»Niemand kann sagen, wie sich unsere komplizierte Gesellschaft entwickeln wird. Aber eins steht fest – den heutigen Kommunismus wird es dann nicht mehr geben, denn seine Vorstellungen vom Menschen und von der modernen Industriegesellschaft sind schon heute total veraltet.« Ähnlich würde wohl auch Walter Lippmann antworten. Der einflußreiche Kommentator, der einmal im Jahr eine Stunde lang im Fernsehen zu grundsätzlichen Fragen interviewt wird, trug dem amerikanischen TV-Publikum vor ein paar Tagen die Meinung vor, die Waage habe sich zugunsten des Westens geneigt.

Was Professor Rostow betrifft, so knüpfte er schließlich an seine Betrachtungen die Hoffnung, die von ihm geschilderte Entwicklung werde die Bereitschaft der Russen wecken, die Abrüstung endlich ernst zu nehmen. Diese Hoffnung wird nun allerdings weder vom Pentagon noch von Charles Bohlen geteilt.»Wenn die Russen sich schwach fühlen oder glauben, andere hielten sie für schwach, dann werden sie gewöhnlich extra hart«, meint der Rußland-Experte des *State Department.*

Auch die Militärs sind beeindruckt von dem, was auf ihrem Gebiet in Amerika geleistet worden ist. Der Verteidigungshaushalt wurde um fünfzehn Prozent erhöht, die Flotte um siebzig Schiffe vermehrt, die taktische Luftwaffe um fast ein Dutzend Geschwader. In der Tat haben wir allzu rasch vergessen, welch große zusätzliche finanzielle Opfer und Leistungen die Amerikaner nach der Rede Kennedys vom 25. Juli 1961 Berlin zuliebe auf sich genommen haben. Damals wurden 155 000 Reservisten und Angehörige der *National Guard* eingezogen – so manches Studium wurde unterbrochen, viele Familienväter einberufen, Geschäfte gingen bankrott, Farmen wurden verkauft. Noch ist keiner dieser 155 000 Männer wieder ins Zivilleben zurückgekehrt. Wer denkt in Deutschland daran? Niemand.

Es ist in den letzten Wochen viel über das deutsch-amerikanische Verhältnis geredet und gerätselt worden. Man braucht die Reibereien weder aufzubauschen noch zu bagatellisieren. Es genügt vollkommen, sich der menschlichen und finanziellen Opfer Amerikas zu erinnern. Auch sollte man sich noch einmal vor Augen führen, welche Entschlossenheit dazu gehörte, nach der Errichtung der Mauer am 13. August eine Panzereinheit durch die Zone nach Berlin rollen zu lassen, ein Entschluß, der – darüber sind sich hier alle Verantwortlichen klar – zum dritten Weltkrieg hätte führen können. Es genügt also, sich dieses Hintergrunds zu erinnern, um zu verstehen, warum unser vordergründiges Gejammer den Amerikanern allmählich auf die Nerven fällt.

»Ihr benehmt euch wie eine Frau, die einen immer wieder von neuem fragt: ›Liebst du mich auch wirklich?‹«, meinte James Reston von der *New York Times*. Und im *State Department* hieß es bitter: »Was eigentlich berechtigt die Deutschen dazu, unsere Vertrauenswürdigkeit immer wieder in Zweifel zu ziehen? Kann man so miteinander umgehen? Muß das nicht auf die Dauer jede Partnerschaft kaputtmachen?«

Vielleicht ist es menschlich, daß man das, was man hat, für selbstverständlich und nicht erwähnenswert hält. Dennoch sollten wir uns gelegentlich (am besten immer dann, wenn wir gerade fragen wollten: »Liebt ihr uns auch wirklich?«) daran erinnern, daß wir nicht mehr mit dem Gefühl schlafen zu gehen brauchen, »in 24 Stunden rollen die Russen bis zum Atlantik durch«. Und das ist sehr viel.

Was wird bleiben?

Nach der Ermordung von
John F. Kennedy

Hamburg, im November 1963

Niemand hatte zu Lebzeiten Kennedys auch nur geahnt, wie tief er seine Schau der Dinge den Zeitgenossen bereits eingeprägt hat, wie sehr seine Erkenntnis, daß diese Welt in all ihrer Gespaltenheit noch immer eine Einheit ist, und wie sehr das, was er die Friedensstrategie nannte, diesseits und jenseits des trennenden Vorhanges schon akzeptiert worden ist.

Erst sein Tod hat dies deutlich gemacht. Denn noch nie zuvor ist der Tod eines Staatsmannes von San Franzisko bis Wladiwostok, von Leopoldville bis Stockholm so schmerzlich empfunden worden: Tiefe Betroffenheit, Trauer, Angst, Schmerz ergriffen alle Völker. Und dies in einer zweigeteilten, wie manche meinen, auf Tod und Leben verfeindeten Welt! Als Chruschtschow und sein Außenminister mit ernsten, versteinerten Gesichtern dem amerikanischen Botschafter in Moskau ihr Beileid aussprachen, habe Gromyko Tränen in den Augen gehabt, so berichtete ein Diplomat.

Was für eine Welt, in der die Edlen und Wegweisenden, in der Gandhi, Hammarskjöld, Kennedy gemordet werden, während es keinem Attentäter gelang, die Menschheit von Hitler und Stalin zu befreien! War es Zufall, daß jene Kugel in Dallas traf, oder längst vorausbestimmtes Schicksal? Und war es Zufall oder das Walten des Weltgeistes, daß John Fitzgerald Kennedy vor drei Jahren mit nur 100 000 Stimmen Mehrheit gewählt wurde? Hunderttausend von siebzig Millionen! Sehr anders hätte sich die Weltgeschichte entwickelt, wenn nicht Kennedy, sondern Nixon damals jenen Millimetervorsprung erhalten hätte.

War es Zufall oder Schicksal, daß ihm Chruschtschow als sein Gegenspieler, als Führer der anderen Weltmacht gegenüberstand? Das

105

hatte sich gar nicht so selbstverständlich ergeben, wie es heute scheint. Im Juni 1957, als die letzte Kraftprobe zwischen Chruschtschow und seinen Rivalen stattfand, hing Nikitas Schicksal an einem seidenen Faden. Von den damals anwesenden acht Mitgliedern des ZK-Präsidiums erhoben sich in jener berühmten Sondersitzung vier gegen ihn: Molotow, Malenkow, Kaganowitsch und Schepilow. Drei Tage tobte die Auseinandersetzung, bis es Chruschtschow gelang, die Diskussion in das eilig zusammengetrommelte Plenum des ZK zu verlagern. Acht Tage wogte dann die Mammut-Redeschlacht unter den 225 Teilnehmern hin und her, bis Chruschtschow endlich so weit war, daß die Anführer geächtet werden konnten. Was eigentlich wäre geschehen, wenn Chruschtschow sich in jener dramatischen Phase nicht durchgesetzt hätte? Vielleicht hätte Molotows Geist gesiegt. Dann hätte es gewiß keine Entstalinisierung gegeben, und Kennedy hätte für seine Friedensstrategie keinen Partner gehabt. Zufall oder das Walten des Weltgeistes?

Was ist Weltgeschichte? Auf diese Frage antwortet der große englische Historiker Gibbon: »Wenig mehr als eine Aufzählung der Verbrechen, Verrücktheiten und Unglücksfälle der Menschheit.« Wer das Wirken Kennedys beobachtet hat, wird dieser resignierenden Feststellung nicht zustimmen können. Das war ja gerade das Faszinierende an diesem Manne, daß er die Welt, in der wir leben, diese neue, erschreckende Welt des nuklearen Zeitalters und der von *efficiency* und Konsumgier beherrschten Industriegesellschaft zu durchdenken und zu erkennen vermochte; daß er die Fähigkeit besaß, Schneisen in das Gestrüpp zu schlagen, Scheinwerfer aufzustellen, die Richtschnur des Handelns aufzuzeigen und die resignierenden Völker zu inspirieren.

Wie deutlich spürte das ein jeder, der 1961 in den USA miterlebte, wie Kennedy nach dem Immobilismus der Eisenhower-Ära die Zügel der Regierung in die Hand nahm! Und wie deutlich spürten wir alle dies, als er 1963 durch Deutschland reiste!

Wir spürten die Bereitschaft zur Führung, einen Willen zur Macht, der gepaart war mit der Überzeugung, daß nur die Anerkennung fundamentaler moralischer Grundsätze und die Herrschaft des Rechts ein sicheres Fundament abgeben, von dem aus Führung geübt werden kann.

Da kam ein Mann zu uns, der zum erstenmal die Sprache der

heutigen Generation sprach, der eine Vision der Zukunft zu geben vermochte und der sich doch keinen Fingerbreit von der nüchternen Realität unserer Tage entfernte, der in seiner vielschichtigen Intellektualität das Wesen der Macht und die Abgefeimtheit aller politischen Mittel kannte und der doch nicht zum Zyniker geworden war. Das ist der Grund, warum heute bei uns und allen anderen Völkern das Gefühl so stark ist, ohne diesen Mann sei es finsterer geworden in unserer Welt.

Was ist Geschichte? Geschichte ist doch wohl das Produkt dreier Faktoren: der natürlichen Gegebenheiten, bestimmter Machtkonstellationen und individueller Entscheidungen. Kennedy besaß eine ungewöhnliche Fähigkeit, Entscheidungen zu treffen: Alle wichtigen Informationen wurden eingeholt, alle Meinungen gehört, schnell und hart wurde diskutiert und dann kurz und bestimmt entschieden. Er war einer jener seltenen Staatsmänner, die dabei auch noch die Fähigkeit hatten, mit politischer Phantasie vorauszudenken. 1959 sprach er von den *sixties,* den sechziger Jahren, die es zu gestalten gälte; jetzt, in seiner letzten Rede in Houston stand der Satz, daß Amerika seine Probleme aus der Perspektive von 1990 betrachten müsse.

Ohne Entscheidungen geht es nicht. Manche Leute meinen zwar, ob Kennedy oder ein anderer – das Koordinatensystem der Probleme sei schließlich gegeben und die Grundstruktur der Kräfteverhältnisse auch; die Entwicklung könne darum in Zukunft gar nicht viel anders verlaufen als bisher. Niemand aber weiß so wenig von der Wirklichkeit wie die sogenannten Realpolitiker, für die sich die Weltgeschichte auf eine Multiplikation von Sozialprodukt, Zuwachsraten, Divisionen und Feuerstärke reduziert. Nein, es geht nicht ohne Entscheidungen. Entscheidungen aber kann man ohne Ideen und ohne Konzeption nicht treffen.

Will man sich einen Begriff davon verschaffen, was der Wechsel in der amerikanischen Führung bedeutet, so muß man sich wohl einmal fragen, was eigentlich das besondere Konzept Kennedys war, um dann abzuschätzen, was Johnson voraussichtlich beibehalten, was sich mutmaßlich ändern wird. Also zunächst Kennedys außenpolitisches Konzept:

1. *Das Grand Design:* Die wirtschaftliche Integration Europas, einschließlich Englands, zu einem supranationalen Organismus, der für Europa sprechend und handelnd auftritt und mit den USA eine atlanti-

sche Partnerschaft eingeht, die auf zwei Säulen ruht: Amerika und Europa.

2. *Die Friedensstrategie:* Das Gesetz des Handelns, das der Eisenhower-Regierung in ihrem Immobilismus entglitten war, wurde von Kennedy durch zwei koordinierte Aktionen zurückerobert; nämlich einmal durch äußerste Rüstungsanstrengungen, die wieder zu einem US-Vorsprung führten, den man verloren hatte, und zum anderen durch eine Art Friedensoffensive. So viele Kontakte mit dem Osten wie möglich und Abbau des Mißtrauens im eigenen Lande, das war die Devise. Sie beruhte auf der Erkenntnis: Wenn man den Kommunismus nicht ausrotten kann, muß man versuchen, ihn zu verändern.

Kennedy, aus dem Europa zugewandten Osten der USA stammend, hat Weltpolitik nie unter dem Aspekt amerikanischer Interessen gemacht. Er hat immer suprakontinental gedacht. Ob Lyndon Johnson, der in dem Europa abgewandten Südwesten beheimatet ist, zu solch globaler Perspektive fähig sein wird, muß wohl bezweifelt werden. Sein mehr konservativer als liberaler Hintergrund wird wahrscheinlich den Umgang mit der östlichen Welt und sicherlich die Beziehungen zu den Völkern der unterentwickelten Länder erschweren.

Wie die Situation aber nun einmal ist, wird man wohl damit rechnen können, daß der neue Präsident entschlossen ist, sich stärker der Innenpolitik zuzuwenden. Allerdings ist schon das Fehlen der Inspiration eine sehr wesentliche Veränderung, und daß das alte Beratungs- und Führungsteam ohne den menschlichen Mittelpunkt, um den es kreiste, und ohne den spezifisch Kennedyschen Stil in der gleichen Weise weiter funktionieren kann, ist mehr als fraglich.

Innenpolitisch bringt dagegen der Wechsel von der »linken Mitte« zur »rechten Mitte« eine gewisse Erleichterung. Im Kongreß wird der neue Präsident es nicht so schwer haben, eine Mehrheit zusammenzubekommen wie der alte. Die beiden großen Gesetzentwürfe, die zur Verhandlung anstehen, sind einmal die *Tax Reform Bill,* die inzwischen von den verschiedenen Interessentengruppen aller wirklichen Reformvorschläge entkleidet wurde, so daß nur noch die Steuersenkung zur Debatte steht. Sie wäre heute wahrscheinlich zu verkraften.

Das große Sorgenkind bleibt die *Civil Rights Bill.* Sie muß er durchbekommen, sonst verliert Lyndon Johnson den Norden. Jetzt, nach dem

Mord an Präsident Kennedy, nun schon gar. Denn wenn der Mörder offenbar auch kein Fanatiker des Rassenkampfes war, so liegt die Feststellung doch sehr nahe, daß nur in der überhitzten Atmosphäre des Südens eine solche Kettenreaktion der Gewalttätigkeiten möglich war. Vielleicht kann man damit rechnen, daß eine Art Kompromiß zustandekommt: nicht die totale Ablehnung der Reform durch den Süden, aber auch keine weitere Verschärfung der *Bill,* wie der Norden sie anstrebt.

Ziemlich sicher dürfte wohl sein, daß die Chancen der Republikaner gestiegen sind. Sowohl Rockefeller wie auch Nixon können wieder Hoffnung schöpfen. Die Demokraten dagegen dürften es in der Präsidentenwahl des Jahres 1964 sehr schwer haben; man kann sich heute kaum vorstellen, daß außer Johnson irgendein anderer die Nominierung erringen könnte. Johnson selbst aber wird ein schweres Spiel haben. Als Südstaatler würde er seine Landsleute sehr verbittern, wenn er nicht mehr »Verständnis« für ihre Probleme zeigte als Kennedy. Er kann aber durch eine »Öffnung nach rechts« wenig gewinnen, denn in jenen Gewässern fischt bereits Senator Goldwater; im Gegenteil, wenn Johnson sich zu weit nach rechts begibt, verliert er den liberalen Norden und verspielt damit seine Chancen.

Im Grunde kann heute niemand sagen, wohin die Entwicklung in den Vereinigten Staaten treibt, weil noch nicht abzusehen ist, welche Stimmung dieses zu emotionalen Reaktionen neigende Volk ergreifen wird. Die dunklen, unaufgeklärten Umstände des Präsidentenmordes sowie des Mordes an Kennedys Mörder lassen manches Unheimliche befürchten.

Was wird bleiben von Kennedys Vermächtnis, von seiner Konzeption, seinem Geist? Ein Staatsmann kann nicht mehr tun, als die Weichen zu stellen. Das hat Kennedy getan – in entscheidender Weise und, wie wir meinen möchten, im Einklang mit der Geschichte.

Provinz Europa

Ohne Amerika würden wir
geistig verkümmern

Hamburg, im Dezember 1964

In fast magischer Weise wird die politische Diskussion in Europa seit Monaten von der MLF beherrscht. An jenen zwei Dutzend Schiffen, von denen man noch gar nicht genau weiß, ob sie je vom Stapel laufen werden, und die, wenn sie tatsächlich eines Tages gebaut und mit Polaris-Raketen bestückt werden sollten, alle zusammen nicht mehr als fünf Prozent der US-Atommacht darstellen werden, scheiden sich die Geister in der atlantischen Allianz. Die MLF gleicht mithin jener berühmten Nußschale, in der sich ein komplexes Problem präsentiert – in diesem Falle das Problem der Allianz. Was heißt das?

Mit der MLF, der *Multilateral Force*, jener Streitmacht, die gemeinsam aufgebaut, finanziert und bemannt werden soll, stellt sich die Frage nach dem politischen Glaubensbekenntnis. Letzten Endes läßt sich nämlich die ganze aufgeregte Debatte auf das Problem der Souveränität reduzieren oder, wenn man so will, auf die Frage nach dem Verhältnis zur Nation.

Seit Napoleons Tagen ist die Nation das Gefäß – zu Zeiten, da die Menschen noch nicht so skeptisch waren wie wir Heutigen, pflegte man zu sagen: das *heilige* Gefäß – in dem politische Geschichte sich vollzieht. Man war stolz auf seine Nation, erlebte deren Geschichte als persönliches Schicksal und trug selbstbewußt das Ehrenkleid des Vaterlandes, dem man willig sein Leben zum Opfer brachte, wenn die Stunde dies gebot.

In Deutschland, wo solche Gefühle gründlich mißbraucht worden sind und der Verschleiß an Nationalgefühl, Pathos und Opferbereitschaft größer war als irgendwo sonst in der Welt, in Deutschland gibt es keine besondere Anhänglichkeit mehr an all jene Begriffe. Wir

110

geben, so scheint es vielen, nichts auf, wenn wir das nationale Kleid abstreifen und zusammen mit unseren Nachbarn und Gesinnungsgenossen in das größere Gewand Europas schlüpfen.

Für unsere Partner in Europa ist das viel schwieriger. Aber auch in Amerika trennen viele sich nur ungern von den altgewohnten Begriffen. Der Goldwaterismus war ein deutlicher, wenngleich glücklicherweise flüchtiger Beweis für das Unbehagen an den neuen Ordnungen. Auch die Engländer finden es, wie man sieht, gar nicht leicht, beispielsweise der Idee der gemischten Mannschaft – des *mixed manning* – der MLF zuzustimmen. Wilson hat letzte Woche in Brighton geschworen, es sei eine Lüge, zu behaupten, er habe der MLF in Washington zugestimmt. Ob dieses Schwurs wurde er von der versammelten *Labour Party* umjubelt. Und nicht minder von der Tory-Presse gepriesen.

Für die Inselbewohner mehr noch als für andere Völker sind Schiffe, die die Flagge des eigenen Landes über die Weltmeere tragen, nun einmal die Inkarnation allen nationalen Empfindens: »die Marine«, »die Flotte«, das waren Begriffe, die jahrhundertelang jedes englische Herz höher schlagen ließen, Begriffe, die ganz obenan standen in der Wertskala der Nation. Und diese Nation soll sich jetzt vorstellen, daß auf den Wogen, die Britannia einst beherrschte, Schiffe fahren werden, die bemannt sind mit nur ein paar Briten und einem »Sammelsurium« von *aliens* – von Fremden? Das scheint wirklich viel verlangt.

Aber wie dem auch sei, ob jene buntbemannten Schiffe nun je die Meere befahren werden oder nicht und wie lange es auch dauern mag, bis die Engländer auf ihre vermeintlichen maritimen Prärogativen verzichten und die Franzosen ihrem Kult entsagen werden, in dem der General die Nation wie eine Messe zelebriert, der Tag wird kommen, an dem für alle miteinander die Nation ein zu enges Gefäß sein wird.

Eigentlich ist er längst angebrochen, nur haben es viele noch nicht gemerkt. Wir sind im Grunde viel weiter, als wir meinen. Der Ausbruch nationaler Egoismen, den wir während der vergangenen zwei Jahre erlebten, ist nur ein Aufbäumen der zum Absterben, zur Verwandlung bestimmten Kräfte. Und darum ist die Allianz die zeitgemäße, ja die einzig adäquate Form unserer Epoche – jedenfalls für Europa, das sonst zwischen den beiden Giganten überhaupt keinen Lebensraum mehr finden würde.

Dies aber bedeutet: Heraus aus der Enge, Abbau von Zollschranken, Schaffung größerer Wirtschaftsgebiete. Die Wachstumsrate im Bereich der EWG war in den letzten Jahren höher als in anderen modernen Industrieländern. Und: Die EWG hat einen Außenhandelsumsatz (Einfuhr und Ausfuhr) von 78 Milliarden Dollar im Vergleich zu den 54 Milliarden Dollar der USA gehabt – ein Beweis, welche Stimulanz von dem Zusammenschluß ausgeht.

Auf militärischem Gebiet ist die notwendige Tendenz zum Zusammenschluß noch deutlicher. Atomare Rüstung in nationalen Grenzen ist absoluter Widersinn. Die atomaren Waffen verlangen große Räume. Raketen ohne ein weltweites Radarsystem, U-Boote ohne Navigationshilfen durch Satelliten sind einfach nicht mehr operationsfähig. Und selbst die konventionellen Waffen sind ohne die gemeinsame Infrastruktur von *Pipelines,* Flugplätzen und Fernmeldesystemen nicht mehr einsatzfähig. Durch die rasante technische Entwicklung verteuern sich überdies alle Waffensysteme von Jahrzehnt zu Jahrzehnt in so rascher Progression, daß der isolierte Nationalstaat unter der Rüstungslast wirtschaftlich zusammenbrechen müßte.

Wohl am augenfälligsten aber ist das Gesetz des Großraums in der Wissenschaft. Es ist kein Zufall, daß die großen naturwissenschaftlichen und technischen Entwicklungen, die Atomreaktoren, die Elektronentechnik, die Konstruktion von Raketen und Sputniks, alle entweder in Amerika oder in Rußland stattgefunden haben. Weil das so ist, strömt ja auch ein Großteil der europäischen Begabungen nach USA, denn dort bieten sich ihnen ganz andere Möglichkeiten.

Heute würde ein Zerschneiden, ja auch nur das Reduzieren der vielfältigen Verflechtungen mit den USA keine neuen nationalen Impulse bringen, die – nach Meinung einiger Romantiker – den Kraftquell der Völker darstellen, sondern ganz einfach ein Abgleiten ins Provinzielle bedeuten.

Die beiden Kontinente befruchten einander in sehr nachhaltiger Weise. Man darf nicht übersehen, daß wahrscheinlich achtzig Prozent der heute relevanten wissenschaftlichen, politischen und strategischen Literatur des Westens aus Amerika kommt. Ohne eine ganz enge Verbindung mit den USA würde der alte Kontinent, der seine Kühnheit und ein gut Teil seiner Initiative und seines Glaubens an sich selbst eingebüßt hat, Gefahr laufen, geistig zu verkümmern.

Die ohnmächtige Großmacht

Der Vietnam-Krieg legt Amerika Fesseln an und spaltet das Volk

Washington, im Juli 1966

Wer heute nach Washington kommt, kann sich kaum vorstellen, daß dort jahrzehntelang alle politischen Vorstellungen und Aktionsprogramme des Westens entwickelt und formuliert worden sind: von der Truman-Doktrin (1947) bis zu Kennedys Peace Strategy (1963). Wer heute in die amerikanische Zentrale reist, der stellt fest, daß dort der Mangel an außenpolitischer Führung und an Konzeption genauso groß ist wie daheim bei uns.

Im *Weißen Haus* denkt, spricht und träumt – alpträumt – man nur von Vietnam. Alle anderen Themen sind zweitrangig. Das *State Department* hat sich in den alten Schützenlinien der fünfziger Jahre eingegraben und blickt besorgt auf die Europäer, die angeblich im Begriff sind, einer Entspannungs-Euphorie anheimzufallen. Und im *Pentagon,* wo merkwürdigerweise der Zorn über de Gaulle, den abtrünnigen Partner des Verteidigungsbündnisses, geringer ist als im *State Department* – vermutlich, weil das Außenministerium seine Politik ganz auf der Vorstellung eines integrierten Europas aufgebaut hatte – ist man einer elastischeren Beurteilung der Weltsituation zwar zugänglich, aber selber im Grunde auch ohne Konzeption.

Das Volk schließlich ist tief gespalten. Nicht nur in seiner Haltung zum Vietnam-Krieg, der *hawks* und *doves* gegeneinanderstellt, draufgängerische »Habichte« und friedliche »Tauben«, sondern in der Frage, welche Rolle Amerika in der Weltpolitik eigentlich spielen solle.

Senator Fulbright: »Woher nehmen wir überhaupt das Recht, uns in der ganzen Welt in die Angelegenheiten anderer Leute zu mischen? Wie kommen gerade wir dazu, anderen vorzuschreiben, wie sie leben sollen und was sie keinesfalls tun dürfen?«

»Vielleicht, Mr. Senator, kraft des Rechts einer Weltmacht«, sagte ich zu ihm. »Eine Weltmacht kann ja schließlich nicht behaupten, daß ihr gleichgültig sei, was in der übrigen Welt vorgeht!«

»Aber wir wissen doch gar nicht, was wirklich vorgeht, denn die Mentalität der Asiaten und Afrikaner ist uns vollständig fremd. Was wissen wir denn von diesen Völkern? Wir haben noch nicht einmal eine Ahnung davon, was sie selber wollen, geschweige denn davon, was für sie das Beste wäre.«

Aus dem ungemein sympathischen Senator für Arkansas, der in der Welt der Denkenden und der Handelnden gleichermaßen zu Hause ist – Intellektueller und Politiker in einer Person –, spricht Zweifel und Verzweiflung. Man spürt bei ihm eine gewisse Resignation, die ihn zu der Schlußfolgerung führt: »Wir haben bei uns zu Haus genug ungelöste Probleme, konzentrieren wir uns doch auf sie und hören wir endlich auf, überall in der ganzen Welt herumzuwurschteln: in der Dominikanischen Republik, im Kongo, in Vietnam...«

Hier handelt es sich offenbar um eine besonders sublime Form des Isolationismus. Noch deutlicher wird sie, wenn man George Kennan hört: »Was hat es für einen Zweck, überall in der Welt die Leute ihrer eigenen Kultur und Geschichte zu entfremden? Wir sollten uns nicht überall als Lehrmeister aufspielen. Die Zivilisation, die wir geschaffen haben, ist keineswegs vorbildlich. Oder kann irgendein Mensch diese großstädtischen Wucherungen wie New York nachahmenswert finden?«

Es sind gerade die früheren Internationalisten, die heute isolationistisch argumentieren – also Amerikaner wie Fulbright und Kennan, die einst als erste die Fenster ihres Kontinents zur Welt aufstießen. Die früheren Isolationisten jedoch sind heutzutage diejenigen, die am heftigsten für massive Einmischung plädieren. Von ihnen kommt auch die Forderung, härter und rascher in Vietnam einzugreifen.

Warum müssen unsere Jungens sterben, so fragen sie, wo wir doch über alle Mittel verfügen, diesen Krieg in kürzester Frist zu beenden? (Wobei sie nicht notwendigerweise an Atombomben denken, denn auch mit konventionellen Waffen könnten die Städte und Führungszentren Nordvietnams binnen kurzem so ausradiert werden, wie einst Chruschtschow die Metropolen des Westens auszuradieren drohte.)

Das hat es eben in einer vieltausendjährigen Geschichte noch nie gegeben: daß das Ziel der Kriegführung nicht Sieg ist, also des Feindes Niederlage. Das erklärte Ziel ist heute bescheidener: Der andere soll einsehen, daß er diesen Krieg nicht gewinnen kann, daß es folglich zwecklos ist, ihn zu führen, und daß es darum das einzig Zweckmäßige ist, sich an den Verhandlungstisch zu setzen.

Mag sein, daß dies eine Utopie ist. Wie soll eigentlich der andere einsehen, daß er nicht gewinnen kann, wenn man ihm jeweils in kunstvoller Millimeterarbeit gerade soviel Spielraum läßt, daß er ganz bestimmt nicht überwältigt wird? Dieser Art der Zielsetzung mag ein Zirkelschluß zugrunde liegen. Doch ist diese Überlegung die Grundlage der Politik Washingtons – darum jetzt auch das verstärkte Bombardement Nordvietnams. Offenbar hofft der Präsident, auf diese Weise Hanoi vor Augen führen zu können, daß der Schaden, der ihm mit Gewißheit entsteht, größer ist als jede vage Hoffnung auf Sieg.

Walt Rostow, Chefberater des Präsidenten, ist weit entfernt von jeder Resignation. Im Gegenteil: »Wer hätte es vor fünfzehn Jahren für möglich gehalten, daß Europa – und dies doch wohl angeregt durch unsere Intervention – noch einmal zu solcher Selbstsicherheit und wirtschaftlichen Blüte aufsteigen werde? Wer hätte noch vor fünf Jahren geglaubt, daß die vielbewunderten radikalen Führer in Asien und Afrika von ihren eigenen Völkern entmachtet werden würden: Ben Bella, Nkrumah, Sukarno? Daß Nasser und Castro eher schwächer als stärker werden? Und die Dominikanische Republik? Vor einem Jahr haben alle laut geschrien über unsere Intervention; damals hätte kein Mensch es für möglich gehalten, daß dort ein Jahr später in Ruhe und Ordnung demokratische Wahlen abgehalten werden könnten.«

»Nein«, fuhr Rostow fort, »Aggressionen müssen gleich, in den allerersten Anfängen, gestoppt werden. Das ist uns in Griechenland gelungen, als die Engländer 1946 gezwungen waren sich zurückzuziehen und die Gefahr bestand, daß der Kommunistenführer, General Markos, das Land mit Gewalt erobern werde. Es ist uns später in Korea gelungen, in Berlin und in Kuba, und es wird in Vietnam auch gelingen.«

Man muß zugeben, daß Vietnam sehr wohl in die Reihe jener Ereignisse hineingehört. Gewiß sind die Amerikaner in den Krieg »hineingeschlittert«. Ich bezweifle sehr, daß Präsident Johnson den nordvietnamesischen Angriff auf amerikanische Kriegsschiffe im Golf von Tonking im November 1964 mit der Bombardierung Nordvietnams beantwortet hätte (die ersten Bomben, die nördlich des siebzehnten Breitengrades abgeworfen wurden), und daß er im März 1965 die ersten Bodenkampftruppen (3500 Marineinfanteristen) geschickt hätte, wenn er damals einen Blick in die Zukunft des Jahres 1966 hätte tun können.

Die Amerikaner sind nach und nach in den Vietnam-Krieg hineingeschlittert, aber sicherlich nicht ganz von ungefähr. Die Bereitschaft zum Engagement in Vietnam ist durch zwei Ereignisse ausgelöst worden: Erstens durch die chinesische Aggression gegen Indien im Oktober 1962 und zweitens durch den Rückzug der Engländer aus Malaya, Singapur, Sarawak, Nordborneo und Brunei im Jahre 1963. Gerade der Zusammenfall der Aggression im Himalaja mit dem Entstehen eines politischen Vakuums in Südostasien, in das, wie man befürchtete, der zur Herrschaft entschlossene Kommunismus einströmen werde, schafften seinerzeit die Begründung für die verstärkte amerikanische Intervention in Vietnam.

Heute ist die Administration in Washington fest entschlossen, von den einmal für Vietnam getroffenen Entscheidungen nicht abzurücken und dem Konzept vom begrenzten Krieg entsprechend zu handeln. Für Europa aber fehlt es an einem neu durchdachten Konzept, das der veränderten Wirklichkeit angepaßt wäre.

Dies merkt man am deutlichsten daran, daß alle, die der Meinung sind, die Voraussetzung für politische Fortschritte in der Frage der Wiedervereinigung Europas sei Entspannung zwischen Ost und West (vor allem also die Liberalen), sich keinerlei Anstoß aus Washington erhoffen. Sie richten ihre Blicke sehnsüchtig auf Europa – vor allem auf de Gaulle, aber auch auf Deutschland. In Deutschland, so meinen viele, »da tut sich was« – und dabei denken sie an die SPD.

Welche Umkehrung der gewohnten Situation! Früher fuhr man nach Washington, weil dort stets eine Fülle neuer Ideen und Anregungen erarbeitet wurde. Man studierte die Konzeptionen, die den weltpolitischen Aspekten überhaupt und den Plänen für die europäische Allianz und die atlantische Partnerschaft im besonderen zugrunde lagen. Neidvoll pflegte man die vielen kenntnis- und ideenreichen Analysen zu betrachten, um dann traurig zu den heimischen »Betonbunkern« zurückzukehren.

116

Heute hat man den Eindruck, daß umgekehrt in Washington alles knietief im Zement steckt und, wie gesagt, manche Erwartungen sich auf die Bundesrepublik konzentrieren. Dort, so meinten viele amerikanische Beobachter, zeige sich jetzt, daß die Deutschen entschlossen seien, die Dinge selbst in die Hand zu nehmen: »Erzählen Sie; was ist in Deutschland los?« Oder: »Kommt jetzt bei euch endlich etwas in Bewegung?« Wie oft habe ich dies in den letzten vierzehn Tagen gehört.

Noch keine Äußerung aus offiziellem deutschen Munde ist mit soviel Spannung, Interesse und Zustimmung aufgenommen worden wie die Rede Barzels. Gewiß nicht wegen der Detailvorschläge, die hatte kaum einer verstanden. Mindestens maßte sich kaum einer ein Urteil darüber an. Aber daß da ein hoher Funktionär der CDU nicht wie gewöhnlich den Partner bremste und blockierte, sondern eigene Ideen vortrug, das schlug ein wie ein Blitz – auch bei vielen entscheidenden Leuten der Administration. Schade, daß das offizielle Bonn diesen alle so erregenden Funken eilfertig löschte, anstatt zu warten, bis die *Iswestija* ihm dieses Geschäft abnahm . . .

Zwei Dinge, so schien mir, standen in diesen Wochen in Amerika zur Diskussion an: das Schicksal der NATO nach dem Auszug de Gaulles, ferner, angesichts seiner Moskaureise, die Frage nach Washingtons langfristigem Konzept für Europa. Wenn man nicht bereit ist, de Gaulles Konzeption zu folgen, nämlich der Vorstellung, daß die Blöcke sich bereits zersetzt haben, mithin die Zweiteilung der Welt zwar noch in unserer Vorstellung existiert, aber nicht mehr als politische Realität – wie eigentlich stellt man sich dann die Zukunft vor?

Will man sich damit begnügen, die beiden Verteidigungssysteme zu immer höherer Perfektion zu entwickeln? Wie eigentlich hofft man unter solchen Vorzeichen die Teilung Europas zu überwinden? Könnte man nicht erwägen, auf ein europäisches Sicherheitssystem umzuschalten, das nicht von der Gegebenheit zweier Blöcke ausgeht und sie damit verewigt, sondern von den parallel gerichteten Interessen beider Seiten – dem von Ost und West geteilten Interesse, Krieg, Aggression und Krisen auszuschalten?

Hier einige Antworten führender Vertreter der Administration im Weißen Haus, im *State Department* und im Pentagon:

– »Die Veränderungen im östlichen Lager sind zwar sehr spürbar, aber wir haben keinerlei Beweis dafür, daß der Wunsch, den Kom-

117

munismus weiterzuverbreiten, endgültig aufgegeben wurde. Chruschtschow hat zu Walter Lippmann, Kossygin hat zu James Reston vom Status quo gesprochen, aber beide haben ausdrücklich erklärt, daß der Status quo die Unterstützung von Befreiungskriegen einschließt.«

– »Daß die Blöcke und mithin die Fronten sich aufzulösen beginnen, ist doch nur dem Gleichgewicht der Stärke – des Schreckens, wie Churchill das nannte – zu danken. Wenn wir unser Verteidigungssystem schwächten oder gar abbauten, würde der Expansionsdrang der anderen sofort wieder ganz deutlich werden. Moskau hatte schließlich längst begonnen, den Gedanken der Koexistenz zur obersten Richtschnur zu erheben, als es dann doch die Raketen auf Kuba installierte.«

– »Kein vernünftiger Mensch gibt ohne Grund seine Versicherung auf – zumal dann nicht, wenn er bereits jahrelang Prämien eingezahlt hat.«

– »Konzeptionslosigkeit? Wir haben es dennoch ganz schön weit gebracht. Die Wandlungen im Osten gehen von allein weiter. Wir müssen nur durchhalten und keine Situation zulassen, die den Kommunisten eine Versuchung zur gefahrlosen Expansion bietet. Darum nicht ungeduldig werden, das Alliazsystem stark machen und glaubwürdig erhalten und nie die Bereitschaft zum Widerstand aufgeben! Die Entwicklung geht zwangsläufig in unsere Richtung, einfach weil wir das bessere, dem Menschen gemäßere System haben.«

– »Alle Fragen sind so eng miteinander verbunden, die Sicherheit mit der Abrüstung und diese mit der Rüstungskontrolle, daß es ganz utopisch ist, in einer Zeit, in der die Sowjets nicht verhandeln wollen, an ein neues Sicherheitssystem zu denken. Nein, wir müssen versuchen, die NATO so gut es geht wiederherzustellen und zu stärken. Vielleicht kommt einmal der Tag, an dem die Kremlherren sprechen wollen. Augenblicklich können sie sich große Verhandlungen mit dem Westen gar nicht leisten. Der Status quo ist für sie im Moment noch das Beste . . .«

Und für Washington offenbar auch: Noch nie habe ich Washington so am Status quo kleben sehen wie diesmal. Zwar wird viel davon geredet, daß man kühne und neue Ideen haben müsse. Aber wenn man bei solchen Äußerungen weiterbohrt, dann ist das äußerste, was man dem Gesprächspartner entlocken kann: mehr Handel, mehr kultureller Austausch, mehr Kontakte.

Offenbar gibt es gar kein Konzept für die neue Situation. Es gibt nur die alte Vorstellung: Europa bis zur Elbe. Das hängt natürlich mit der Situation in Asien zusammen. Der Vietnam-Krieg blockiert eben jede ernsthafte Möglichkeit der Unterhaltung mit den Sowjets – übrigens nicht nur, weil Moskau sich ernsthafte Gespräche mit den USA angesichts der Pekinger Schmähungen gar nicht leisten könnte, sondern auch, weil die Stimmung in Amerika selbst sie gar nicht zuläßt.

Dem Kongreß liegen im Hinblick auf die Sowjetunion zwei Gesetzentwürfe vor, die einfach nicht durchkommen, ja nicht einmal auf die Tagesordnung gesetzt werden: ein Gesetz über die Einrichtung von Konsulaten – beide Mächte unterhalten heute nur Botschaften – und ein Entwurf über die Einbeziehung der UdSSR in das System der Meistbegünstigungsklausel. Die Stimmung im Lande läßt beides nicht zu. Der Augenblick ist der Entspannung nicht günstig.

Ein Senator, der mit den europäischen Fragen besonders gut vertraut ist, meinte: »Mit Beiträgen von unserer Seite ist da einstweilen nicht zu rechnen, jetzt muß der Anstoß von Europa kommen. Wenn ihr ein anderes Europa wollt, eines das nicht nur bis zur Elbe geht, dann müßt ihr selbst die Initiative ergreifen.«

»Was sollte denn geschehen? Was sollten wir – die Deutschen – tun?«

»Ich glaube, drei Dinge: erstens auf atomare Waffen verzichten; zweitens die Ostgrenze anerkennen; drittens sehr viel weiter auf dem Wege gehen, den Außenminister Schröder mit der Errichtung von Handelsvertretungen in Osteuropa beschritten hat.«

»Was würde Washington denn sagen, wenn wir bilaterale Gespräche mit Moskau führten?«

»Wenn solche Gespräche im Rahmen der Allianz stattfänden, würde man sich zwar ein wenig Sorge machen, aber sicherlich nichts dagegen einwenden. Wenn sie sozusagen auf eigene Faust geführt würden, dann würde man sich sehr aufregen, denn wir wissen nur zu gut, daß es allein die Russen sind, die über das verfügen, wonach es die Deutschen so sehr verlangt. De Gaulle kann uns zwar ärgern, aber wir wissen, er wird uns nie verraten – schließlich haben wir in zwei Weltkriegen Seite an Seite gekämpft. Mit den Deutschen ist das ganz anders . . .«

Der Senator hatte gesagt: »Wenn ihr ein anderes Europa wollt . . .« Genau hier sitzt die Crux. Wir müssen es wollen, denn nur in einem wiedervereinigten Europa können wir der Wiedervereinigung unseres eigenen Volkes näherkommen. Hier aber setzt nun die Konkurrenz Washington–Paris ein. Es wird aller Anstrengungen einer phantasievollen, elastischen Außenpolitik bedürfen, um zu verhindern, daß aus dieser Konkurrenzsituation für Bonn ein Zwang zur Wahl wird.

In der nun beginnenden Phase wird Bonn tagtäglich vor immer neue, schwierige Entscheidungen gestellt werden. Washington, das allein unsere Sicherheit garantiert, Washington, das sich wie gelähmt an den Status quo klammert und die Gestaltung Europas dem Walten der Geschichte überläßt, fordert unsere Freundschaft und Treue. Und Paris, das unsere Sicherheit in keiner Weise gewährleistet, im Gegenteil vielleicht zu ihrer Gefährdung beiträgt, aber eine phantasievolle zukunftsträchtige Ostpolitik eingeleitet hat, die allein die Voraussetzung für eine Wiedervereinigung Deutschlands zu schaffen vermag – Paris fordert von uns ebenfalls Zusammenarbeit und Solidarität.

Bonn steht vor einer unendlich schwierigen, keineswegs beneidenswerten Aufgabe. Wenn wir nicht aufpassen, kann es leicht passieren, daß wir zerrieben und zerrissen werden.

Ich glaube zwar, das Spiel ließe sich spielen. Aber haben wir die Politiker, die es spielen können?

Mißtrauen gegen Bonn

Die russische Aufrüstung macht
Washington Sorge

New York, im Februar 1968

Wenn einer die letzten zwei Jahre im Tiefschlaf zugebracht hätte und in diesen Wochen wieder erwacht wäre, er würde meinen, ganz normal seine acht Stunden geschlafen zu haben. Da erregt sich der CSU-*Bayernkurier* über die Preisgabe der Hallstein-Doktrin, da protestiert ein CDU-Abgeordneter gegen den Austausch von Gewaltverzichtserklärungen, und da versucht der Vorsitzende der SPD geduldig, allen Beteiligten klarzumachen, daß Ostpolitik unerläßlich ist.

Nur eine Veränderung würde der Tiefschläfer bemerken, und die ist in der Tat verwirrend: Während die Amerikaner – wie auch alle anderen westlichen Alliierten – uns noch vor zwei Jahren immer wieder gewarnt haben, wir sollten uns nicht in unfruchtbarem Antikommunismus isolieren, sondern nach Osten elastisch sein, Verbindungen aufnehmen, Gespräche führen, Kontakte herstellen, hört man jetzt, wie dieselben Ratgeber vor ihren eigenen damaligen Ratschlägen warnen. Wie hängt das zusammen?

Mancher in unserem Lande ist schnell mit der Erklärung zur Hand: »Die« – und damit sind die Amerikaner gemeint – die wollen eben über unsere Köpfe hinweg und auf unserem Rücken die Verständigung mit den Russen allein aushandeln und sich nicht durch andere in diesem Geschäft stören lassen; denen ist das einfach lästig, wenn wir uns direkt mit dem Osten unterhalten.

Wer in Washington und New York mit führenden Beamten im *State Department*, mit Politikern, Professoren und Journalisten gesprochen hat, der steht ganz unter dem Eindruck, wie tief gespalten die Nation ist – angesichts von Vietnam und auch im Hinblick auf die Frage, welche Rolle die USA in der Welt zu spielen berufen sind.

121

Noch eine andere Trennungslinie geht quer durch die Gruppe der politischen Denker und Akteure. Sie schafft zwei Kategorien, die weder identisch sind mit den »Falken« und »Tauben« einerseits noch mit den Isolationisten und Internationalisten andererseits – eine große, zu der wohl die Mehrzahl der Politiker beider Parteien und auch der Beamten des *State Department* gehören, und eine kleine, die von der Kennedyschen »Exilregierung« in Harvard gebildet wird, zu der neben den Brüdern Kennedy vor allem Arthur Schlesinger und John Kenneth Galbraith gehören.

Diese kleine Gruppe glaubt an die Möglichkeiten einer echten Entspannungspolitik der Sowjetunion gegenüber, während die anderen – die vielen – meinen, daß auch nach Beendigung des Vietnam-Krieges einer solchen Entspannungspolitik nur ein sehr kleiner Spielraum zur Verfügung stehe. Vielleicht, so meinen sie, werde es bestimmte geographische Bereiche geben, in denen die Interessen übereinstimmen, beispielsweise in Südostasien – ganz gewiß dagegen schon nicht mehr im Nahen Osten. An größere Fortschritte in der Abrüstung oder an Abkommen irgendwelcher Art glauben sie nicht.

Der Verdacht lag nahe, daß jene, die so argumentieren, dies – wenn vielleicht auch ganz unbewußt – nur tun, um den stillschweigenden Vorwurf abzufangen, der heute über jedem Gespräch schwebt, das Europäer mit Amerikanern führen: »Wärt ihr nicht in den Vietnam-Krieg geschlittert, hättet ihr Kennedys *peace strategy* weitergetrieben, wir wären heute viel weiter auf dem Wege der Verständigung und des Friedens.«

Wie gesagt, der Verdacht liegt nahe, aber schließlich kam ich doch zu der Überzeugung, daß er unbegründet ist. Auch Leute, die den Krieg in Asien als ein sinnloses und unverantwortliches Abenteuer verdammen, sind der Meinung, daß »nach Vietnam« die Beziehungen zur Sowjetunion nicht viel anders sein werden als heute. Denn daß es auch heute trotz des Vietnam-Krieges gemeinsame Interessen gibt, kommt ja darin zum Ausdruck, daß Verhandlungen über den Atomsperrvertrag geführt werden, eine Politik der Begrenzung des Risikos amerikanisch-sowjetischer Konfrontation betrieben wird und der »heiße Draht« während der Nahost-Krise wieder benutzt wurde.

Was aber gibt es an Beweisen dafür, daß die Verhärtung auch nach der Beendigung des Vietnam-Krieges bleibt und nicht durch Entspannung abgelöst wird? Verschiedene Experten finden, daß die Intensivierung der sowjetischen Rüstungsbemühungen, die lange vor Ausbruch des Vietnam-Krieges – also noch während der Entspannungsphase – begonnen hat, zu denken gibt. Das Potential an interkontinentalen Raketen, aber auch an Mittelstreckenraketen – die allein auf Europa gerichtet sind – habe sich während der letzten vier Jahre in erschreckender Weise vergrößert. »Der beste Beweis«, so meinte einer, »ist, daß Moskau die Verständigung über das teure Raketen-Abwehrsystem (ABM) abgelehnt hat, obgleich die Sowjets derart gewaltige militärische Ausgaben noch viel schlechter verkraften können als wir.«

Kaum jemand zweifelt daran, daß jetzt eine neue, unvorstellbar kostspielige Runde des Rüstungswettlaufs beginnen wird. Es scheint fast, so lautet eine Diagnose, als hätte das Ergebnis von Kuba im September 1962, das wir immer als den Beginn aller Sicherheit (Erkenntnis des atomaren Patt) ansahen, die Sowjets zu der Überzeugung gebracht, daß sie unterlegen sind und daher neue Rüstungsanstrengungen unternehmen müßten.

In Washington meint man ferner, feststellen zu müssen, daß die Sowjetunion an der Inszenierung des Nahost-Krieges im vorigen Jahr doch aktiver beteiligt war, als man zunächst annahm. Die Amerikaner sehen darin einen Beweis dafür, daß die uralten, schon zaristischen Ziele russischer Ambitionen – Einfluß im Mittelmeer – noch sehr lebendig sind. Retrospektiv betrachtet geben die vielen Reisen hin und her zwischen Kairo und Bagdad einerseits und Moskau andererseits dieser Vermutung offenbar Auftrieb. Das amerikanisch-sowjetische Treffen in Glassboro hat nach derselben Analyse nicht soviel Übereinstimmung gebracht, wie man zeitweilig annahm. Der Versuch, die damals angesponnenen Fäden wieder aufzunehmen, ist gescheitert. Auch hatte man bereits an Ort und Stelle den Eindruck, daß Kossygin vom Politbüro zurückgepfiffen worden sei.

Den Machtzuwachs, den die Sowjetunion im Nahen Osten seither gewonnen hat, schätzt man verhältnismäßig hoch ein, und für fast unvermeidlich hält man, daß die Sowjets mit der Zeit Mers el Kebir, den modernsten Flottenstützpunkt im Mittelmeer, den Frankreich gerade vorzeitig aufgegeben hat, übernehmen werden. »Die Stärke der russischen Flotte im Mittelmeer ist heute größer als die der britischen, französischen und italienischen zusammengenommen. Da können Sie sich vorstellen, welchem Druck Europa ausgeliefert wäre, wenn die Sechste Flotte nicht im Mittelmeer stationiert wäre.«

Die Auffassung, die Europäer unterschätzten die Sowjets und bagatellisierten die Gefahr, die sich ja nach amerikanischer Auffassung immer dann besonders manifestiert, wenn die Verteidigungsposition im Westen – also der Zusammenhalt im Bündnis – nachläßt, ist allgemein.

Wodurch Bonn den Argwohn Washingtons wachgerufen hat? Brandt hat, so hieß es, im Juli Botschafter Zarapkin ein sogenanntes Vierzehn-Punkte-Papier nach Moskau mitgegeben, er ist dann zusammen mit Bundeskanzler Kiesinger im August in Washington gewesen, habe aber die Regierung über jenen Schritt nicht informiert. Das *State Department* hätte von dieser Unternehmung erst sehr viel später durch die Presse erfahren. Und dann auch dies: Die Note der Sowjets vom 6. Januar über die Präsenz der Bundesrepublik in Westberlin stelle den ersten Fall dar, in dem Moskau und Bonn miteinander über Berlin sprechen, für dessen Sicherheit aber schließlich die westlichen Alliierten verantwortlich seien.

Von hier aus gesehen mag mindestens subjektiv, wenn auch vielleicht nicht objektiv, die Sorge der Amerikaner verständlich sein, die Bundesrepublik, die sich nach Washingtons Meinung zuviel Illusionen hinsichtlich Entspannung macht, und die kein wirkliches Konzept, sondern nur viel guten Willen habe, könnte bei direkten Verhandlungen mit Moskau hereinfallen, und sie, die Amerikaner, wären dann genötigt, uns wieder herauszuhauen. Das offizielle Washington ist darum der Meinung, viele bilaterale Gespräche der Europäer müßten zwangsläufig ein schlechteres Ergebnis für den Westen insgesamt zeitigen als koordinierte westliche Verhandlungen mit dem Osten.

Darin wird man den Amerikanern sicherlich recht geben müssen: Die optimale Lösung wären Verhandlungen auf Grund koordinierten Vorgehens. Die westliche Einheit ist im Grunde unentbehrlich sowohl wegen des sowjetischen Drucks als auch um eine neue Friedensordnung vorzubereiten. Aber die Bundesrepublik hat schließlich viel nachzuholen. Vieles ist zu tun, was unterhalb der Schwelle großer Verhandlungen liegt. Und auch das ist schon schwer genug zu erreichen angesichts der Unzugänglichkeit des Ostens. Die Amerikaner sollten uns diese Aufgabe nicht noch erschweren.

Brandfackeln des Hasses

Nach Martin Luther Kings Ermordung:
Amerika in der Zerreißprobe

Hamburg, im April 1968

Der Anwalt der Gewaltlosigkeit, der den Namen des großen Protestanten trug – Martin Luther King –, ist tot. Ein Weißer mordete den
Schwarzen. Jetzt beherrschen die Anbeter von Gewalt das Feld, jetzt
lodert der Haß wie ein Großfeuer über das Land, und niemand vermag
sich vorzustellen, wie diese Feuersbrunst wieder gelöscht werden
kann.

Was für ein Bild: Maschinengewehre auf den Stufen des Capitol,
Rauchschwaden über der Kapitale und über 50 Großstädten des Landes. Während eine halbe Million amerikanischer Soldaten im fernen
Asien kämpft, rotten sich zu Hause die Partisanen zusammen, hockt
der Terror in den heimischen Straßen, nistet Haß sich in den Herzen
der Bürger ein. Schwarz gegen Weiß, Weiß gegen Schwarz. Eine
Eskalation unheilzeugender Emotionen: blinde Wut und alles betäu-
bende Angst.

Noch nie wurde die Krise einer Weltmacht so deutlich. Mehr noch:
Selten wurden die Fesseln so augenfällig, die das Menschengeschlecht
an den dunklen Felsen seines Daseins schmieden. Da leuchtet die
Wissenschaft in die verborgensten Bereiche, da jagt eine Entdeckung
die andere, der technische Fortschritt stößt scheinbar unaufhaltsam ins
Unendliche vor, und Futurologen rechnen aus, wie herrlich weit wir es
bis zum Jahr 2000 gebracht haben werden – aber wie in grauer Vorzeit
erschlägt Kain seinen Bruder Abel.

Und wie eh und je ist es nicht der andere Terrorist, dem der Terrorist
nach dem Leben trachtet – der ihm wirklich im Wege steht, ist der
Fürsprecher der Gewaltlosigkeit, der Anwalt von Maß und Besonnen-
heit. Immer waren es die Gandhis und Kennedys, die den Besessenen

zum Opfer fielen. Die weißen Extremisten haßten Martin Luther King wegen seiner moralischen Souveränität. Sie wollen, daß die Neger sich der Welt so präsentieren, wie sie – die Rassenfanatiker – sie der Öffentlichkeit darzustellen wünschen. Und in dieses Bild paßt Stokely Carmichael wesentlich besser als der Doktor der Philosophie Martin Luther King.

Martin Luther Kings politische Karriere begann vor dreizehn Jahren. Damals im Jahr 1955 trug sich in Montgomery im Staate Alabama folgende Begebenheit zu: Rosa Parks, eine Vertreterin der Vereinigung *For the Advancement of Coloured People,* fuhr im Autobus zu ihrem Büro. Alle Plätze im Bus waren besetzt, als ein weißer Mann zustieg. Er trat auf Rosa Parks zu und verlangte, sie solle aufstehen und ihm, wie es das Gesetz damals befahl, ihren Platz zur Verfügung stellen. Rosa Parks weigerte sich, wurde verhaftet und kam ins Gefängnis. King gründete daraufhin die *Montgomery Improvement Association,* um einen Boykott aller Autobusse durch die schwarze Bevölkerung zu organisieren.

Ein ganzes Jahr lang wurden in Montgomery die Busse boykottiert, dann brach das Transportsystem zusammen – die Stadt mußte kapitulieren. Zum erstenmal in der Geschichte Amerikas hatten die Neger ihre wirtschaftliche Macht demonstriert, ja, wohl auch zum erstenmal überhaupt entdeckt, daß sie eine solche Macht besitzen.

1963 organisierte King den Protestmarsch in Birmingham, bei dem es blutige Zwischenfälle gab, und der Kennedy dazu veranlaßte, dem Kongreß ein umfassendes Bürgerrechtsgesetz vorzulegen, das dann unter Johnson verabschiedet wurde. Im gleichen Jahr noch sah man King an der Spitze jenes großen Zuges schwarzer und weißer Bürger, der nach Washington marschierte, um das Gewissen der amerikanischen Öffentlichkeit aufzurütteln.

Damals, 1963, schrieb Martin Luther King im Gefängnis von Birmingham einen Brief an acht Pfarrerkollegen, die sich kritisch über seine Aktivität geäußert hatten. In diesem Brief hat er seine Philosophie der Gewaltlosigkeit niedergelegt. Es heißt darin:

»Wir haben mehr als 340 Jahre auf unsere verfassungsmäßigen und von Gott verliehenen Rechte gewartet. In Asien und Afrika bewegen sich die Völker mit jet-hafter Geschwindigkeit auf die politische Unabhängigkeit zu, wir aber kriechen im Rhythmus des Pferdeschrittes dem Ziel entgegen, eine Tasse Kaffee im Restaurant trinken zu dürfen. Für die, die nie die schmerzenden Pfeile der Rassentrennung zu fühlen bekamen, mag es einfach sein zu sagen, ›Wartet‹. Aber wer zusehen mußte, wie ein bösartiger Mob die Mütter und Väter lynchte, wer zusehen mußte, wie haßerfüllte Polizisten die schwarzen Brüder und Schwestern mit Füßen traten oder töteten, wer 20 Millionen dieser Brüder in licht- und luftlosen Käfigen der Armut mitten in einer Gesellschaft des Überflusses schmachten sah, wem es plötzlich die Sprache verschlug, weil er seiner sechsjährigen Tochter erklären mußte, warum sie nicht auf dem öffentlichen Spielplatz, der gerade im Fernsehen angepriesen wurde, spielen darf . . ., der wird verstehen, warum es für uns schwierig ist, zu warten.«

In jenem Brief sagte der Doktor der Philosophie auch noch, daß Millionen von Negern, wenn die weißen Brüder seine Versuche, ohne Gewalt zum Ziel zu gelangen, nicht unterstützten, eines Tages ihre Zuflucht bei schwarzen, nationalistischen Ideologen suchen würden – »eine Entwicklung, die unvermeidlich zu einem fürchterlichen rassistischen Alptraum führen würde«.

Heute haben alle begriffen, warum das Buch Martin Luther Kings, das 1964 erschien, den Titel trägt »*Why We Can't Wait*« – warum wir nicht warten können. Sein Gegenspieler, Stokely Carmichael, sagte in der vorigen Woche in Washington, der Stadt mit der höchsten Zusammenballung schwarzer, städtischer Bevölkerung in Amerika – 67 Prozent der Einwohner sind Neger: »Wir werden warten, aber nur, bis wir genug Gewehre haben.«

Die eigentliche Leistung Dr. Kings lag im Süden, wo es sich in erster Linie darum handelte, alte Gesetze abzuschaffen und neue einzuführen. Dort hat er präzise Vorarbeit geleistet und genausoviel Druck organisiert, wie notwendig war, um den Kongreß zur Einsicht zu bringen. Im Norden dagegen fand er eine ungleich schwierigere Aufgabe vor. Im Norden stellen die Gettos und Slums der Städte langfristige soziale Probleme dar, die soziologische Situation ist komplizierter, wirtschaftliche Rivalitäten zwischen Schwarz und Weiß spielen eine Rolle, alle Probleme sind viel differenzierter. Darum hat die *Black-Power*-Bewegung auch sehr viel mehr Rückhalt im Norden der Vereinigten Staaten gefunden, und es mag wohl sein, daß der Anwalt der Gewaltlosigkeit bereits gescheitert war, als die Kugel des Mörders seinem Leben ein Ende setzte.

Amerika hat vor zwanzig Jahren auf das Nachkriegselend Europas mit dem Marshall-Plan reagiert. Es hat fast zur gleichen Zeit mit dem *Point-Four*-Programm eine großzügige Hilfsaktion für die Entwicklungsländer eingeleitet. Wie es möglich gewesen ist, daß keine der folgenden Regierungen das Elend vor der eigenen Tür gesehen hat, wie es kam, daß man in Washington weitsichtig genug ist, Weltpolitik im großen Stil zu treiben, daheim aber so kurzsichtig war, daß man jahrzehntelang alles beim alten ließ – das ist ganz unbegreiflich. Doch steht es uns gewiß nicht an, den Amerikanern, die heute auf so schmerzliche Weise mit diesem Problem konfrontiert sind, solche Fragen zu stellen.

Und doch handelt es sich hier nicht einfach um ein inneramerikanisches Problem. Im Grunde ist die Auseinandersetzung zwischen Nord und Süd, zwischen hochindustrialisierten Gesellschaften und unterentwickelten Ländern und auch Schwarz und Weiß, das, was uns alle während der nächsten Jahrzehnte in Atem halten wird. Amerika kann als Weltmacht nur bestehen, wenn es mit dieser Auseinandersetzung im eigenen Lande fertig wird.

Noch vermag niemand zu sagen, was sein wird, wenn der Rauch, der noch über den Trümmern der amerikanischen Städte liegt, sich verzogen hat, und die Bevölkerung nach dieser Eruption entfesselter Leidenschaften wieder zur Besinnung gekommen ist. Wird der Haß weiter schwellen, stehen neue Ausbrüche bevor? Oder ist es denkbar, daß der Schock auch die Anbeter der Gewalt vor weiterem Aufruhr zurückschrecken lassen wird?

Die Amerikaner zweifeln an sich selbst

Ratlosigkeit unter den liberalen Intellektuellen

Princeton, im Dezember 1968

Auf der Abschlußsitzung einer Konferenz, die eine eindrucksvolle Zahl prominenter Intellektueller aus aller Welt in Princeton zusammengeführt hatte, erhob sich ein Student, trat an das von Scheinwerfern beleuchtete Mikrophon und kritisierte diese viertägige Veranstaltung in Grund und Boden.

Sam Brown, der den Wahlkampf der studentischen Jugend für Eugene McCarthy organisiert hatte, Student der Theologie und einer der beiden Studenten, die eingeladen worden waren, sprach, beide Hände in den Hosentaschen vergraben, ohne jede Nervosität. Im Gegenteil: Er sprach mit jener Leichtigkeit und Selbstverständlichkeit, die im allgemeinen nur Parlamentarier oder Professoren in vielen Jahren erwerben.

Die Konferenz sei ein totaler Versager. *Erstens:* schlechter Stil – zu wenig Diskussion (nur sechs Stunden täglich), zuviel Cocktailpartys. *Zweitens:* die falschen Leute – zu wenig Schwarze, keine Führer der *New Left. Drittens:* die falschen Themen – zu wenig Vietnam und überhaupt keine Kritik an den Liberalen.»Alle diese Leute« – er blickte in die Runde und fuhr fort mit jener monoton dahinfließenden, gedämpften Stimme, wie wir sie von Rudi Dutschke kennen – »waren nicht in der Lage, uns zu sagen, wie wir mit dem Problem der Macht fertig werden sollen und wohin uns der Weg eigentlich führt.«

»Alle diese Leute« ... das waren Liberale, die der Präsident der Internationalen Vereinigung für die Freiheit der Kultur, Shepard Stone, eingeladen hatte zu einem Seminar, dessen Thema lautete »*The United States, its impact and image in the world*«. Wer gleich Sam Brown in die Runde blickte, sah vor sich: Kenneth Galbraith, Arthur Schlesinger,

George Kennan, George Ball, Louis Fischer, Zbigniew Brzezinski, Carl Kaysen, Alan Bullock, Jean-Jacques Servan-Schreiber, Alastair Buchan, Andreas Papandreou, Ralf Dahrendorf, Waldemar Besson, Karl Kaiser, Eugen Löbl und etwa fünfzig weitere Schriftsteller, Professoren und Publizisten.

Schlesinger, der seine Jacke über den Stuhl gehängt hatte, stand auf. Er sah sehr ernst aus und sprach mit verhaltenem Ärger: »Mr. Brown hat diese Konferenz verdammt, insbesondere weil es ihr an Leidenschaft gefehlt habe. Wenn aber die Politik zu einem Wettkampf der Leidenschaften, einem Wettkampf von Emotionen, einem Wettkampf der Gewalt werden soll, dann wird George Wallace ganz gewiß mehr Guerillakämpfer auf die Straße bringen als die Linke.«

Sam Brown hatte recht. Niemandem war es gelungen, das Rezept zu finden, wie man ungestraft mit der Macht umgehen kann. Aber nur derjenige kann daraus einen Vorwurf konstruieren, der an Utopia glaubt, daran, daß man ein garantiert konfliktfreies Gesellschaftssystem entwickeln könne.

Die Krise der Gesellschaft in Amerika beruht auf den gleichen Phänomenen wie bei uns. Die ältere Generation hat die bestehende Gesellschaftsordnung geschaffen; sie hat die Führungspositionen in der Politik, in der Industrie und im öffentlichen Leben okkupiert; sie hat gewisse Spielregeln erfunden, über deren Einhaltung sie mit Strenge wacht; sie ist zugleich Schöpfer und Geschöpf dieser Ordnung, sie hält diese zwar für gottgegeben, sich selbst aber dennoch für deren Meister. Die Jungen dagegen sagen: Seht diese naiven Alten, die immer noch glauben, daß in ihrer berühmten Demokratie die Regierung den Volkswillen repräsentiert (»als ob das Volk wirklich zwischen Nixon und Humphrey hätte wählen wollen«); die da meinen, der Markt steuere die Gesellschaft, dabei sind es doch die großen Gesellschaften, die riesige Militär- und Weltraumaufträge vom Staat bekommen; die Alten tun so, als sei alles in bester Ordnung, wenn man sich nur an ihre Spielregeln hält. Sie merken gar nicht, daß sich hinter ihrem Rücken die Wirklichkeit längst verändert hat.

So wurde denn auch bei dieser Konferenz von einem jungen radikalen Harvard-Professor, Martin Peretz, alles getan, um die bestehenden Institutionen zu entmythologisieren und die Verhältnisse zu enthüllen. Er zählte auf, wer wo im Aufsichtsrat sitzt (oder seinen Schwiegersohn dorthin delegiert hat) und gleichzeitig öffentliche Ämter bekleidet, Gutachten schreibt oder als Beirat fungiert. Als sei diese Verflechtung von Macht und öffentlicher Funktion ein Spezifikum der kapitalistischen Gesellschaftsordnung, als habe nicht Chruschtschows Schwiegersohn eine entscheidende Rolle in der Politik gespielt, als sitze Kossygins Schwiegersohn nicht an einer wichtigen Stelle in der staatlichen Planungszentrale, als habe es solche Beziehungen nicht von der Antike über die mittelalterliche Papst- und Kaiserzeit bis zu den totalitären Herrschaftsformen der Neuzeit gegeben. Auch in den traditionellen Gesellschaften Asiens oder Afrikas war und ist es nicht anders.

Solange die menschliche Gesellschaft noch aus Menschen und nicht aus elektronisch gesteuerten Wesen besteht, wird dies so sein und bleiben. Darum ist es wichtig, sich nichts vorzumachen, vielmehr dies in Rechnung zu stellen und Offenlegung zu verlangen; denn nur die Verschleierung der Zusammenhänge von ökonomischer und politischer Macht ist gefährlich.

In Princeton wurde immer wieder dieses Phänomen der Macht analysiert: die Macht der Intellektuellen – zu überzeugen, zu verführen, zu erfinden, zu kreieren und zu transzendieren. Die militärische, die wirtschaftliche, die politische Macht wurden untersucht und die Ohnmacht des Menschen in der Technokratie beklagt.

Am interessantesten für die Europäer war die sehr offene Auseinandersetzung mit dem Problem der *Black Power.* Anwesend waren zwei Vertreter der Schwarzen: Roy Innis, Direktor des *Congress for Racial Equality* (CORE), und Harold Cruse von der Universität Michigan. Die *Black-Power*-Bewegung ist hervorgegangen aus dem 1960 gegründeten *Student Non-Violent Coordinating Committee* (SNCC). Diese Organisation, der weiße wie schwarze Studenten angehörten, kämpfte vornehmlich im Süden für die Bürgerrechte der Schwarzen, und zwar ausdrücklich ohne Gewalt: nur mit passiver Resistenz.

Das änderte sich, als Stokely Carmichael im Mai 1966 die Führung der Bewegung übernahm. Die Weißen wurden aus der Organisation herausgedrängt; man versuchte, die Schwarzen in eigenen politischen Parteien zu organisieren: »*To ask a negro to register with the democratic party is like asking a Jew to join the Nazi Party.*«

Roy Innis, ein effektvoller Redner, glaubt nicht mehr an Integration. Er ist für Separatismus, für Apartheid. Er predigt Nationalismus als

Mittel der Befreiung. Die Schwarzen könnten, so meint er, sich nicht mehr als Amerikaner definieren: »Wir müssen unser Schicksal selbst in die Hand nehmen, wie das auch die Juden taten. Wir müssen unsere Identität, unsere eigene Persönlichkeit finden.« Innis sagt, überall dort, wo im Lande schwarze Ballungszentren entstanden sind, da sollte den Schwarzen Administration, Wirtschaft, Polizei und Schule überlassen werden. Im Manifest der *Black Power* heißt es: »Wenn wir wirklich frei sein wollen, müssen wir uns von den Weißen trennen, wir müssen unsere eigenen Institutionen schaffen: Banken, Genossenschaften, politische Parteien, und wir müssen unsere eigene Geschichte schreiben.«

Die Weißen halten dies alle für abwegig und meinen, die Integration habe in den letzten Jahren große Fortschritte gemacht. McCloy berichtet, daß bei der *Chase Manhattan Bank* von insgesamt etwa 16 000 Angestellten heute annähernd 2000 Neger sind, während es vor zehn Jahren nur ein paar Dutzend waren. Sehr auffallend sind übrigens die vielen schwarzen Gesichter, die jetzt im Fernsehen und in der Reklame auftauchen.

Aber Innis wischt alle Einwände, daß eine Parallelgesellschaft nicht funktionieren könne, beiseite. Die Frage, was wohl aus dem Schmelztiegel Amerika werden solle, wenn die Minoritäten anfingen, sich zu separieren, sich aus dem Ganzen wieder herauszulösen, interessiert ihn nicht.

Professor Cruse, der weniger ideologisch und mehr machtpolitisch denkt, der nicht Separation, sondern gerechte Beteiligung an der Macht wünscht und nicht dem Klassenkampf das Wort redet, kommt ihm in dieser Frage zu Hilfe. Er sagt, schließlich seien die europäischen Minoritäten ja auch wirklich integriert worden. Darum werde man sie auch nicht wieder disintegrieren. Die Schwarzen aber seien noch nie als ebenbürtig akzeptiert worden. Die Europäer, die im 17. und 18. Jahrhundert nach Amerika gingen, um eine bessere, eine wirklich freie Gesellschaft aufzubauen, hätten im 19. und 20. Jahrhundert die Kolonialherrschaft errichtet, der ihre Vorväter entfliehen wollten.

Sam Brown und sein Kommilitone assistieren den beiden Rednern. Es handle sich gar nicht um die vielbesprochene Frage der Schwarzen, es sei vielmehr das Problem der Weißen. Sie seien damit nicht fertig geworden, darum müsse man diese ganzen liberalen Institutionen einreißen. Professor Dahrendorf fragt Roy Innis, in welcher Weise die studentische Bewegung den Schwarzen zu Hilfe kommen könne. Antwort: »Wir haben die Studenten nie ernst genommen.«

Betraf dieser Teil der Auseinandersetzung ausschließlich Amerika selbst, so riefen die außenpolitischen Fragen alle Beteiligten auf den Plan. Die Europäer waren uneinig. Servan-Schreibers Forderung lautete: So wenig amerikanische Truppen wie möglich in Europa und in der Wirtschaft nur Minoritätsbeteiligung. Die Deutschen hingegen wünschten keine Veränderung der Sicherheitssituation, vor allem jetzt nicht nach den Ereignissen in der Tschechoslowakei. Die Lateinamerikaner kritisierten viel, wünschten aber dennoch eher engere Beziehungen zu ihrem nördlichen Nachbarn. Die Asiaten hatten ebenfalls viele Klagen, wollten aber die Präsenz der Amerikaner keinesfalls missen. Brzezinskis Idee eines *selective disengagement* – also einer Verminderung des weltweiten Engagements der Vereinigten Staaten –, die allen sehr einleuchtend schien, solange jeder glaubte, dieser Vorschlag werde nur den anderen treffen, verschwand auf diese Weise wieder vom Tisch.

Müßte eine Bilanz gezogen werden, so ließe sich wohl Übereinstimmung folgender Wünsche und Forderungen feststellen – und dies dürfte nicht nur für die Konferenz in Princeton typisch sein: Der Vietnam-Krieg muß beendet werden; die Beziehungen zwischen Washington und China sollten neu aufgenommen und intensiviert werden – vor allem die Asiaten wünschen dies; erstrebenswert schien den meisten Teilnehmern, daß die neue Regierung möglichst bald mit Moskau über die Rüstungsbegrenzung verhandelt, aber gleichzeitig mit den Europäern engen Kontakt hält.

Im ganzen urteilten die Europäer über Entwicklung und Möglichkeiten Amerikas pessimistischer als die Amerikaner selbst. Immer wieder wurden Zweifel an der »Führungskraft« Amerikas laut, der Satz von der Ordnung, die erst einmal im eigenen Haus geschaffen werden müsse, lag sicher vielen auf der Zunge, obschon er nur einmal ausgesprochen wurde.

Die Amerikaner schienen, trotz aller Zweifel an sich selbst, im Grunde davon überzeugt zu sein, daß es ihnen gelingen werde, mit den gigantischen Problemen ihrer Innen- und Außenpolitik fertig zu werden. Einen jungen englischen Labour-Abgeordneten veranlaßte dies zu der Äußerung: »Ich bin tief beunruhigt über diese Kluft zwischen dem ungerührten, selbstzufriedenen, liberalen Establishment und einem Haufen Verrückter, die auf der anderen Seite herumschreien, ohne irgendeine positive Lösung offerieren zu können. Ich kann mir gar nicht vorstellen, wie man das hier überbrücken will.«

Ich selber kann diesen Eindruck nicht teilen. Ich fand die Amerikaner ganz und gar nicht selbstzufrieden, jedenfalls nicht die in Princeton versammelte intellektuelle Elite. Nicht einmal der Zweite Weltkrieg hat die Amerikaner so verwirrt, sie so ratlos gemacht wie Vietnam: Wie eigentlich sind wir da hineingeraten? Wozu führen wir diesen Krieg? Liegt Vietnam vielleicht vor der Küste Kaliforniens? Wofür sterben unsere Leute dort? »Die eigentliche Kriegsgefahr scheint mir nicht in vorbereiteten Aktionen böswilliger Leute zu liegen, sondern in der Unfähigkeit gehetzter, verhetzter Menschen, mit den Ereignissen fertig zu werden, die ihnen davongelaufen sind«, sagte Henry Kissinger, künftiger außenpolitischer Berater im Weißen Haus, in einem anderen Zusammenhang, aber es gab wohl niemanden, der dabei nicht an Vietnam dachte.

Man hat in Amerika begonnen, an sich selbst zu zweifeln. Zerronnen ist der Optimismus, die unreflektierte, scheinbar selbstverständliche Überzeugung, daß die Geschichte auf ein gutes Ende hin angelegt sei; daß die Höherentwicklung der Menschheit eine zwangsläufige Folge des richtigen Erziehungssystems sei.

Natürlich hat nicht nur der Vietnam-Krieg diese Skepsis erzeugt. Ebensoviel dazu beigetragen haben die Auspizien der *post-industrial society*, über die auf dieser Konferenz viel geredet wurde. Die Versuche, sich die Gesellschaft des Jahres 2000 auszumalen und die Umstände, in denen der Mensch des techno-elektronischen Zeitalters leben wird, beschworen immer wieder die Frage: Wird in dieser kommenden Technokratie das Menschliche überhaupt noch einen Platz haben?

Mir schien, daß die kritische Selbsterforschung, die intellektuelle Ratlosigkeit, der plötzlich entwickelte Sinn für das Tragische, Amerika ganz neue Perspektiven erschlossen hat. Und ich glaube, daß die Verzweiflung, die man in vielen Gesprächen spürt, nicht Schwäche bedeutet, sondern daß ganz im Gegenteil dieses Volk, das so viel Idealismus und so viel ungebrochene Kraft besitzt, um eine Dimension reicher werden wird.

134

Die siebziger Jahre

Die Last der Giganten

Die Welt erst von Moskau aus betrachtet,
anschließend von Washington

Washington, im September 1970

Großmacht zu sein, scheint mehr Sorgen als Vergnügen zu bereiten. Unsereiner denkt manchmal, wie gigantisch die Möglichkeiten der beiden Supermächte doch sind, wie stark sie sich fühlen müssen mit allen ihren Ressourcen im Schutz des atomaren Patts.

Wer aber dann nach Moskau kommt, spürt die Vielfalt der Sorgen: Ist man für die Dritte Welt noch Modell und Hoffnung und für welche Kommunisten rund um den Globus noch Kompaß und Credo? Entwikkelt sich die Wirtschaft des Westens nicht weit rascher als die eigene, die im Gestrüpp des bürokratischen Zentralismus erstickt? Sollte man ohne den Ansporn des Marktes auf die Dauer doch nicht auskommen können? Aber wenn das so wäre, würde das nicht bedeuten, daß ein solchermaßen autonomes Steuerungswerkzeug zu einer tödlichen Bedrohung der politischen Machtzentrale werden müsse?

Wer dann von Moskau nach Washington reist, in das Land, das nach dem Zweiten Weltkrieg so unerschöpflich in seiner Vitalität und Produktionskraft war, daß es immer mehr Staaten in Europa und Asien Wohlstand und Sicherheit brachte, der erlebt heute auch dort Unruhe, Sorgen und Ratlosigkeit.

Es scheint, daß jede der beiden Mächte zur Zeit ihre weltpolitische Rolle überdenkt und sich bemüht, die Außenpolitik neu zu strukturieren. Die Sowjetunion, die im Osten Sorgen genug hat und die danach trachtet, im Westen Entspannung und Normalisierung herbeizuführen, hat die ersten Schritte getan, als sie am 12. August den Vertrag mit der Bundesrepublik unterschrieb, der in Kraft treten wird, wenn sich der Kreml im Laufe der Viererverhandlungen in Berlin, die am 21. September beginnen, zu weiteren Schritten entschließen sollte.

Die SALT-Verhandlungen in Wien scheinen ebenfalls ein Beweis für ein solches Umdenken zu sein. Im Weißen Haus in Washington hieß es: »Noch nie in Jahrzehnten sind Gespräche über Rüstungsvereinbarungen mit den Russen so verhältnismäßig positiv verlaufen.« Im Zentrum der amerikanischen Macht hofft man, daß vielleicht im nächsten Frühjahr ein Abschluß zustande kommen wird: »Wenn das gelingt, dann bedeutet dies, daß die strategische Situation durch Verhandlungen in einer Weise verändert worden ist, die weit über alles hinausgeht, was bisher geschehen ist.«

Auch Washington hat seine Rolle auf der weltpolitischen Bühne neu überdacht. Die Amerikaner haben eine Reihe von Schritten getan, die von der Konfrontation weg zur Verhandlung hin führen sollen und deren wichtigster der Atomsperrvertrag war. Die Gedanken, die der neuen Operationslinie zugrunde liegen, sind etwa folgende:

Die USA haben vom Ende des Zweiten Weltkrieges bis in die sechziger Jahre hinein überall in der Welt immer wieder neue Verantwortungen übernommen. Dies war möglich, solange die USA der Sowjetunion im strategischen Bereich um ein Vielfaches überlegen waren, und es war nötig, solange die Sowjetunion von Stalins Geist beherrscht wurde.

Heute treffen beide Voraussetzungen nicht mehr zu, und manche jener Länder, denen Washington jahrelang geholfen hat – wie beispielsweise Japan –, befinden sich mittlerweile in einer wirtschaftlich so starken Situation, daß sie längst wieder anderen helfen können, darum muß eine Verlagerung der Lasten und Verantwortung im jeweils regionalen Raum erfolgen.

Diese neue Politik, anfangs nur für Asien erdacht und im Juli vorigen Jahres in Guam verkündet, trägt den Namen »Nixon-Doktrin«. Sie geht von drei Prinzipien aus.

1. Die USA stehen zu ihren Verpflichtungen.

2. Wenn ein nicht-nukleares Land von einem nuklearen Land bedroht wird, dann übernimmt Washington bestimmte (nicht im einzelnen definierte) Verantwortungen.

3. Für seine Sicherheit und wirtschaftliche Entwicklung muß in erster Linie jedes Land selbst, in zweiter Linie die zuständige Region aufkommen.

Praktisch stellt man sich dies so vor: In Ost- und Südostasien werden die USA in Zukunft keine Truppenkontingente mehr unterhalten, vielmehr das Schwergewicht auf ein Militärhilfsprogramm legen, also Ausbilder und Waffen liefern. Die Japaner sind bereit, ein Prozent ihres Bruttosozialproduktes, also etwa 1,6 Milliarden Dollar (eine Zahl, die sich etwa alle sechs Jahre verdoppelt), als Entwicklungshilfe in Südostasien zu investieren. Und schließlich sollen bilaterale, nationale Pakte abgeschlossen werden, um dieses Gebiet zu sichern.

Wie aber wird sich die neue Politik auf Vietnam auswirken? Die Antwort im Weißen Haus auf diese Frage hat einen leicht verärgerten Unterton: »Natürlich hätte der Präsident während der ersten drei Monate seiner Amtszeit sämtliche Truppen aus Vietnam zurückziehen und alle Schuld auf seinen Vorgänger abwälzen können; aber das hätte wie ein totaler Zusammenbruch der amerikanischen Entschlußkraft gewirkt und das Gleichgewicht der Welt vollständig durcheinandergebracht. Nein, dieser Krieg ist nicht unserer Politik entsprungen, wir haben ihn geerbt, ohne Programm für einen militärischen Rückzug oder für politische Verhandlungen. Inzwischen aber gibt es nun einen Fahrplan für die Rückführung der amerikanischen Truppen – bis zum nächsten Frühjahr werden 260 000 Soldaten zurück sein.«

Die Schwierigkeit, diesen Krieg an zwei Fronten führen zu müssen, nämlich zugleich daheim und draußen in Asien, zwingt die Regierung zu immer neuen unklaren, zweideutigen Erklärungen: Sie muß den Demonstranten im eigenen Lande versichern, daß die *boys* bald heimkommen, und zugleich den Gegnern draußen klarmachen, daß sie vergeblich auf eine baldige Machtübernahme hoffen. Aber die Erkenntnis, daß dieser Krieg militärisch von keiner Seite entschieden werden kann und darum politisch beendet werden muß, die ist endgültig.

Auch im Nahen Osten zeichnen sich die Umrisse einer neuen Politik ab. Aber während überall anders die Verantwortung laut Nixon-Doktrin von den Vereinigten Staaten weg in das betreffende regionale Gebiet verlegt werden soll, ist es hier genau umgekehrt. Hatte die Regierung Johnson es den miteinander kämpfenden Parteien mehr oder weniger überlassen, selbst eine Lösung zu finden, ist Nixon jetzt der Meinung, dies sei einfach zu gefährlich.

Er glaubt, daß zwei so emotional reagierende Rivalen, die sich beide in ihrer Existenz bedroht glauben und die jeder an eine der beiden Supermächte gebunden sind – wodurch ein lokaler Konflikt unter

Umständen zum Weltkrieg werden könnte –, nicht sich selber überlassen bleiben dürfen, zumal während der letzten 18 Monate eine bedrohliche Eskalation eingetreten ist.

Und wie wirkt die Bonner Ostpolitik auf Washington? Im Zeichen der Nixon-Doktrin ist das, was Brandt versucht, nämlich nach Absprache mit den Alliierten die eigenen Probleme etwas entschlossener selber in die Hand zu nehmen, genau das, was man in Washington erwartet. Jahrelang hat Henry Kissinger, der engste Berater des Präsidenten, gepredigt: Ihr Europäer müßt euer Schicksal tatkräftiger selbst gestalten und nicht immer alles von Washington erwarten – das war auch der Grund seiner besonderen Achtung für General de Gaulle.

Aber wenn dann so eine Politik Wirklichkeit wird und neue Probleme auftauchen, dann stellt sich mancherwärts doch Unbehagen ein. So begegnet man gelegentlich der Frage: Wird die Bundesrepublik über ihrer Ostpolitik nicht vergessen, wie wichtig die Integration im Westen ist?

Sicher wäre es der Regierung in Washington lieber, sie könnte die Verhandlungen mit Moskau zentral gesteuert und bilateral führen. Denn wenn man es recht besieht, ist die neue Politik vor allem dazu bestimmt, die Lasten auf andere Schultern mitzuverteilen – die entscheidenden Gespräche mit den Sowjets dagegen, die würden die Amerikaner schon ganz gern allein führen. Denn ihre Erkenntnis lautet: Die Summe der nationalen »Politiken« ist nicht unbedingt gleichzusetzen mit der integrierten Meinung aller, vertreten durch eine Führungsmacht.

Die Kommentare zum deutsch-sowjetischen Vertrag variieren von begeisterter Zustimmung (Senator Fulbright) bis zu warnender Sorge (Dean Acheson). Im *White House* und im *State Department* aber betonen alle einstimmig – zwar ohne Begeisterung, aber auch ohne Sorge – ihr Vertrauen in die Ostpolitik der Regierung Brandt und erklären, wenn die Viererverhandlungen über Berlin zu einer Verbesserung der Zugangswege und zur Festigung der bestehenden Realitäten führten, dann sei der Vertrag von Moskau sehr positiv zu werten.

Ein hoher Beamter im *State Department* meinte: »Ich habe keinerlei Kritik an Inhalt oder Formulierung des Vertrages. Nach meiner Meinung ist nichts weggegeben worden, was nicht längst weg war. Und an juristischen Formeln haben nun einmal nur die Deutschen Interesse.

Wenn ich eine Befürchtung hätte, so allenfalls die, daß man sich in Bonn Illusionen macht und daß man darum den Sowjets auf die Dauer und vielleicht, ohne es zu merken, zuviel Einfluß einräumen könnte.«

Barzel, der soeben in den USA war, hat dort vermutlich nicht viel Neues erfahren, das meiste muß er eigentlich schon vorher gewußt haben. Dennoch wäre diese Reise von allergrößtem Nutzen, wenn sie der CDU/CSU die Möglichkeit gäbe, nicht mehr stereotyp nein zu sagen, sondern nun wirklich eine konstruktive Opposition zu treiben und für die SPD das zu sein, was jede Regierung braucht: ein nützliches Korrektiv.

Die Technik frißt ihre Kinder

Das Ideal: immer schneller, immer größer,
immer mehr

Aspen, Colorado, im September 1970

Vor kurzem hörte ich Emeljanow, einen bekannten sowjetischen Atomwissenschaftler, bei einer Ost-West-Debatte in Leningrad sagen: »Wenn es in dreißig Jahren keine Luft zum freien Atmen und kein frisches Wasser zum Trinken mehr geben wird, dann werden Sie die Probleme, über die Sie sich hier streiten, nicht mehr wichtig finden.«

Und bald darauf hörte ich den Amerikaner George F. Kennan, Diplomat, Sowjetspezialist und Professor am *Institute for Advanced Studies,* in Princeton von den großen Problemen der Umweltsveränderung sprechen, die, wie er sagte, »für die Zukunft der Menschheit und für die internationale Sicherheit auf die Dauer ebenso gefährlich sind wie der Krieg«.

In beiden Erdhälften ist man sich also klar darüber, wie gefährlich der Zustand ist, in den die nicht ausreichend kontrollierte Technologie die Welt gestürzt hat. Das Kaspische Meer und einige der sibirischen Flüsse sind offenbar hochgradig vergiftet. In Amerika ist der Erie-See, der fünfmal so groß ist wie der Bodensee, tot, einfach tot; die gesamte Flora und Fauna sind vergiftet. Fachleute schätzen, es würde Jahrzehnte dauern, wollte man den See wieder in den Zustand versetzen, in dem er sich vor vierzig Jahren befand.

Luftverpestung, Wasserverunreinigung, Lärm, Bevölkerungsballungen in den Großstädten, hohe Verbrechensraten, Drogensucht – kein Zweifel, in den USA haben die Probleme der Umwelt Dimensionen angenommen, wie wir sie in Europa noch nicht kennen.

Darum ist es höchst verdienstvoll, daß die *International Association for Cultural Freedom* unter ihrem rührigen Präsidenten Shepard Stone im Verein mit dem *Aspen Institute for Humanistic Studies* in Aspen,

Colorado, eine Konferenz angesetzt hatte, die diesen Problemen gewidmet war.

Da waren drei Nobelpreisträger (Murray Gellmann, Salvadore Luria und Isidor Rabi), viele bekannte Professoren aus Harvard, vom MIT und aus der ganzen Welt – Physiker, Biologen, Politologen – zusammengekommen. Dazu geladen waren auch Schriftsteller (Paul Goodman, Mary McCarthy), weil man sich Gedanken über den Rang der Kunst in der industriellen Gesellschaft machen wollte, also über die Frage, welche Wertvorstellungen dieser eigentlich eigen sind.

Steht beispielsweise das Wachstum der Wirtschaft – Sinn und Ziel der Leistungsgesellschaft – über allem anderen, oder müßte man und unter welchen Umständen ein Sinken der Wachstumsraten in Kauf nehmen, damit die sterilisierende Wirkung jener Denk- und Lebensweise nicht zur totalen Entfremdung des Menschen führt? Allgemeiner gefragt: Sind wir Herren unseres Schicksals geworden oder Sklaven der technischen Welt, die wir geschaffen haben?

Natürlich wurden mehr Fragen gestellt als beantwortet, denn wer sollte wohl eine eindeutige Antwort auf die Frage geben: Wie ist die Erfindung und Anwendung von DDT zu bewerten, das vielen Menschen, vor allem im Kriege, das Leben erträglich gemacht hat, aber nicht nur Ungeziefer vertilgt, sondern ungezählte Tierarten vernichtet hat? Oder: Sind künstlicher Dünger und Pflanzenschutz und Unkrautvertilgungsmittel, deren Wirkung sich so stark akkumuliert hat, daß Flora und Fauna mancherwärts vernichtet wurden, negativ zu bewerten, obgleich nur dank dieser Mittel die Produktion von Weizen so gesteigert werden konnte, daß Millionen Inder vor dem Hungertod bewahrt werden konnten?

Noch komplizierter ist die Frage der Abgrenzung im ideellen Bereich: Wie bewerten wir *privacy* gegenüber *efficiency of Government* – ein Problem, das der Engländer Alexander King, Generaldirektor der wissenschaftlichen Abteilung der OECD, anschnitt. »Neigen wir nicht dazu«, so fragte er, »die Dinge, die sich quantifizieren lassen, zu quantifizieren und andere Auswirkungen, die wir in die Gleichung einsetzen müßten, beim Abwägen einfach wegzulassen, weil sie so subtil sind, daß sie sich der Messung entziehen? Oder: Wer entscheidet, ob die Gesellschaft die Schönheit stiller Seen genießen kann oder ob die Besitzer knatternder Motorboote sich darauf austoben dürfen?«

Einen allgemeinen Konsensus gab es nur darüber, daß die technische Entwicklung so rasant und »wildwüchsig«, wie sie sich nun einmal entfaltet hat, der Kontrolle der Menschen entglitten ist; daß sich eine tiefe Kluft aufgetan hat zwischen der Befriedigung der Bedürfnisse des einzelnen und denen der Gesellschaft.

Dies liegt zum Teil daran, daß die Menschen etwas Bestimmtes wollen, aber die damit verbundenen Konsequenzen nicht kennen oder nicht mitbedenken. Die Leute wollen alle Auto fahren, aber gleichzeitig idyllische Einsamkeit genießen. Sie verlangen saubere Städte, verhalten sich aber nicht entsprechend. In der Stadt New York werden jedes Jahr etwa 30000 alte Autos von ihren Eigentümern stehengelassen und müssen von der Stadtverwaltung unter großen Kosten entfernt werden. Wahrscheinlich ist unsere Zivilisation am deutlichsten durch den Abfall, den sie zeitigt, charakterisiert. Jemand meinte, daß die Beseitigung der *New-York-Times*-Exemplare in New York – mindestens am Sonntag, wo sie besonders dick ist – wahrscheinlich nicht viel weniger kostet als ihre Herstellung.

Mehrfach wurde das Beispiel SST *(Super Sonic Transport)*, also die Überschallflugzeuge, angeführt. Ist der Nutzen für einige Leute, die noch schneller als bisher Distanzen überwinden können, wirklich größer als der Schaden, der jenen zugefügt wird, die den Lärm ertragen müssen, ohne je selber diese Verkehrsmittel zu benutzen? An Hand dieses Beispiels werde deutlich – darüber waren sich alle einig –, daß man die Dinge nicht einfach sich selbst überlassen kann, daß mehr Planung notwendig ist; daß es unsinnig ist, einfach alles zu machen, was man machen kann, ohne Rücksicht auf die Umwelt und ohne zu überlegen, was die gesellschaftlichen Konsequenzen und die wirklichen ökonomischen Vorteile sind.

Der Schrittmacher für diese sich überstürzende Entwicklung (Propeller-Jet-Überschallflugzeug) war erst der Krieg und dann die Periode des Kalten Krieges, in der die Rivalität zwischen den beiden Supermächten unter Hintansetzung jeder Rentabilitätsrechnung weiterging und immer neue Erfindungen zeitigte. Professor Harvey Brooks aus Harvard zeigte den roten Faden der Entwicklung eindrucksvoll auf:

Der Zweite Weltkrieg sei im Gegensatz zum Ersten, bei dem es um »Menschenmaterial« ging, ein technischer Krieg gewesen. Zum erstenmal waren es damals die Regierungen, die in großem Stil und zentral gesteuert die Innovation lenkten. Die Technologie hat dabei ihre eigene Dynamik entwickelt, die jede vernünftige Fragestellung vergessen ließ – die Wasserstoffbombe und die Interkontinental-Raketen seien der beste Beweis dafür, wie besinnungslos jene Dynamik die nationalen Interessen mit sich fortgerissen habe. Was die Technologen in ihren Laboratorien entdeckten, wurde ohne politischen Bedacht und ohne Vorbehalt gemacht.

Auf diese Weise, meint der Harvard-Professor, sei der ursprünglich militärische Wettlauf, der sich dann zu einem Wettlauf von Forschung und Entwicklung entwickelt hat, schließlich zu einer Art automatischem Prozeß geworden *(this competition has created vested interests in both, American and Soviet society, which have a self-perpetuating dynamic of their own).*

So wurden technische Neuerungen und Investitionen, die um der nationalen Sicherheit willen vorgenommen worden waren, schließlich auch für die private Wirtschaft entscheidend, nämlich für die Einführung von Jet-Flugzeugen, SST, Computern, Atomkraft, elektronischen Geräten. Allmählich gewöhnte die Gesellschaft sich dann daran, ihre Leistung und ihre Berechtigung an den Wachstumsraten zu messen und die Außenhandelsbilanz als Symbol der Stärke zu werten: Immer schneller, immer größer, immer mehr – das wurde das Ideal.

In der EWG ist die Leistung während der sechziger Jahre um 50 Prozent gewachsen. In erster Linie nicht durch quantitativ größeren Einsatz von Kapital und Arbeit, sondern durch qualitative Verbesserungen – in Englisch hört sich das so an: *education, technological innovation, marketing, managerial capacity.* Die Voraussagen für die siebziger Jahre lauten noch einmal 50 Prozent. Zunächst meinten alle, eine Verdoppelung des Bruttosozialprodukts in zwanzig Jahren eröffne die Aussicht auf ungeahnte Prosperität, aber seither sind viele skeptisch geworden.

Schon hört man gelegentlich von der »dunklen Zukunft der nächsten Generation« reden. Da hat man Jahrtausende unter Knappheit gelitten, ungezählte Menschen sind an Überarbeitung, Hunger und Krankheit gestorben, endlich braucht der moderne Mensch nicht mehr von Sonnenaufgang bis Sonnenuntergang zu schuften, er ist Sieger über die Elemente, fürchtet keine Epidemien mehr, kann alles

144

machen: Licht, Wärme, Medizin, und ist doch von Sorgen erfüllt! Er hat Probleme gelöst, aber dabei neue, größere geschaffen.

Das alte Sprichwort von den Bäumen, die nicht in den Himmel wachsen, bewahrheitet sich wieder einmal – offenbar ist die Summe der Glücksmöglichkeiten konstant. Gesundheit, Ernährung, Freizeit sind in ungeahnter Weise verbessert worden; aber das Gleichgewicht zwischen Natur und Technik, zwischen Individuum und Gesellschaft wurde entscheidend gestört. Die Technik frißt ihre Kinder, der Mensch konsumiert die Natur.

Wie war das möglich? Drei Faktoren haben da wohl zusammengewirkt: Wir haben vom 19. Jahrhundert den Glauben geerbt, daß der Fortschritt eine Kraft ist, die die Menschheit immer weiter voran und immer höher hinaufträgt. So stark war jener Glaube, daß jeder Eingriff in das Walten dieser Kraft als Störung der prästabilisierten Harmonie angesehen wurde; nicht einmal eine Gesetzgebung, die das Wirken wirtschaftlicher Unternehmungen geregelt hätte, wurde zugelassen. Das 20. Jahrhundert hat dann die gleiche ideale Vorstellung, die dem *laisser-faire* zugrunde liegt, der Technik gegenüber praktiziert: Alles, was machbar war, wurde gemacht, ohne daß man sich über die gesellschaftlichen Folgen Rechenschaft gab. Die Nachteile dieses Vorgehens werden verstärkt durch zwei andere Faktoren: *erstens* durch das Gesetz des Kapitalismus, in dem es jedem freisteht zu produzieren, was er verkaufen kann, und *zweitens* durch die politische Gepflogenheit moderner Staaten, einen Zustand kontinuierlicher, leichter Inflation zu kultivieren, um die Bürger durch permanente Lohnsteigerungen bei Laune zu halten.

Die ständige Kaufkraftvermehrung, die auf solche Weise entsteht, akzeleriert die Nachfrage und damit die Neigung zur Massenproduktion, die billig sein muß und darum zusätzliche Kosten für die Umweltpflege scheut: Abfälle, egal ob es sich um Quecksilber, Chemikalien oder Abwässer handelt, wurden bisher oft einfach in den nächsten Fluß geschüttet.

Inzwischen sind und werden strenge Gesetze erlassen, die eine weitere Zerstörung der Natur unterbinden sollen – die Kosten werden immens sein. Jemand hat ausgerechnet, daß allein die Wiederherstellung frischen Trinkwassers in Amerika zwanzig Milliarden Dollar erfordern würde. Ein Unternehmen wie Du Pont de Nemours, der größte chemische Konzern Amerikas, rechnet, daß heute schon zehn Prozent seiner Investitionen der Verhinderung von Umweltschäden diene. Die deutsche Chemie rechnet mit sechs Prozent.

Kein Wunder, daß angesichts solcher Zahlen die Vertreter der Entwicklungsländer, die an der Konferenz in Aspen teilnahmen, besorgt protestierten. Der Indonesier meinte, die unterentwickelten Länder würden sehr bald Mitbestimmung bei der Anwendung der Technologie der Industrieländer fordern. Und ein Wissenschaftler aus Ghana machte die zutreffende Bemerkung, es sei ein Unglück, daß die Wertskala westlicher Wohlstandsgesellschaften von seinen Landsleuten als verbindlich übernommen würde: »Wir sind Gefangene der Mythen, die die Industrieländer entwickelt haben, dabei müßten unsere Prioritäten ganz anders aussehen, bei uns herrscht noch Knappheit, Beschwer und Unsicherheit.«

Waren sich die versammelten Konferenzteilnehmer aus Europa und Asien darin einig, daß Umweltschutz unbedingt notwendig ist, so gaben sie sich doch auch Rechenschaft darüber, daß für die unteren Einkommensklassen, die durch diese Kosten überproportional belastet werden, verbilligte Wohnungen, Dienstleistungen und öffentliche Verkehrsmittel zweifellos das Wichtigste sind und sie sich dafür gern mit weniger Natur und Tierleben abfinden würden. Ein Problem, das dem, dem es auch um Gerechtigkeit geht, viel Kopfzerbrechen machen wird.

Gibt es wirklich nur die Alternative, entweder die Schäden der Überflußgesellschaft zu bekämpfen oder der Dritten Welt zu helfen? Entweder die Umwelt des Wohlstandes zu pflegen oder für die Bedürfnisse der Entwicklungsländer zu sorgen? Und wer entscheidet über diese Fragen?

Wie kann eine hochtechnisierte Gesellschaft, die von Planung, Zentralisierung und rationalen Entscheidungen abhängt und die auf Experten und technokratische Eliten angewiesen ist, überleben, wenn ihr Ideal Mitbestimmung heißt? Professor Doty von der Harvard-Universität sagte: »Der einzelne ist von immer mehr Entscheidungen betroffen, wenn er mitbestimmen soll, dann muß er mehr und immer mehr lernen. Er hat aber weniger und immer weniger Zeit dafür.«

Mit anderen Worten: Die technologische Leistungsgesellschaft braucht eine *Meritokratie* – sie braucht Medizinmänner der Wissenschaft – und muß darum zwangsläufig in Konflikt geraten mit einer Generation, die weniger Wettbewerb und mehr Gleichheit will und die befürchtet, daß mit weiter wachsendem Wissen und Können die Konzentration der »ungezügelten Macht des Establishment« in gefährlicher Weise wächst.

So komplex ist diese Welt geworden, die die Industriegesellschaft geschaffen hat, daß mancher resigniert und nur noch den einen Wunsch hat: Weg von all diesen Problemen, von Technik, Wohlstand und Überfluß. Die Bewunderung für den Fortschritt ist umgeschlagen in Abscheu und in Nichtachtung der bisher so hochgeschätzten materiellen Güter. Vor dem Hintergrund der Bombe hat das Image der Wissenschaft seine positive Note eingebüßt. Zurück zur Natur, heißt die Devise der »Blumenkinder«, die man in großer Zahl, unbelastet von den Errungenschaften der Technik, durch die Seitentäler der Rocky Mountains rund um Aspen streifen sieht.

Nachdem die versammelten Wissenschaftler den Zustand unserer Gesellschaft und ihrer Umwelt in dunklen Tönen und die Zukunft schwarz in schwarz gemalt hatten, erhoben sich dann doch auch ein paar Stimmen, die daran erinnerten, wie viele Vorteile der technische Fortschritt schließlich gebracht hat, wieviel leichter die Arbeit unter und über Tage geworden ist, wieviel besser und gesicherter das Gros der Bevölkerung heute zu leben imstande ist.

Am Schluß konzentrierte man sich auf die Frage, wie man den Fortschritt erhalten, gleichzeitig aber die negativen Begleiterscheinungen auf ein Minimum reduzieren könne. Genügt es zu versuchen, mit Hilfe von besonderen Anreizen oder steuerlichen Nachteilen den negativen Konsequenzen bestimmter Produktionsvorgänge zu steuern, oder muß man neue Institutionen schaffen – also einen Wachhund institutionalisieren, der beizeiten warnt? Welche Kompetenzen aber gibt man ihm? Und welche Möglichkeiten, sich durchzusetzen? Die meisten waren dafür, keine neue Behörde und kein neues Expertengremium zu schaffen, sondern die Kompetenzen der zuständigen Verwaltungsstellen zu vergrößern.

Das Ganze ist eben kein technisches Problem, sondern ein politisches. Der Technologie wohnt keine dämonische Kraft inne, und wenn sie solche entfaltet, dann nur, weil die Gesellschaft und deren politische Kontrollen versagt haben. Also nicht zurück zur Natur, sondern hin zu besserer Technologie, und das heißt fort von der »wildwüchsigen« und hin zur streng beherrschten.

Dafür freilich ist notwendig, daß erst einmal die Menschen sich selbst beherrschen und daß sie nicht weiter wie bisher ohne Maß und ohne Rücksicht nach immer mehr Gewinn und immer mehr Konsum streben. »Maß und Bescheidenheit . . .«, sagte Paul Goodman, der Held der rebellierenden Generation.

Eine Weltmacht wird müde

Die Amerikaner sind es leid, die Last
aller anderen zu tragen

Washington, im Dezember 1971

Als ich vor drei Wochen nach Amerika fuhr, war ich darauf vorbereitet, alle Welt über den vom Gold getrennten Dollar klagen zu hören. Als ich am Schluß Bilanz zu machen versuchte, schien mir, daß nicht die monetären Probleme die drängendsten sind, sondern die psychologischen. Dieses Volk befindet sich in einer tiefen moralischen Krise.

Für einen Europäer, der so oft den Optimismus, die Vitalität und das Selbstvertrauen der Amerikaner bewundert hat, ist es zunächst fast unglaubwürdig, daß von all dem so wenig übriggeblieben ist. Ein Volk, das seit den Tagen seiner Gründungsväter die Illusion gepflegt hat, es gäbe in der Geschichte so etwas wie einen neuen Anfang und darum seien diejenigen, die den Lastern Europas, seinem Feudalismus, seinen Monarchen, seinen Irrlehren den Rücken gekehrt haben, dazu berufen, für die Menschheit einen Neubeginn zu setzen – ein Volk, das von Jefferson bis Woodrow Wilson eigentlich nie an seiner Berufung gezweifelt hat, wird von Enttäuschungen natürlich schwerer getroffen als die skeptisch gewordenen Europäer.

Und an Enttäuschungen hat es wirklich nicht gefehlt. Da waren sie ausgezogen, Vietnam vor der Tyrannei des Kommunismus zu bewahren, waren bereit gewesen, das eigene Leben nicht zu schonen, um andere zu schützen – und dann wurde einer immer größeren Zahl von Amerikanern klar, daß sie nur Tod und Zerstörung über ihre Schützlinge brachten.

Nie, so hatten sie geglaubt, würden die Menschen des auserwählten Kontinents jener Verbrechen fähig sein, die in der Alten Welt an der Tagesordnung waren – aber dann kam der Schock von My Lai, das Entsetzen über die toten Studenten der Universität Kent, über die ermordeten Häftlinge von Attika, über die Korruption der New Yorker Polizei. Immer hatte man geglaubt, im eigenen Haus sei alles in Ordnung, bis dann die Rassenkämpfe und die Drogensucht deutlich machten, wieviel Zorn sich angespeichert hatte, wieviel Leid und Armut erduldet werden mußten. Verbrechen, Scham, Erosion, Übergangsphase – das sind Worte, die man immer wieder hört. Ein Übergang, der wohin führt? Niemand weiß es.

Seit nun zu allem Unheil auch noch wirtschaftliche Schwierigkeiten großen Ausmaßes eingetreten sind, ist die Ratlosigkeit in Zorn umgeschlagen. »Da haben wir die Europäer, vor allem euch Deutsche, und auch die Japaner wieder flottgemacht, aber jetzt, wo es uns dreckig geht, da hilft uns kein Mensch. Hätten wir uns mehr um unsere Exportmärkte gekümmert, dann wäret ihr vielleicht nicht ganz so schnell wieder auf die Beine gekommen, aber uns stünde das Wasser heute nicht bis zum Hals.« Der so sprach, einer der großen Bankiers Amerikas, gehört zu den ältesten und treuesten Freunden der Bundesrepublik. Er nahm an einer Konferenz teil, die die »Atlantik-Brücke« und der *American Council on Germany* in Washington abhielten.

Ein Politiker ergänzte diese begreifliche Klage: »Da haben wir seit dem Ende des Krieges rund 150 Milliarden Dollar für Entwicklungshilfe ausgegeben – man könnte auch sagen, uns vom Konsum abgespart oder sie einträglicheren Investitionen entzogen. Aber wenn wir in der UN eine Schlappe erleiden, dann führen die Vertreter der Dritten Welt Freudentänze auf.«

Apropos Entwicklungshilfe: Es ist nicht nur der fehlende Dank, der neulich den Senat dazu veranlaßte, das Hilfsprogramm einfach zu streichen; es ist auch die Erkenntnis, daß vieles, was gut gemeint war, von einem falschen Konzept ausging – einem Konzept, das, wie es Senator Church formulierte, noch immer am Kalten Krieg orientiert sei und dessen Ziel es ist, Einfluß durch Hilfe zu gewinnen. Church, der im Senat die große Abschiedsrede für die Entwicklungshilfe hielt, sprach von dem Ende einer »Dekade der Illusionen«.

In seiner langen Rede, in der er betonte, er sei kein Feind eines »echten« Entwicklungshilfeprogramms, und in der er immer wieder nur die Methode kritisierte, die weder geeignet sei, grundsätzliche Reformen in verkrusteten Gesellschaften durchzuführen noch Revolutionen in den Ländern zu verhindern, wo die Sehnsucht nach Veränderungen stark ist, derselbe Church ließ dann in den beiden letzten Absätzen die »echte« Katze aus dem Sack: »Die neuen Prioritäten, die dem amerikanischen Volk versprochen wurden, können nicht verwirklicht werden, solange wir uns weigern, unsere riesigen Ausgaben für Auslandshilfe und Militär zu kürzen. Die lange vernachlässigten Probleme: Verbrechen, Drogen, Armut, Umweltschäden, unter denen so viele bei uns daheim leiden, werden sonst immer weiter wachsen.«

Amerika befindet sich in einer ärgerlichen Gemütsverfassung. Seine Devise lautet *America first* – und wer könnte ihm dies verdenken?

Finanzminister Connally, ein tüchtiger, wie viele meinen, recht hemdsärmeliger Texaner, ist aus eben diesem Grunde der Schrecken der Europäer und Japaner. In seiner berühmten Rede, die er vor zwei Wochen in New York hielt und mit der er die protektionistischen Maßnahmen des Präsidenten zu rechtfertigen suchte, sagte er: »Wir haben unsere Märkte offengehalten; wir haben die Stabilität aller Währungen unterstützt; wir haben den Verteidigungsschild der freien Welt getragen, aber während dieser Zeit sind unsere Reserven ständig verringert und unsere Schulden immerwährend vergrößert worden. Dieser Prozeß konnte einfach so nicht weitergehen. Jahr für Jahr ist unsere einst starke Stellung als Handelspartner dahingeschwunden, bis wir zum erstenmal in diesem Jahrhundert ein Defizit hatten, und noch dazu eines, das ständig wächst.«

Der Finanzminister meinte, für einen Amerikaner sei es doch recht überraschend, daß der »Ford Pinto«, der in den Vereinigten Staaten für 2200 Dollar verkauft wird, in Japan 5000 Dollar kostet. Warum wohl? Wegen des hohen Zolls und der diskriminierenden Steuern. Der entsprechende japanische Wagen, der Datsun, koste dagegen, einschließlich der Importsteuer, in Amerika weniger als 2000 Dollar.

Und noch ein anderes augenfälliges Beispiel führte er an: Die Japaner hätten kürzlich (auf amerikanischen Druck) die Einfuhrquoten für lebendes Vieh liberalisiert – gleichzeitig aber einen Zoll von 135 Dollar pro Stück eingeführt! Und dies, wie Connally hinzusetzte, in einer Zeit, in der Japans Reserven allmonatlich um eine Milliarde Dollar anwachsen, in einem Jahr, in dem der Export 25 Prozent über dem des Vorjahres liegt: »Wir bitten die Japaner nicht, ihren Lebensstil zu ändern, wir bitten sie nur, fair und verständig zu sein.«

Aber nicht nur die Amerikaner, auch die Europäer haben Sorgen.

Und wieder einmal zeigt sich, daß es leicht ist, in Zeiten der Prosperität befreundet, großzügig und verständnisvoll zu sein, daß aber, wenn die Wirtschaft bergab geht, jeder sich selbst der Nächste ist. Dies wurde auf der Deutsch-Amerikanischen Konferenz sehr deutlich. Wirklich beängstigend war die Nervosität und Aggressivität, mit der auch alte Freunde einander die Schuld an den Schwierigkeiten zuschoben.

»Auch ihr habt ja von dem Aufschwung in der EWG profitiert«, hielten die Deutschen den Amerikanern entgegen. »Eure landwirtschaftliche Ausfuhr, um die ihr euch so große Sorgen macht, betrug 1958 nur 885 Millionen, 1970 aber bereits 2 Milliarden.«

»Und außerdem«, so meinte ein anderer, »nur den Handel zu betrachten, gibt ein ganz schiefes Bild. Man muß auch den Kapitalexport in Betracht ziehen – und da hat Amerika insgesamt 175 Milliarden Dollar exportiert (also für diesen Betrag im Ausland Anlagen gekauft), die Bundesrepublik nur für 6 Milliarden Dollar. Kein Wunder, daß ihr eine passive Zahlungsbilanz habt.«

Ein dritter: »Ihr sprecht immer nur von dem, was ihr von uns erwartet; was wir bereits getan haben, wird immer rasch vergessen. Dabei haben wir im Juli für 18 Milliarden Mark amerikanische Schatzanweisungen gekauft – hätten wir das nicht getan, wäre euer Defizit noch viel größer. Und die *Off-set*-Käufe – allein in den letzten drei Jahren waren es 11 Milliarden Mark. Schließlich sollte auch EDIP nicht vergessen werden, das Europäische Verteidigungs-Verstärkungs-Programm.«

Es kann einem himmelangst werden, wenn man bedenkt, wie sorglos, nein, bedenkenlos mit der in Jahrzehnten etablierten Freundschaft plötzlich umgegangen wird, wie der mühsam gewachsene Gemeinschaftsgeist mutwillig und kurzsichtig aufs Spiel gesetzt wird.

Es ist allerhöchste Zeit, daß erst einmal die Europäer wieder zu einem gemeinsamen Konzept zusammenfinden und daß dann schleunigst darangegangen wird, die transatlantischen Leitungen zu reparieren und zu verstärken. Und zwar sollte dies in zwei Etappen geschehen:

– Zunächst einmal muß das Nahziel angegangen werden, also die Anpassung der Währungseinheiten, die Aufhebung der Importabgabe sowie der *Buy-American*-Steuervergünstigung.

– Dann müssen die langfristigen Probleme geregelt werden – die

Reform des Währungssystems und das *burden-sharing*, das nicht nur die Deutschen, sondern alle Europäer betrifft.

Der Außenminister bringt ähnliche Gesichtspunkte zur Geltung wie der Finanzminister. In einem Interview mit *U. S. News and World Report* warnte Rogers neulich, niemand möge sich täuschen, es sei nämlich keineswegs selbstverständlich, »daß wir immer nur darum bemüht sind, unsere Freunde nicht zu ärgern – gleichgültig, was unsere nationalen Interessen fordern, oder daß wir immer zuerst und immer die größten Konzessionen machen«. Und weiter: »Wir werden es allen ganz klarmachen, daß wir unseren Beitrag leisten werden, aber daß andere das auch tun müssen... In den sechziger Jahren haben wir einen sehr großen Teil der Last getragen, inzwischen aber sind andere Nationen, vor allem die Deutschen und die Japaner, reich und erfolgreich geworden.«

Wenn es in Europa so schien, als seien die amerikanischen Maßnahmen, die Japan besonders hart getroffen haben, aus heiterem Himmel über dieses Volk hereingebrochen, so beruht dieser Eindruck offensichtlich auf Mangel an Informationen. Rogers sagt, vor zwei Jahren hätten er und andere Minister sich mit ihren Kollegen in Tokio getroffen, um zu erreichen, »daß die vielen einseitigen und, wie wir meinen, unfairen Handelsbarrieren«, die die Japaner errichtet hätten, abgebaut würden – seither sei zwar einiges geschehen, aber längst nicht genug.

Der engste Berater des Präsidenten, Henry Kissinger, schlägt ähnliche Töne an. Unter anderen Regierungen sei Außenpolitik zuweilen mit der illusionären Maßgabe gemacht worden: »Wir haben keinen Streit mit anderen Ländern, wir kümmern uns nur um die Schwierigkeiten anderer Leute.« Heute, so meint er, träten die Aspekte des eigenen Interesses stärker in den Vordergrund. Ein Beobachter nannte das kürzlich Henry Kissingers *policy of benign selfishness* (wohltätigem Egoismus), im Gegensatz zu der früheren *policy of malignant altruism* (schädlichem Altruismus).

Am Tag, an dem Senator Mansfield höchst überraschend im Senat eine Mehrheit für seinen Antrag erhielt, 60000 Mann der in der Bundesrepublik stationierten Truppen zurückzuholen, sagte Kissinger: »Solange dieser Präsident im Weißen Haus sitzt (in Gedanken mag er hinzugefügt haben: Und ich in diesem Zimmer), wird es keinen einseitigen Abzug von Truppen geben, und wir werden auch nicht bilateral, sondern nur multilateral mit den Russen über einen solchen Abzug verhandeln.« Natürlich ist hierbei für die Regierung ein gerechtes *burden-sharing* die selbstverständliche Voraussetzung.

Im *State Department* ist man nicht ganz so eindeutig dieser Meinung. »Schließlich«, so sagte ein höherer Beamter, »ist im Kabinett der Außenminister verantwortlich, und es könnte durchaus sein, daß dieser findet, es sei einfach notwendig, dem Senat ein wenig nachzugeben, damit sich dort nicht zuviel Unwillen aufstaut.«

Man muß allerdings ergänzend hinzufügen, daß im *State Department* eine gewisse Animosität dem Weißen Haus gegenüber deutlich spürbar ist – begreiflicherweise, denn dem *State Department* sind eigentlich nur noch der Nahe Osten und Lateinamerika geblieben, alles andere – zumal die großen weltpolitischen Fragen – wird im Weißen Haus abgehandelt. Doch auch dies ist wiederum begreiflich, wenn man das so unterschiedliche Kaliber von Außenminister Rogers und Sicherheitsberater Kissinger bedenkt.

Im Senat hat sich in der Tat nicht nur Unwillen, sondern hell lodernder Zorn aufgestaut. Am schärfsten artikuliert ihn der Autor des Buches »*The Arrogance of Power*«, William Fulbright: »Natürlich brauchen wir die NATO, aber sie ist unnütz teuer; natürlich müssen wir Entwicklungshilfe geben, aber nicht als verschleierte Militärhilfe; wozu in aller Welt braucht Kambodscha mit seinen 6 Millionen Einwohnern 350 Millionen Dollar Militärhilfe? Der Vietnam-Krieg geht zu Ende, aber das Militärbudget beträgt wieder 80 Milliarden Dollar.«

»Da wird eine riesige Kriegsmaschine aufgebaut«, fuhr er zornig fort, »und derweil geht die Gesellschaft am unterfinanzierten Frieden kaputt. Da wollen die jetzt ein vollkommen unnützes neues Flugzeug bauen, das überhaupt nicht gebraucht wird. Begründung: Sonst gibt es noch mehr Arbeitslosigkeit unter den hochqualifizierten Arbeitskräften. Das ist doch wirklich die Bankrotterklärung jeder sinnvollen Politik. Aber wenn die Leute das Notwendige nicht aus Vernunft tun, dann ist eben die allgemeine Depression – die dann zwangsläufig für Kürzungen sorgt – unvermeidlich.«

Zu diesem Thema hat Präsident Nixon neulich auf dem spektakulären Kongreß der Gewerkschaften in Florida gesagt: »Es gab 539000 Amerikaner in Vietnam, als ich die Regierung übernahm – im Jahre 1972 werden 400000 von ihnen wieder zu Hause sein; und außerdem haben während der letzten drei Jahre, dank der Herabstufung des Vietnam-Krieges, 2,2 Millionen Amerikaner die Rüstungsbetriebe und die bewaffneten Streitkräfte verlassen.«

Mit *Big Labour* hat der Präsident es ebenso verdorben wie mit dem Senat. Man hat ihm den Lohn- und Preisstopp und andere Maßnahmen übelgenommen und auch seine unbeugsame Haltung. Auf dem Gewerkschaftskongreß warb er um Verständnis für sein Sparprogramm, fügte dann aber hinzu: »Wir werden es durchführen, auch wenn Sie nicht mitmachen« (*»whether we get your participation or not«*).

Auch die Intellektuellen stehen nicht hinter Nixon, obgleich er doch einen gut Teil der Forderungen, die sie immer gestellt haben, erfüllt: Rückzug aus Vietnam, Verdünnung der Stützpunkte in Asien, realistische Politik gegenüber Peking. Ein sehr bekannter Vertreter dieser Gruppe meinte im Gespräch: »Er ist ein Rollenspieler, der Aktion und spektakuläre Auftritte liebt: mal der sorgende Vater, der sich um die Unterprivilegierten kümmert, mal der Rächer, der sich gegen den Undank der Welt auflehnt, mal der messianische Friedensbringer, der nach Peking reist.«

Die China-Politik ist populär, aber keineswegs uneingeschränkt. Viele Beobachter warten erst einmal ab. Die meisten sind der Meinung, sie werde erst in Jahren Früchte tragen. Und manch einer hat Sorge, die Chinesen könnten in bezug auf Taiwan, Japan und Vietnam so harte Forderungen stellen, daß der Präsident entweder sein Gesicht verliert oder die ganze Reise ein Schlag ins Wasser wird. »Zu rasch und nicht genug durchdacht«, so lautet das Verdikt vieler Amerikaner.

Die Bonner Ostpolitik, der man ja den gleichen Vorwurf gemacht hat, wird dagegen heute von niemandem mehr in Frage gestellt. Dieselben Berater und Beamten, die noch vor einem Jahr von äußerster Skepsis erfüllt waren, halten jetzt den Erfolg für gesichert. Und Erfolg hin oder her – eines wird einem in Washington sehr deutlich: Wäre in Bonn die alte Politik fortgesetzt worden, dann hingen wir jetzt vollständig in der Luft; denn dann wären wir nicht mehr im Einklang mit unserem transatlantischen Partner, der ein vollständig neues außenpolitisches Konzept entwickelt hat.

Was für ein Konzept? Die Grundlage ist die 1969 in Guam verkündete Nixon-Doktrin, also ein partieller, nicht der totale Rückzug aus

Asien. Von den 500 000 amerikanischen Soldaten, die damals in Asien stationiert waren, sind seither weit über die Hälfte zurückgekommen. Die Kontaktaufnahme mit Peking soll den Druck der Bipolarität lindern, wobei klar ist, daß der eigentlich wichtige Kontrahent weiterhin die Sowjetunion ist und bleiben wird. Japan werde, so meinen einige Eingeweihte, in Zukunft sehr stark von Rußland und China umworben werden. Doch glaubt Washington, der Partnerschaft Tokios einigermaßen sicher sein zu können.

Europa und auch der Nahe Osten werden weiterhin als Interessengebiete erster Ordnung betrachtet; wieweit auch anderwärts der Rückzug gehen mag, sie werden davon nicht betroffen sein. Die Allianz in Europa wird weiter gepflegt. Doch werden die Europäer – das ist das Neue – nun zum erstenmal ihr Schicksal selber in die Hand nehmen müssen. Amerika ist bereit, jeden Vorschlag, der aus Europa kommt, zu prüfen, und es ist auch bereit zu helfen, nur Führung dürfen wir derzeit von Washington nicht erwarten. Amerika ist müde, ist desillusioniert und ohne Vision.

Eine Übergangsphase also, die wodurch gekennzeichnet ist? Durch weniger Liberalismus und mehr Nationalismus im Inneren und ein geringeres direktes Engagement auf der weltpolitischen Bühne. Aber dies heißt gewiß nicht Isolationismus. Zum erstenmal in ihrer Geschichte haben die Amerikaner Zweifel bekommen – doch diese Zweifel, so scheint mir, werden nicht zur Resignation führen, sondern diesem Volk eine Dimension geben, die ihm bisher gefehlt hat.

Neue Ideen und Ideale

Erste Zweifel am unbegrenzten Wachstum und am technischen Fortschritt

Washington, im Juli 1972

Als John F. Kennedy 1960 auf dem Parteikonvent in Los Angeles die Nominierung zum Präsidentschaftskandidaten der Demokraten erhielt, bezweifelten viele Amerikaner, daß er die Wahl gewinnen könne: Noch nie hatte es in den Vereinigten Staaten einen katholischen Präsidenten gegeben. Die Katholiken gehörten nach Auffassung der Amerikaner zu einer der vielen Minderheitsgruppen des Landes, die eben aus diesem Grunde nicht erwarten könnten, von einer Majorität gewählt zu werden. Dafür, so meinte man, sorgten schon die großen Bosse des Parteiapparates und die Chefs der Gewerkschaften, die das Heft fest in der Hand hielten und ohne deren Unterstützung bis dahin kein demokratischer Präsident hatte gewählt werden können. Doch die Zeiten haben sich geändert.

In der vorigen Woche ist George McGovern von einer Koalition von Minderheitsgruppen auf den Schild gehoben worden: von College-Studenten, *Women's Liberationists,* Negern, pazifistischen kirchlichen Organisationen. Der Druck in der Partei, die Auslese zu demokratisieren, war so stark gewesen, daß das alte Verfahren – Entscheidung von oben, Bestätigung von unten – über den Haufen geworfen wurde. Statt dessen hat man die Delegierten nach einem Repräsentativ-Verfahren ausgesucht: 38 Prozent Frauen, 21 Prozent junge Menschen, 15 Prozent Schwarze ...

Das alte Establishment, Averell Harriman und Robert F. Wagner zum Beispiel, wurde einfach ausgeschlossen. Nur ein Drittel der Gouverneure und weniger als ein Drittel aller Senatoren war in Miami anwesend. Fast 90 Prozent aller Delegierten nahmen zum erstenmal an einem Parteikonvent teil.

Wer dies noch vor vier Jahren vorausgesagt hätte, wäre als ein politischer Traumtänzer diskreditiert worden. Freilich konnte damals auch niemand voraussehen, wie rasch und wie grundsätzlich die Welt – und auch Amerika – sich verändern würde.

Wer während der letzten Jahre regelmäßig in den Vereinigten Staaten war, wer also auch jene Zersetzungserscheinungen der späten sechziger Jahren miterlebt hat, die die Gesellschaft zu zerreißen drohten, der ist überrascht, in diesen Tagen allenthalben ein erstaunliches Maß an Selbstvertrauen wahrzunehmen. Offenbar gelingt es den Amerikanern, bei denen die Unruhe in der Gesellschaft ja drei Jahre früher begann als in Europa, Revolution durch Evolution aufzufangen. Nicht durch taktische Schachzüge, sondern durch Wandel und Reformen. So ist das Einkommen der Negerfamilien gegenüber dem Einkommen der weißen Familien in den letzten Jahren doppelt so rasch gestiegen. So ist dem Drängen nach Mitbestimmung eben bei der Auswahl der Delegierten zum demokratischen Konvent Rechnung getragen worden.

Noch vor fünf Jahren konnte man meinen, niemand werde die moderne Gesellschaft von der Fetischisierung der Wachstumsraten als dem höchsten Glück der Menschheit erlösen können. Zuviele Interessen, sowohl auf der Produzenten- wie auf der Konsumentenseite, so schien es, sind da involviert. Immer schneller, immer mehr, immer größer – das war anscheinend unser aller unabwendbares Schicksal.

Nun aber gibt es mit einemmal eine Debatte über die Frage, ob unbegrenztes Wachstum wirklich so erstrebenswert ist. Sie begann im vorigen Jahr in Amerika mit einer Ausarbeitung des *Massachusetts Institute of Technology* (MIT), die in den entgegengesetzten Fehler verfällt, nämlich das Null-Wachstum zu propagieren. Seither machen viele Gelehrte sich Gedanken darüber, wie man die Produktion für nützlichere Zwecke maximieren und dabei die Zerstörung der Natur minimieren kann.

Nirgends ist die Ambivalenz des technischen Fortschritts, der alte Probleme löst und dabei häufig weit größere neue schafft, so früh erkannt worden wie in Amerika; nirgends auch wird die Diskussion über die Frage: Können wir ungestraft immer so weiterleben wie bisher? mit solchem Engagement geführt. Immer so weiter – das heißt, so tun, als ob unsere Rohstoffquellen so unerschöpflich wären, daß auch die zwei Milliarden Menschen, die heute in den unterentwickelten Gebieten leben (und die sich bis zur Jahrhundertwende verdoppeln werden), auf ihrem Weg nach oben in der gleichen unbekümmerten Weise Energie, Kupfer, Nickel, oder was immer es sei, verbrauchen und verschwenden können.

Der Verdacht, daß die Technologie für Alternativen, die außerhalb ihres eigenen Bereiches liegen, unter Umständen blind ist, breitet sich immer mehr aus. Herman Kahn nennt dies *Educated Incapacity* – anerzogene Unfähigkeit. Seine These: Ausbildung und Spezialisten-Training erfordern Selektion, Indoktrinierung, eine bestimmte intellektuelle Umgebung und einen Rahmen allgemein akzeptierter Gegebenheiten und Fakten. Mit anderen Worten: Man wird dressiert, über einen bestimmten Gegenstand in einer ganz bestimmten, vorgegebenen Weise nachzudenken, lernt aber nicht, Alternativen zu suchen.

Wie oft hat man sich gefragt, welche Umstände eigentlich die großen Veränderungen in der Geschichte herbeigeführt haben: Wie es kommt, daß die Menschen plötzlich von dem, was ihre und vorangegangene Generationen erfüllt hat, ablassen und sich nach ganz anderen Sternen orientieren. Heute vermag man sich nicht des Eindrucks zu erwehren, daß wir Zeugen eines solchen Wandels sind.

Ein neues Wertsystem ist in der Entstehung begriffen. Seine Eckpfeiler heißen *participation* und *redistribution* – Mitbestimmung und Umverteilung. Gleichheit und Gerechtigkeit sind die neuen Ideale, im Vergleich zu denen die Heiligkeit des Privateigentums und der Glanz exemplarischer Erfolgsritter aus der Geschichte der Leistungsgesellschaft verblassen.

Obgleich man sich noch vor kurzem gar nicht vorstellen konnte, wie man aus dem sich immer wieder reproduzierenden Kreislauf von künstlich angeheiztem Massenkonsum und steigender Produktion je werde herauskommen können, beginnt diese Umwertung sich jetzt deutlich wahrnehmbar abzuzeichnen. In Europa dürfte diese Entwicklung wie üblich in einigen Jahren nachvollzogen werden.

Was sicherlich – trotz Dollarschwäche und passiver Zahlungsbilanz – zum neugewonnenen Selbstvertrauen der Amerikaner beigetragen hat, ist ihre erfolgreiche Außenpolitik. Auch hier wieder: Noch vor wenigen Jahren konnte man sich nicht vorstellen, wie die Weltpolitik je aus dem Gefängnis der Bipolarität befreit werden könne, die alle

Staaten zwang – magnetisierten Stahlspänen gleich –, sich um die beiden Supermächte zu scharen. Mit Nixons Besuch in Peking ist diese Situation von Grund auf verändert worden. Mit einem Schlage hat sich der Spielraum für alle mittleren und kleineren Mächte in der Welt erweitert, und endlich kommt politische Phantasie wieder zu ihrem Recht.

Die Preisgabe der Fiktion, Formosa repräsentiere den volkreichsten Staat der Welt, hat ganz neue Perspektiven eröffnet. Neue Perspektiven oder auch die Vision von der alten Weltkarte – was zuletzt durch die Ereignisse in Korea veranschaulicht wurde. Wie begrenzt fiktive Macht ist, war übrigens an dem nicht vorhandenen Einfluß Nationalchinas im Sicherheitsrat – der die Insel doch weit über sich selbst hätte hinausheben müssen – deutlich geworden.

Was wäre wohl aus uns geworden, wenn wir in der Bundesrepublik unsere Fiktion vom Alleinvertretungsrecht nicht ebenfalls preisgegeben hätten, wenn wir uns also nicht dem Schritt der Geschichte angepaßt hätten? Unwillkürlich drängt sich einem diese Frage auf. Ohne daß ich sie gestellt hätte, wurde sie in einem Gespräch an hoher Stelle im Pentagon beantwortet:

»Es wäre eine absolute Katastrophe gewesen, wenn Bonn die Ostverträge nicht vor dem Besuch des Präsidenten in Moskau ratifiziert hätte.«

»Warum liegt die Betonung auf der zeitlichen Reihenfolge?«

»Weil jedermann in der Sowjetunion geglaubt hätte, daß die Kombination von Nixons Reise nach Peking, Verminung der Häfen Nordvietnams und Nichtratifizierung der Ostverträge ein abgekartetes Spiel sei, eine Verschwörung.«

»Hätte sich das nicht bei dem Besuch des Präsidenten in Moskau klarstellen lassen?«

»Nein, der hätte nämlich gar nicht stattgefunden. Statt dessen wären die Kalten Krieger in der Sowjetunion wieder an die Macht gekommen oder vielleicht wäre Breschnew, um dies zu verhindern, selbst wieder zum Kalten Krieger geworden.«

In der Tat, Dogmatismus, Unbeweglichkeit und Starrsinn wären in dieser Phase absolut tödlich. Wenn alles im Fluß ist, muß man versuchen, neue feste Ufer zu gewinnen, nicht aber, sich gegen den Strom zu stellen.

China – dritte Weltmacht?

Entkrampfung der Supermächte, neue Möglichkeiten in Asien

Hamburg, im Oktober 1972

Es gibt ganz wenige Beispiele in der Geschichte, wo mit einer einzigen Entscheidung – und dies nicht mit einer Kriegserklärung, sondern mit Nixons vergleichsweise harmlosem Entschluß, nach Peking zu reisen – die weltpolitische Situation so von Grund auf und im Sinne neuer Möglichkeiten verändert worden ist. Die total sterile Situation der Bipolarität, bei der die beiden Supermächte einander in höchst gefährlicher Konfrontation gegenüberstanden und alle anderen gezwungen waren, sich in dieses stereotype Ost-West-Schema einzuordnen, ist dabei, einer vielversprechenderen multipolaren Ordnung Platz zu machen.

Dies ist ein Vorgang, dem stabilisierende und friedenssichernde Wirkung zukommt, weil die beiden Supermächte sich nun nicht mehr wie hypnotisiert auf ihren Konflikt konzentrieren können, sondern beim Austragen ihrer Differenzen auf eine dritte Macht, auf China, Rücksicht nehmen müssen. Die Frage, ob China bereits eine Großmacht ist oder erst eine werden wird, ist dabei ganz unerheblich, denn in der Vorstellung der beiden klassischen Supermächte ist China für den jeweils anderen eine mögliche Option – und damit füllt es den Platz einer dritten kommensurablen Größe aus.

Es stimmt, Japan hatte im vorigen Jahr einen schweren Schock erlitten, sowohl unter politischen wie wirtschaftlichen Aspekten, aber der ist inzwischen überwunden. Japan, das bisher ausschließlich auf Amerika angewiesen, also auch beschränkt war, hat enorm an Spielraum gewonnen: Von Moskau sind Tokio sehr große wirtschaftliche Angebote gemacht worden; Tokio hat sich ferner mit Peking ausgesöhnt, was nicht nur historisch und psychologisch, sondern auch politisch und wirtschaftlich von allergrößter Bedeutung für die Japaner ist.

Man ist in Tokio gerade dabei, ein chinesisch-japanisches Handelszentrum zu errichten, um den Handel mit Peking zu koordinieren. Die Beteiligten rechnen damit, daß dieser Handel sich bis 1977 auf fünf Milliarden US-Dollar und 1982 auf elf Milliarden US-Dollar belaufen wird. Der neue Ministerpräsident Tanaka segelt auf einer Woge des Erfolgs. Es ist sehr wohl möglich, daß er die Gelegenheit nutzt und Neuwahlen ausschreiben wird, obgleich die letzten erst 1969 stattgefunden haben.

Besonders glücklich ist man in Japan darüber, daß die Diplomaten, die ausgesandt wurden, um den südostasiatischen Regierungen die neue Außenpolitik zu erläutern, mit der Nachricht zurückkamen, daß niemand ihnen Vorwürfe über die Preisgabe Taiwans gemacht hat. In allen Staaten habe man verstanden, daß die Realitäten den Japanern keine andere Möglichkeit gelassen hätten. So gesehen müssen die Japaner den Amerikanern eigentlich sogar dankbar sein, daß diese sie zum »Verrat« genötigt haben – hätten sie aus eigener Initiative gehandelt, würde man wohl kaum so nachsichtig mit ihnen sein.

Es besteht übrigens kein Zweifel, daß das enge Verhältnis Tokios zu Washington bleiben wird – China ist dabei kein Hindernis. Schon aus wirtschaftlichem Räsonnement ist dies für Japan geboten, aber auch aus Sicherheitsgründen. Soweit ein Außenstehender die Motive Pekings ergründen kann, läßt sich offenbar sagen, daß China einstweilen gegen die Anwesenheit Amerikas in Japan gar nichts einzuwenden hat.

Was Südostasien anbetrifft, so kann ich nur aus eigener Anschauung sagen, daß man sich dort seit der Verkündung der Nixon-Doktrin im Herbst 1969 auf den Abzug der Amerikaner eingestellt, ja, ihn mancherorts sogar herbeigewünscht hat. Der Außenminister Thailands sagte mir im Frühjahr 1971: »Es wird Zeit, daß die Amerikaner endlich heimgehen – wir sind jahrhundertelang ohne sie fertig geworden, sie erschweren uns nur die Aussöhnung mit China.«

Diese Staaten – Thailand, Burma, Korea, auch Nepal – haben, ehe die europäischen Kolonialmächte erschienen, zum Teil über Jahrhunderte Tribut an China gezahlt. Gewöhnlich wurde, etwa alle zehn Jahre, eine Tribut-Mission nach Peking gesandt, um zu dokumentieren, daß man die Hegemonie des Reichs der Mitte anerkennt; im übrigen lebten diese Staaten einigermaßen unbehelligt. Heute strebt ein Teil von ihnen einen neutralen Status an.

Unter Führung Malaysias – Ministerpräsident Razak propagiert seine Idee gerade in Moskau – wollen die ASEAN-Länder (Malaysia, Singapur, Thailand, Indonesien, Philippinen) erreichen, daß die drei Großmächte ihre Neutralität garantieren. Die Spekulation dabei ist, daß, wenn jede von ihnen die Garantie hat, daß auch die beiden anderen in diesem Raum keinen speziellen Einfluß oder gar Stützpunkte erhalten, dieser Zustand allen drei Rivalen günstiger erscheint als das Risiko, dort eine eigene, stets angefochtene Präsenz zu etablieren.

Einer freilich hat die Zeche bezahlen müssen, und das ist Taiwan. Taiwan ist von der fiktiven Position einer asiatischen Großmacht mit Sitz im Sicherheitsrat herabgestürzt und an den Rand der Weltgeschichte gerollt. Alle an diesem Sturz Beteiligten scheinen sich damit zu trösten, daß dies, verglichen mit dem Vorteil eines neuen internationalen Gleichgewichtssystems, nicht so arg schwer wiegt. Noch kann man sich kein Bild von dem weiteren Schicksal der Insel machen. Tokio ist bemüht, sein Verhältnis zu Taipeh (trotz abgebrochener Beziehungen existieren die beiden Botschaften einstweilen weiter) so zu organisieren, daß sich an den wirtschaftlichen und kulturellen Beziehungen nicht allzuviel ändert.

Wenn man die Konturen eines neuen internationalen Systems in Asien, das erst nach Beendigung des Vietnam-Krieges wirklich Platz greifen kann, unterlegt – und nicht die alten bipolaren Vorstellungen des Kalten Krieges –, dann muß man feststellen, daß diese Region der Welt für den Frieden sicherer geworden ist.

Dies wäre nur dann nicht der Fall, wenn die Sowjetunion versuchen sollte, im Verfolg einer Einkreisungspolitik gegenüber China Einfluß in Burma oder Südostasien zu gewinnen. Dies würde sogleich die Chinesen veranlassen, ihre dort lebenden Minderheiten und die vielen aufrührerischen Stämme, die in einem breiten Gürtel von Assam im Nordosten Indiens über Burma, Thailand und Laos bis an die Grenze Yünnans heran verstreut leben, zu mobilisieren, was ihnen nicht schwerfallen würde, denn in Yünnan sind die Trainingszentren für alle subversiven Bewegungen Südostasiens.

Für die Russen ist es dagegen schwer, in diesen Gebieten Fuß zu fassen. Bei dem wachsenden Nationalismus Asiens wird der Nachteil der Russen, weiß und überdies noch reich zu sein, immer größer. Man kann sich daher kaum vorstellen, daß die Sowjets so unklug wären, sich auf eine solche Kraftprobe einzulassen.

Rußland, China, Amerika und Japan, also alle vier großen Mächte, die heute auf die Geschicke Asiens Einfluß haben, wissen sehr wohl, daß nirgends in der Welt die Erfahrungen mit Einmischung und Intervention so schmerzhaft und darum die Reaktion darauf so emotional ist wie in diesem Erdteil. Ein Gleichgewicht der Kräfte entspricht dieser Geistesverfassung sehr viel mehr als die bisherige Blockbildung.

Amerika bleibt in Asien präsent

Nach dem Waffenstillstand in Vietnam:
Räumung, aber kein Rückzug

Singapur, im April 1973

Der Waffenstillstand in Vietnam wurde vor drei Monaten geschlossen, aber der Krieg in Indochina ist noch lange nicht zu Ende. Die amerikanischen Soldaten haben Vietnam verlassen, aber nicht alle sind heimgekehrt, einige sind im benachbarten Thailand wieder aufgetaucht. Dort sind jetzt 75 000 Amerikaner stationiert; im Januar 1972 hatte man mir in der US-Botschaft in Bangkok gesagt, das Kontingent sei mittlerweile auf 36 000 Mann reduziert worden.

Die Amerikaner sind froh, daß sie aus Vietnam heraus sind, aber das heißt noch nicht, daß sie sich aus Asien ganz zurückziehen. Das können sie gar nicht. Keine Weltmacht, weder die Amerikaner noch die Russen, können die Welthälften – sei es die östliche oder westliche, die nördliche oder südliche – für sich gesondert betrachten. Sie sind gezwungen, die Probleme und ihre eigene Rolle global zu sehen.

Diese Zwangsläufigkeit hatte, ohne daß Washington und Moskau dies zunächst recht bemerkt haben, zu dem Problem des oft besprochenen *overcommitment* geführt. Nixon zog 1969 mit der Verkündung der Nixon-Doktrin die Konsequenz. Er erklärte, seine Politik schließe für die Zukunft »jede Intervention« in Asien aus, und gab damit den Chinesen das Signal zur Verständigung. Schon zwei Jahre später flog Kissinger nach Peking, um den Besuch des Präsidenten vorzubereiten, der die politische Konstellation in Asien revolutionierte.

Seither überlegen die Amerikaner, wie sie ihre Truppen aus Asien abziehen und dabei doch dort präsent bleiben können, denn das neue *Balance-of-Power*-Modell, das Kissinger und Nixon für Asien vorschwebt, kann ja nur funktionieren, wenn Amerika dort weiterhin präsent ist.

Die Sowjets, die sich ebenfalls zum Abbau ihres Überengagements genötigt sehen, schwenkten 1969, sobald sich die Erregung über die Invasion der CSSR einigermaßen gelegt hatte, in Westeuropa auf Entspannung ein. Vielleicht stand auch ihr überraschender Rückzug im Juli 1972 aus Ägypten – einem arg weit vorgeschobenen russischen Stützpunkt – im Zusammenhang damit.

Doch auch die Russen wollen nicht nur Außenposten abbauen, sondern gleichzeitig mit geringerem Risiko im weltpolitischen Spiel bleiben. Darum der Beistandspakt mit Indien, den abzuschließen ihnen 1971 gelang, in einem Moment, da Indien sich in äußerster Bedrängnis befand; und darum im April 1972 der Freundschaftspakt mit dem Irak, der Moskau Ersatz für die in Ägypten, also am Mittelmeer geräumte Position an einer ähnlich bedeutsamen Stelle am Indischen Ozean bietet.

Genau dies aber rief die Amerikaner zu äußerster Wachsamkeit auf; denn schon zwei Monate nach Abschluß des Freundschaftsvertrages mit Moskau hatte Bagdad die Ölgesellschaft IPC, die mehrheitlich in europäischem Besitz war, verstaatlicht. Nicht nur die Amerikaner wurden daraufhin unruhig und nicht nur der Iran, der sich, zwischen dem Irak und der Sowjetunion eingeklemmt, höchst ungemütlich fühlt, sondern auch die Japaner und Europäer. Vom Persischen Golf bezieht Japan schließlich 90 Prozent seines Öls, Europa 50 Prozent. Die Amerikaner selbst importierten bisher nur 4 Prozent ihres Bedarfs aus arabischen Staaten, aber sie haben errechnet, daß es Ende der siebziger Jahre wahrscheinlich 30 Prozent sein werden.

Wenn man die Abhängigkeit der freien Welt von den Öllieferungen dieser Region bedenkt, dann ist die Sicherheit des Seeweges durch den Indischen Ozean zum Persischen Golf für Europa, Amerika und Japan heute so wichtig wie einst der Seeweg nach Indien zur Zeit der Königin Victoria für Großbritannien. Und wie die Engländer damals alles taten, um diese Lebensader zu schützen, so denken die Amerikaner heute darüber nach, wie sie die Sicherheit der Öllieferungen gewährleisten können. Sie können es nur mit der Flotte. Das aber würde heißen: Die Siebte Flotte muß in Permanenz im Indischen Ozean stationiert werden.

Solange der Suezkanal verschlossen ist, hat der Indische Ozean nur zwei Eingänge: im Westen führt der normale Seeweg um Südafrika, im

Osten durch die Straße von Malacca, die Indonesien von Malaysia trennt. Um die Spitze von Südafrika, das Kap der Guten Hoffnung, werden jeden Tag 1 Million Tonnen Öl geschifft. Die Regierung von Südafrika, die den Engländern im Hafen von Simonstown nordwestlich Kapstadt gewisse Rechte überlassen hat, wäre gern bereit, diese auch den Amerikanern einzuräumen.

Für weitere Relais-Stationen kommt der Iran in Frage, der sehr um seine Sicherheit besorgt ist; Washington hat mit dem Schah unlängst schon einen Waffenlieferungsvertrag über zwei Milliarden Dollar abgeschlossen. Vielleicht wäre auch Indonesien eine Möglichkeit, wo die Amerikaner in den letzten Jahren festen Fuß gefaßt haben.

Schließlich könnte auch Singapur, das eine beherrschende Schlüsselstellung an der Straße von Malacca einnimmt, ein denkbarer Kontrahent sein.

Ich fragte Singapurs Außenminister Rajaratnam, ob ihn die russische Flotte im Indischen Ozean beunruhige. Am liebsten sei ihm natürlich, antwortete er, wenn sich gar keine fremde Großmacht vor der Tür tummele, aber wenn dieser Idealzustand nicht zu erreichen sei, dann sollten sie wenigstens alle da sein und nicht nur eine. An der amerikanischen Flotte nimmt in Südostasien niemand Anstoß. Man betrachtet sie als Gegengewicht gegen den Einfluß Rußlands, Chinas und Japans, während die Aversion gegen amerikanische Landtruppen überall wächst.

Auf die Frage »Haben Sie Sorge, was geschieht, wenn die amerikanischen Bodentruppen aus diesem Gebiet abziehen?« lautet die Antwort in vielen Staaten Südostasiens ähnlich wie beim Chef des Außenministeriums in Kuala Lumpur: »Nein, wir sind dafür, daß sie abziehen. Die kommunistische Guerillabewegung, die Thailand so viele Schwierigkeiten macht, lebt ja davon, daß sie der Regierung vorwerfen kann, diese könne ganz offensichtlich ohne die Amerikaner nicht leben.«

Tatsächlich hat es beispielsweise in Kambodscha zur Zeit Sihanouks, also vor 1970, keine kommunistisch geführte Rebellenarmee gegeben. Heute schätzt man, daß diese über 50 000 gut organisierte Leute verfügt. Die allgemeine Auffassung ist, daß die kommunistischen Armeen und die Guerillabewegungen in den vier indochinesischen Staaten nicht durch die kommunistische Ideologie miteinander verbunden sind, sondern durch den gemeinsamen Feind Amerika.

Und daß, sobald die Amerikaner abgezogen sind, die alten historischen und die neuen nationalen Divergenzen stärker als das kommunistische Glaubensbekenntnis sein werden.

Auch Rußland denkt global, und daher muß auch seine Politik global analysiert werden. Moskau hat zwei Sorgen, die chinesische Gefahr und den technologischen Rückstand, der den Sowjets offenbar so bedrohlich erscheint, daß sie jetzt bereit waren, auf Druck der Amerikaner, von denen sie sich Abhilfe versprechen, die Steuer zu streichen, die jene Juden zahlen müssen, die auswandern wollen.

Offenbar ist also die Sowjetunion derzeit nicht so siegesgewiß, wie sie es viele Jahre hindurch war. Man kann sich daher wohl vorstellen, daß die zunehmende Macht und Weltgeltung Chinas bei den Sowjets das offenbar vorhandene Gefühl der Verunsicherung intensiviert und daß dadurch die Position der Konservativen in den Entscheidungsgremien gestärkt wird. Mit anderen Worten: daß die »Falken« an Gewicht gewinnen. Und somit stellt sich die Frage, ob wohl unter solchen Umständen die Entspannung in Westeuropa unbeeinflußt durchgehalten werden kann; ja, ob unter solchen Umständen eine Normalisierung zwischen West- und Osteuropa überhaupt möglich sein wird.

Es ist ja mindestens verwunderlich, daß in einem Moment, in dem alle finanziellen Pläne der Sowjetunion durch die Getreideimporte über den Haufen geworfen wurden, trotz Entspannung und trotz SALT die Rüstungsausgaben erhöht werden. Und daß angeblich nicht nur die 40 Divisionen, die an der chinesischen Grenze stehen, weiter verstärkt wurden, sondern auch die Truppen in Polen, der CSSR und der DDR: der Bestand an T-62-Panzern, ihrem modernsten Tank, ist nachweislich um 1200 erhöht worden.

Verhältnismäßig wichtig für die neu aufgebaute weltpolitische Schachpartie wird die Frage sein, was Japan tun wird. Sollte es Tokio, das von der Sowjetunion und China heftig umworben wird, nicht gelingen, die Entscheidung, welcher der beiden kommunistischen Großmächte es den Vorzug gibt, im Dunkel zu lassen, und sollte der Eindruck entstehen, es habe sich für China entschieden, so würde das in Moskau die Angst vor der vereinigten »gelben Gefahr« ins Ungemessene steigern. Allerdings: Moskau hat Tokio für eine japanische Beteiligung am Ausbau der Ölindustrie von Tjumen in Sibirien die Lieferung von jährlich 40 Millionen Tonnen Rohöl für die Dauer von 20 Jahren zugesagt – und dieser Preis ist für Japan so verlockend, daß wohl niemand ihn überbieten kann.

Auch Japans Entscheidungen haben heute weltweite Bedeutung. Ob in Tokio mit dem wirtschaftlichen Ärger über die Amerikaner das Vertrauen in deren Bereitschaft, für die Sicherheit des Landes aufzukommen, schwindet oder nicht – dies wird sich für die westliche Welt auswirken. Ob es gelingt, in Asien ein Gleichgewicht der Kräfte zu etablieren, oder ob sich feste Allianzen bilden, die andere Mächte bedrohen – dies wird auf die Haltung der Sowjets Europa gegenüber entscheidenden Einfluß haben. Auch wenn Europa selbst keine Machtpolitik treibt, ist es doch abhängig von der Konstellation der Weltmächte zueinander.

Watergate darf die Allianz
nicht gefährden

Amerika wartet auf eine Antwort aus Europa

Washington, im August 1973

Wer heute ein paar Wochen durch Amerika reist und den zunehmenden Verfall der präsidentiellen Macht registriert, wird doch gleichzeitig auch immer wieder gewahr, daß es in absehbarer Zeit keine US-Regierung mehr geben wird, die so stark außenpolitisch interessiert und einsatzbereit ist wie die Regierung Nixon. Die Kombination Nixon/Kissinger ist gerade für uns Europäer optimal und ganz und gar unersetzlich. Diese Tatsache wurde schon im vorigen Jahr während McGoverns Wahlkampf sehr deutlich. Sie hängt im übrigen nicht von der Parteizugehörigkeit des Präsidenten ab: Wer es auch sei, der nächste Präsident wird sich Europa gegenüber weit weniger kooperativ verhalten.

Die Stimmung in Amerika läßt sich am besten mit den Begriffen Unbehagen, Unmut und Überdruß beschreiben: »*We are doing better and feeling worse*« – es geht uns allen besser, aber wir fühlen uns alle schlechter. Nicht Isolationismus als Prinzip oder Theorie hat sich der Amerikaner bemächtigt, aber jene drei großen »Us« zeitigen in mancher Hinsicht dieselbe Wirkung: »Zum Teufel mit der Welt, sollen die sich doch um ihre Sicherheit, ihre Währung, ihre Politik selber kümmern – wir müssen jetzt erst einmal unser eigenes Haus in Ordnung bringen.« Oder: »Wir sollten unsere multinationalen Unternehmungen nach Hause zurückbringen und unseren eigenen Leuten Vollbeschäftigung geben.« Derlei Äußerungen kann man alleweil hören.

Wer dies recht bedenkt, kann den Europäern nur raten, die Zeit zu nutzen und gemeinsam mit den Vereinigten Staaten den Kurs der nächsten Jahre – und damit auch die Amerikaner selbst – so festzulegen, daß die atlantische Allianz auf lange Sicht Bestand hat. Es wäre

grotesk, wenn sich jetzt ganz ohne Moskaus Zutun in der Entspannung das vollziehen würde, was den Sowjets jahrelang als das Ziel des
Kalten Krieges vorgeschwebt hat: die Trennung Amerikas von Europa.

Natürlich ist der Umgang mit den Europäern für Washington nicht
in der Sache, aber in der Methode schwieriger als die Verhandlungen
mit Moskau oder Peking. Wenn die Amerikaner etwas mit Breschnew
oder Tschou En Lai abmachen, dann gilt deren »Ja« – denn sie haben
keine Koalitionspartner, Parlamente oder Nachbarn, die anderntags
Einspruch erheben oder beleidigt sind, weil sie nicht konsultiert worden sind.

Solche Querelen setzen immer dann ein, wenn eine neue Phase
beginnt, die Umdenken voraussetzt. In einer Allianz stehen nun einmal
nicht alle auf der gleichen Stufe der Erkenntnis; das zeigte sich schon
bei der Umschaltung von *massive retaliation* auf *flexible response*. Auch
trägt das Wechselbad von Bilateralität und Multilateralität eher zur
Verwirrung bei. Zwei Jahrzehnte lang standen Europa und Amerika
während der Epoche des Kalten Krieges in gemeinsamer Front den
Sowjets gegenüber, der gemeinsame Gegner war Moskaus Kommunismus. Inzwischen ist der Kreml zum Gesprächs- und Verhandlungspartner geworden. Washington und auch die europäischen Staaten verhandeln bilateral mit Moskau und sind zugleich weiterhin multilateral
miteinander gegen Moskau organisiert. Ein so kompliziertes Verhältnis schafft natürlich gelegentlich Argwohn und Mißtrauen, sowohl
diesseits wie jenseits des Ozeans.

So gab es in Europa die absurdesten Auslegungen jener atomaren
Absprache, die Nixon und Breschnew in Washington getroffen haben,
obgleich der Text, genau gelesen, kaum Mißdeutungen zuließ. Und so
gibt es jetzt in Washington ärgerliches Erstaunen darüber, daß die
Europäer zur Beantwortung von Kissingers Angebot einer atlantischen Deklaration noch immer keine konkreten Schritte unternommen haben.

Sein Vorschlag im Frühjahr entsprang der Auffassung, daß es an der
Zeit sei, sich wieder einmal der gemeinsamen Werte und Vorstellungen zu vergewissern, jetzt, da das alte Feindbild allmählich verblaßt und
Entspannung die Solidarität im Westen zu lockern beginnt. Schließlich
hatte sich in den letzten Jahren alles Interesse in Washington und auch
in Bonn so sehr auf die jeweilige Ostpolitik konzentriert, daß eine

171

demonstrative Rückbesinnung auf die gemeinsamen Grundlagen ange-
zeigt erschien.

»Atlantisch« – das war früher einmal ein fast magischer Begriff.
Atlantische Partnerschaft, ein atlantisches Gebäude, das auf zwei Säulen – Amerika und Europa – ruht und das als Kennedys *Grand Design*
in die Geschichte eingegangen ist, das war es, was die politische
Phantasie beflügelte. Heute denkt man wieder national. Jeder Partner
ist ängstlich nur auf seinen eigenen Vorteil bedacht. Eine gemeinsame
Charta oder Deklaration, die der amerikanische Präsident und die
europäischen Regierungschefs bei einem westlichen Gipfeltreffen unterzeichnen, das wäre ein Akt, dem eine gewisse schöpferische Kraft zur
Integration innewohnen könnte.

Die Aufforderung hierzu barg eine Rede, die Henry Kissinger am 23.
April in New York gehalten hat. Das Gipfeltreffen, so sah die amerikanische Planung vor, sollte im Herbst in Europa stattfinden. Die Vorschläge und Entwürfe der europäischen Staaten sollten vor den Som-
merferien eingehen, damit ein vereinbarter Text rechtzeitig bis zum
Herbst hätte fertiggestellt werden können. Aber bis zum heutigen Tag
ist in Washington nichts eingegangen. Nur viel Hin und Her gab es.
Jeder stellt sich das Unternehmen anders vor. Die Franzosen hielten es
zunächst überhaupt für überflüssig; dann kam der Vorschlag, der
Präsident könne ja statt eines Gipfeltreffens mit den Regierungschefs
die NATO besuchen; schließlich gab es die Mitteilung, die Europäer
wollten sich erst einmal untereinander abstimmen. Eine gemeinsame
europäische Front vis-à-vis Amerika? In Washington ist man ver-
stimmt.

Es ist leicht denkbar, daß die ganze Sache ins Wasser fallen wird,
denn am 30. Oktober beginnen die MBFR-Verhandlungen, Ende des
Jahres wird vielleicht schon die zweite Phase der Sicherheitskonferenz
zu Ende gehen. Im Jahr 1974 aber ist der internationale Kalender
übersät mit Terminen. Da rechnet man mit dem Abschluß der Europäischen Sicherheitskonferenz, ferner einer ersten Etappe der MBFR-
Gespräche in Wien; da reist der Präsident nach Moskau und eventuell
auch nach Peking; es finden Kongreßwahlen in Amerika statt; und
vielleicht wird ein Kapitel von SALT II abgeschlossen werden.

Es könnte also sein, daß nicht ein westliches Gipfeltreffen stattfindet, sondern allein das ost-westliche Gipfeltreffen zur Beendigung der

Europäischen Sicherheitskonferenz im nächsten Jahr. Dies freilich wäre dann wohl kein gutes Omen.

Noch ist nicht klar, wie die Watergate-Affäre für Präsident Nixon ausgehen wird. Ein freiwilliger Rücktritt ist bei seiner Einstellung schwer vorstellbar, und auf ein Verfahren zur Amtsenthebung *(impeachment)* wird es der Kongreß nicht ankommen lassen – obgleich alles, was sich zur Zeit in Washington abspielt, auf einen erbitterten Machtkampf zwischen Präsident und Kongreß zurückzuführen ist.

Die amerikanischen Präsidenten sind mit der Zeit – vor allem während der letzten zehn Jahre – immer mächtiger geworden. Die Exekutive hat während des Vietnam-Krieges der Legislative allmählich so viele Kompetenzen entwunden, daß ein Rückschlag nicht ausbleiben konnte. Nixon hat Außenpolitik ohne den Senat gemacht, Budget-Politik ohne das Repräsentantenhaus und innere Sicherheitspolitik ohne die Gerichte. Macht hat eben immer die Tendenz, sich auszudehnen. Im Weißen Haus hatte sie jetzt eine Dimension erreicht, die ihre Antithese gebären mußte, weil das Gleichgewicht zwischen den drei Machtbereichen Regierung, Parlament, Justiz ganz aus den Fugen geraten ist.

Der US-Präsident ist zugleich Oberbefehlshaber. Johnson hatte sich zum Herrn über Krieg und Frieden gemacht, indem er die Kriegserklärung – die laut Verfassung nur der Kongreß aussprechen kann – in Vietnam einfach unter den Tisch hatte fallen lassen. Als Nixon den Krieg im Mai 1970 auf Kambodscha ausweitete, handelte er nicht anders.

Er hat seine Machtfülle so bedenkenlos demonstriert und eingesetzt, daß Repräsentantenhaus und Senat schließlich einmütig in Harnisch geraten sind. Nixon hat sich sozusagen selbst ein Bein gestellt. Der Kongreß wird jetzt – gleichgültig wie Watergate ausgeht – die Gelegenheit benutzen, um einige Verfahrensänderungen durchzubringen; an erster Stelle die *War Power Act,* die verhindern soll, daß die Regierung jemals wieder auf eigene Faust Krieg führen kann.

Wie der große Allianz-Bruder jenseits des Ozeans die Watergate-Affäre überstehen wird, ist schwer vorauszusagen. Es kann sein, daß die Erosion von Macht und Autorität weitergeht. Wahrscheinlich aber ist, daß Watergate für das amerikanische Volk zur Katharsis wird. Die tägliche, vielstündige Fernsehübertragung scheint nicht nur zu desillusionieren, sondern auch als Erziehungsprozeß zu wirken. Der allgemeine Ruf in den Vereinigten Staaten heißt nicht: Laßt uns das System ändern!, sondern er heißt: Zurück zur Moral!

Die Amerikaner sind eben trotz allem, was seit der Ermordung Kennedys über sie hereingebrochen ist, eine ungebrochene, vitale Nation – ein Bündnispartner, den es gerade jetzt zu pflegen gilt. Amerika braucht eine europäische Antwort auf Henry Kissingers Appell.

Kissingers schöne neue Welt

Ein Dreieck, in dem Washingtons Beziehungen
zu Moskau und Peking besser sind als die
der beiden untereinander

Hamburg, im November 1973

In den vergangenen beiden Wochen hat Henry Kissinger die unruhige Welt von Nahost bis Fernost im Jet umkreist. Kometenhaft tauchte er nacheinander in Rabat, Tunis, Kairo, Amman, Riad, Teheran, Islamabad, Peking, Tokio, Seoul auf, ehe er am zwölften Tage wieder in Washington landete. Ob wohl der Außenminister Kissinger tief besorgt oder verhältnismäßig befriedigt ist, wenn er den derzeitigen Zustand der Welt mit dem Konzept vergleicht, das der Sicherheitsberater Kissinger einst für seinen Präsidenten entwarf?

In seinem alten Konzept war Henry Kissinger von zwei Prämissen ausgegangen:

Erstens: Man muß die Politik, die schon Kennedy mit dem Atomstoppvertrag eingeleitet hatte, intensivieren, also die Sowjets in ein Netz von Verpflichtungen einbinden, um sie allmählich von ihrer ursprünglich umstürzlerischen Mentalität abzubringen und sie in eine das internationale Staatensystem tragende Macht zu verwandeln. Breschnews Bemerkung in seiner Rede vor dem Weltfriedenskongreß am 26. Oktober in Moskau scheint den Erfolg dieser Politik zu bestätigen. Der Parteichef stellte nämlich fest, daß das Risiko des nuklearen Krieges während der letzten zehn Jahre durch ein Geflecht von Ost-West-Vereinbarungen allmählich verringert worden ist.

Zweitens ging Kissinger davon aus, man müsse die bipolare Welt, in der jeder Konflikt und jede Krise automatisch in das Freund-Feind-Schema eingespannt wird, umstrukturieren in eine multipolare Welt, gleichzeitig aber die Vielzahl der Staaten wieder auf eine Ordnung reduzieren, in der einige wenige Machtkomplexe im Gleichgewicht miteinander stehen.

Die Schwierigkeit bei dem ersten Beginnen liegt darin, daß seit einem Vierteljahrhundert das politische Denken sich ausschließlich im Koordinatensystem Ost-West vollzieht. Anfangs war jede der beiden Supermächte überzeugt gewesen, es werde ihr möglich sein, die andere entweder »zurückzurollen« oder zu »überholen«, in jedem Falle also in die Knie zu zwingen. Dann folgte eine Phase, in der das nukleare Patt den beiden Giganten Fesseln anlegte. Erst jetzt ist bei beiden ein »systemüberwindendes« Interesse erwacht. Wenn bisher der aus Selbsterhaltungstrieb gespeiste technische Sachzwang, die Eskalation zum Atomkrieg zu vermeiden, alle Planungen bestimmte, so ist jetzt zu diesem negativen Interesse ein positives getreten.

Beiden Supermächten geht es heute darum, bestimmte Regeln des Zusammenlebens in Friedenszeiten und nicht nur für die Konfrontation aufzustellen. Man hofft nicht mehr auf Überlegenheit, sondern verläßt sich lieber auf gemeinsam ausgehandelte Grundsätze in den Beziehungen zueinander und erzielt Übereinstimmung beim Krisenmanagement. Es gibt also in gewisser Weise schon ein gelegentliches Miteinander und nicht mehr *nur* ein Gegeneinander – was ja denn auch in den Reihen der Mittelmächte und der Dritten Welt sofort den empörten Vorwurf laut werden läßt: Kondominium!

Kissinger hat vor kurzem das Verhältnis Amerikas zur Sowjetunion mit den Worten: »Partner und Gegner« charakterisiert. Es stimmt: Wir befinden uns in einer Phase, in der beides zugleich praktiziert wird, Rivalität und eine gewisse Partnerschaft, Sicherheitsbewußtsein und *brinkmanship*, Entspannung und Gereiztheit. Der Krieg in Nahost, bei dem die Luftbrücken der Supermächte sich über dem Mittelmeerraum im wörtlichen Sinne kreuzten, wo aber schließlich die amerikanische Drohung doch ausreichte, um die Russen davon abzuhalten, eigene Truppen – angeblich als Polizeischutz – im Krisengebiet einzusetzen, war geradezu eine Demonstration solcher Doppelstrategie.

Mit dieser Mischform von Drohungen und Signalen zur Kooperation oder gemeinsam gefaßten Beschlüssen, die Dritten aufgezwungen werden, müssen wir wohl noch lange leben. Dabei gelten in verschiedenen Weltgegenden nicht unbedingt die gleichen Gesetze. Während Amerikaner und Russen in Wien und Genf über gemeinsam zu ergreifende Sicherheitsmaßnahmen verhandeln, bauen sie in Asien unbemerkt eine neue Front gegeneinander auf. Zu welchem Zweck?

Da bisher eine arabische Solidarität unvorstellbar schien, sind die Amerikaner seit langem bemüht, das für die Industriestaaten des Westens lebenswichtige Öl dort zu schützen, wo es gefördert wird: am Persischen Golf (1972 insgesamt einschließlich Iran 886 Millionen Tonnen – in den übrigen arabischen Staaten nur 179 Millionen Tonnen). Seit vielen Jahren beschützen sie die Herrscher von Saudi-Arabien und beliefern das Land mit Waffen, *Know-how* und lebenswichtigen Gütern. Desgleichen haben sie die Beziehungen zum Iran systematisch ausgebaut; seit 1965 hat der Schah für 3,7 Milliarden Dollar Waffen in den USA gekauft, allein während der letzten zwei Jahre sind zwischen Washington und Teheran Waffenlieferungen von über zwei Milliarden Dollar vereinbart worden.

Die Russen wiederum schlossen im April 1972 mit einem anderen Anrainer des Persischen Golfs, dem Irak, einen Freundschaftsvertrag ab, als sie feststellen mußten, daß ihre Beziehungen zu Ägypten sich immer weiter verschlechterten (im Juli 1972 mußten sie 20000 ihrer Berater abziehen). Auf diese Weise hofften sie, im Irak den Einfluß wiederzugewinnen, der ihnen am Mittelmeer verlorenzugehen drohte.

Etwa zur gleichen Zeit fügten die Ereignisse auf dem indischen Subkontinent der Freund-Feind-Kette ein neues Glied hinzu. Der indisch-pakistanische Krieg, der dem Abschluß des russisch-indischen Vertrages vom August 1971 auf dem Fuß gefolgt war, verstärkte Chinas Sorge, eingekreist zu werden und erhöhte damit zugleich auch seine Bereitschaft, mit Washington zu einer Verständigung zu kommen. Das von Indien (mit Hilfe der Sowjets) besiegte Pakistan bemühte sich derweil, seine Beziehungen zum Iran (der mit Amerika befreundet ist) enger zu gestalten.

Diese verschiedenen Kettenreaktionen haben sich in Asien zu neuen Frontstellungen entwickelt: Sowjetunion, Irak, Indien, Bangla-Desh einerseits (wozu noch Afghanistan gerechnet werden muß), USA, Persien, Pakistan andererseits. Es ist immer der gleiche Vorgang, regionale Spannungen werden verstärkt durch Interessengegensätze oder rivalisierende Ambitionen der Großmächte, die Partei ergreifen und damit dann lokale Differenzen in den Stand globaler Konflikte erheben. Die Versuchung, Gelegenheiten, die sich bieten, zu ergreifen, sind eben für eine Großmacht doch beträchtlich.

Die zweite Prämisse des Kissingerschen Konzepts – den Versuch,

Bipolarität in Multipolarität umzuwandeln – jetzt zu verwirklichen, erleidet auch immer wieder Rückschläge. Das ganze Unternehmen konnte überhaupt erst ins Auge gefaßt werden, als Amerika und China eines Tages entdeckten, daß sie ein gemeinsames Interesse haben, das stärker ist als ihre gegenseitige Aversion: Beide möchten den Einfluß der Sowjetunion in Asien eindämmen.

In den Augen des stellvertretenden chinesischen Außenministers Tschiao Kuan Hua existierte die Bipolarität schon nicht mehr. In seiner zornigen Auseinandersetzung mit Moskaus Botschafter Malik während der Debatte im Sicherheitsrat erklärte er: »Ganz grundsätzlich: Die Zeit ist vorbei, in der die beiden Supermächte die Weltpolitik manipulieren und beherrschen konnten.«

Tschiao irrt sich in einer Hinsicht: Die Zeit ist nicht vorbei. Wenn es hart auf hart geht – wie im Nahen Osten –, dann nehmen die beiden Großen die Sache wieder in die Hand. Im Ernstfall gibt es eben nur zwei Supermächte. Aber Tschiao hat insofern auch recht, als doch das Dreieck ebenfalls schon eine Realität ist. Jede der drei Mächte muß nämlich heute darauf bedacht sein, stets so zu handeln, daß die beiden anderen sich nie zu einer gemeinsamen Front zusammenfinden.

Und damit kommen wir auf die Eingangsfrage zurück: Kann Kissinger zufrieden sein, wenn er den heutigen Zustand der Welt mit seinem alten Konzept vergleicht? Er kann es. Die Konturen seiner neuen Welt sind schon sichtbar. Zwar zeigt sich, daß die beiden Prämissen seines Konzepts nicht voll erfüllt werden, aber doch partiell, jedenfalls ausreichend, um Washington mehr Vorteile zu verschaffen als Moskau. Washingtons Beziehung zu jeder der beiden kommunistischen Großmächte ist besser und wird wohl noch für lange Zeit besser sein als die der beiden untereinander. Das beweist von neuem Kissingers Besuch in Peking mit dem fast dreistündigen Mao-Gespräch; und das beweist auch die fast identische Beurteilung des amerikanisch-sowjetischen Zusammenwirkens im Nahost-Krieg durch Moskau und Washington: Präsident Nixon und die *Prawda* sagen beide, alles wäre viel schlimmer geworden, wenn sich ihre Beziehungen nicht in so positiver Weise verändert hätten.

Moskau muß weiterhin um Entspannung mit Washington bemüht sein, weil es nicht zwischen zwei feindlichen Fronten – China und Amerika – leben kann und weil seine Angst vor China viel größer ist als die vor Amerika. Genau deshalb ist Moskau nicht an Krisen im Westen interessiert. Eben darum ist es auch schwer vorstellbar, daß die große Energie-Katastrophe wirklich stattfinden sollte.

Nur Entspannung scheint den Sowjets eine gewisse Gewähr dafür zu sein, daß ihr Alptraum nicht verwirklicht wird: ein Dreieck, in dem zwei gegen einen Front machen. Henry Kissinger kann zufrieden sein.

Keine Alternative Washington oder Paris

Wir hatten nie die Absicht, zwischen Europa und Amerika zu wählen

Hamburg, im Februar 1974

Die Energiekrise hätte im Westen gut zum Anlaß gemeinsamen Handelns, zum Auslöser einer großen solidarischen Kraftanstrengung werden können; nicht so sehr, um ein Kartell der Verbraucher gegen das Kartell der ölproduzierenden Länder zu organisieren, sondern einfach, um der Herausforderung zu begegnen. Gemeinsam aufgestellte Forschungsprogramme, Arbeitsteilung bei deren Durchführung, konzertierte Preisverhandlungen – wie integrierend hätte dies alles wirken können!

Die Amerikaner haben Anfang dieser Woche in Washington noch einmal versucht, die westlichen Bemühungen zu koordinieren, aber unter dem Druck der Franzosen haben die Europäer das amerikanische Vorhaben vereitelt.

Paris argwöhnt, den Amerikanern komme es einzig und allein darauf an, in Europa zu dominieren – und daran könnten die Europäer gar nicht interessiert sein. Die Franzosen glauben immer noch, sie hätten eine Sonderstellung in Europa und in der Welt; und lange Zeit war dies ja aus verschiedenen Gründen auch der Fall. Einer der Gründe lag in Frankreichs besonderer Beziehung zu Moskau und in der einzigartigen Stellung, die es im Ostblock genoß. Bei der Genfer Sicherheitskonferenz allerdings sagte ein östlicher Delegationsführer in der vorigen Woche: »Wissen Sie, für Moskau war Paris immer eine Hilfskonstruktion, eine Art ›Vorbande‹ für Amerika. Jetzt, da der Kreml den direkten Draht nach Washington hat, ist Frankreich ganz uninteressant geworden.«

Wir anderen Europäer haben fast zwei Jahrzehnte auf Frankreich gewartet und dabei manche Gelegenheit verpaßt. Die zehn Jahre, die de Gaulle uns gekostet hat, sind nicht mehr einzuholen. Schlimmer noch, der Bazillus der Renationalisierung breitet sich immer weiter aus, desgleichen der durch nichts begründete Wahn, Europa habe durchaus das Zeug zu einer dritten Supermacht – man müsse sich nur freischwimmen vom Einfluß der Amerikaner.

Es ist höchste Zeit, sich den Dünkel aus den Augen zu reiben und aus der Märchenwelt in die Realität zurückzukehren. Sieht man sich nüchtern auf der weltpolitischen Bühne um, so zeigt sich: Die Entspannung zwischen Washington und Moskau ist zwar durch manche Enttäuschung beeinträchtigt worden. Das Wirtschaftsprogramm läuft nicht so, wie die Russen es sich erträumt haben, die SALT-Verhandlungen kommen nicht so voran, wie die Amerikaner gehofft hatten. Dennoch steht fest: Die Entspannung zwischen den Supermächten wird weitergehen.

Die Nahostereignisse haben gezeigt, daß für jeden der beiden Giganten der andere wichtiger ist als alle übrigen. Rußland ist überdies zum Wohlverhalten dem Westen gegenüber gezwungen, denn die Angst vor China, wo heute die Situation unübersichtlicher ist denn je, läßt Experimente im Westen nicht zu. Das Gefühl, zwischen zwei Fronten zu geraten, wäre einfach ein Alptraum.

Es gibt vielerlei Beweise dafür, daß die Entspannung nicht umkehrbar ist: das Kommuniqué, das jetzt beim Besuch Gromykos in Washington veröffentlicht wurde, die Tatsache, daß die SALT-Gespräche in Genf wieder aufgenommen werden und im Sommer Nixon zum zweitenmal nach Moskau reisen wird (was sinnlos wäre, wenn nicht über die zweite Etappe der Raketengespräche Positives zu berichten wäre), schließlich auch die versöhnliche Rede Breschnews in Kuba.

Freilich gibt es hier ein sehr gewichtiges Aber. Was unterhalb des großen Bogenschlags Washington-Moskau vor sich geht, das interessiert die Supermächte offenbar nicht mehr im gleichen Maße wie früher. Früher, als noch über die Ostverträge verhandelt wurde, übten die Sowjets auf Wunsch der Amerikaner Druck auf die DDR aus, so daß auftretende Hindernisse immer wieder aus dem Weg geräumt wurden. Heute, da die Europäer behaupten, sie könnten allein mit allem fertig werden, kann man solchen Einsatz von Washington ja auch kaum mehr verlangen.

Es wäre absurd, wenn sich jetzt herausstellte, daß wir jahrelang

181

umsonst auf Frankreich gewartet hätten – daß wir also unser Ziel, die europäische Integration, nie erreichen werden, und wenn sich überdies nun zeigte, daß wir vielleicht auch noch die enge Bindung an Amerika einbüßen. Wir hatten nie die Absicht, zwischen Europa und Amerika zu wählen. Wir wollten immer ein integriertes Europa, das eng mit Amerika verbunden ist.

Wenn Paris uns jetzt vor die Alternative »Frankreich oder Amerika« stellen will, dann sollten wir die Herausforderung akzeptieren: Laßt uns dann Amerika wählen und warten, bis Frankreich reif ist! Wenn es multilateral noch nicht geht, dann müssen wir zu den engen bilateralen Beziehungen mit Amerika zurückkehren.

Transatlantische Rivalen

Die Gründe für den Streit zwischen
Washington und Paris

Hamburg, im Mai 1974

»Krieg zwischen Europa und Amerika«, so lautet der Titel eines Buches, das zur Zeit ein amerikanischer Journalist schreibt. Vor kurzem wäre ein solcher Beitrag zur *political fiction* der allgemeinen Gefühlslage noch so fern gewesen, daß sich wohl kaum ein Verleger für ein solches Werk hätte finden lassen; heute dagegen kann man sich durchaus vorstellen, daß es ein Bestseller werden wird.

Noch haben wir in der Bundesrepublik den Schrecken, daß die Franzosen uns vor die Wahl Paris oder Washington stellen wollen, nicht überwunden, da wird ganz Europa von Präsident Nixon persönlich mit der Alternative konfrontiert: Washington oder Paris. Und dies auch noch in ultimativer Form: »Entweder ihr setzt euch mit den Vereinigten Staaten zusammen und beratet über Zusammenarbeit, nicht nur an der Sicherheitsfront, sondern auch im Hinblick auf Politik und Wirtschaft, und entscheidet euch fürs Zusammengehen oder unsere Wege trennen sich.«

Man könnte wirklich meinen, es seien übermütige, kraftstrotzende Sieger, die sich da voreinander aufspielen und sich mutwillig gegenseitig herausfordern, als gäbe es keinerlei Sorgen und sonst nichts zu tun. Dabei wissen sie alle miteinander noch nicht, in welcher Weise sie die nächsten neun Monate überstehen werden:

Ob Nixon dann noch Präsident sein wird, steht gar nicht fest. Wer in England regieren wird, ist ganz und gar ungewiß, desgleichen ob das Land Mitglied der Europäischen Gemeinschaft bleibt – sicher scheint nur, daß Inflation, Verschuldung und womöglich auch Arbeitslosigkeit während dieser Zeit zunehmen werden. In Frankreich betrug das Handelsdefizit im Februar 1,5 Milliarden Franc, die Preise sind in den letzten drei Monaten um drei Prozent gestiegen, und allenthalben macht sich soziale Unruhe bemerkbar; der *Figaro* meint, daß die Zeit der verhältnismäßigen Ruhe nun zu Ende sei. Was aus Italien wird, weiß kein Mensch, und Bonn kann mit Sicherheit auch nur darauf rechnen, daß die Hamburger Wahlen nicht die einzigen sein werden, die die Regierung in diesem Jahr verliert.

Das alles wäre weiß Gott Grund genug, für die Verantwortlichen diesseits und jenseits des Atlantiks, alles Trennende zu begraben und die schwachen Kräfte zu vereinen, um mit den Schwierigkeiten fertig zu werden. Aber wie gewöhnlich sind es gar nicht die Gegebenheiten, die Tatsachen, die die Probleme aufwerfen, sondern vielmehr selbstgestrickte Vorstellungen. So ist einfach nicht einzusehen, warum Europa seine Identität nur ohne Amerika finden können soll und nicht gemeinsam mit den Amerikanern; und daß man zwischen Washington und Paris wählen müsse – auch diese Forderung beruht auf einer Fiktion und nicht auf Fakten.

Für Washington, das global denken muß, lauten die Gründe:

1. Europa ist so schwach, daß man der Gefahr wachsenden sowjetischen Einflusses vorbeugen muß.

2. Das Ausmaß der neuerlichen sowjetischen Rüstung vor allem auf dem Gebiet interkontinentaler Raketen und weltweit operierender Seestreitkräfte ist besorgniserregend.

3. Die Konsequenzen der Entspannung haben sich nicht in dem erhofften Maße eingestellt.

4. Während der Nahost-Krise ist deutlich geworden, daß die Europäer sich nicht ohne weiteres mit den Amerikanern solidarisieren, daß Frankreich sogar die Gelegenheit benutzte, um sich als Gegenpol aufzubauen.

5. Der Moment ist gekommen, die acht verunsicherten EG-Mitglieder jetzt gegen den einen Widerspenstigen zu organisieren.

6. Die Politik: »es den undankbaren Europäern einmal zu zeigen« ist in Amerika populär, und das kann man im Zeichen von Watergate gut brauchen.

Für Frankreich, das regional denkt, lauten die Gründe:

1. Die europäischen Sorgen liegen uns näher als die atlantischen: »Warum sollen wir unsere Probleme mit den Arabern über Washington regeln und nicht mit jenen direkt?«

2. Es ist ganz deutlich geworden, daß Washington und Moskau ein Kondominium in der westlichen Welt errichten wollten, was bedeutet, daß Westeuropa für alle Zeiten ein Satellit Amerikas bleiben müßte.

3. Die Gefahr besteht, daß die Bundesrepublik mit ihrer Ostpolitik allmählich in die Neutralität abgedrängt wird, was nur verhindert werden kann, wenn sie in ein von Paris straff organisiertes Europa eingebunden wird, statt nur lose im atlantischen Bündnis ihr selbstbestimmtes Dasein zu führen.

4. England ist zur Zeit sehr schwach, und diese Situation muß man nutzen.

5. Jobert will sich als gaullistischster Gaullist beweisen, um sich auf diese Weise für Pompidous Nachfolge zu empfehlen.

Alle französischen Argumente, vor allem die Sorge vor dem Kondominium, gehen von einem historischen Verständnis aus, das eher dem 19. als dem 20. Jahrhundert entspricht. Unserer Epoche sind doch Allianzen im Außen- und Teamwork im Innenverhältnis viel eher zugeordnet als Vorherrschaft und autoritäre Führung. Und die Sache mit der Bonner Neutralität ist nun wirklich ein typischer Fall von *self fulfilling prophecy:* Wenn Paris so darauf bedacht ist, die europäischen Bindungen an Amerika zu lösen, auf die gerade die Bundesrepublik aus Sicherheitsgründen existentiell angewiesen ist, dann bleibt uns wahrscheinlich wirklich nichts anderes übrig, als eines Tages auf der Basis der Neutralität mit dem Osten ein Arrangement zu treffen.

Nun, diese ganze Kontroverse mit Paris über eine kontinentale oder atlantische Lösung ist nicht neu, wir kennen sie aus den sechziger Jahren. Aber warum gerade jetzt diese Eskalation von Kissinger bis Nixon? Nichts ist schwieriger als den Ablauf solcher Ereignisse zu recherchieren – wirklich gelungen ist dies nur der *Sunday Times,* weil sie ihre drei Korrespondenten in Paris, Brüssel und Washington darauf angesetzt und deren Berichte dann integriert hat. Dabei ergibt sich folgender Hergang:

Die Geschichte begann in Kopenhagen im Dezember 1973. In der französischen Presse hatten schon vor diesem Gipfeltreffen Erörterungen darüber stattgefunden, daß die Europäer den Arabern einen Vorschlag zur Lösung der Ölkrise unterbreiten würden. Kissinger versuchte dem vorzubeugen, indem er am Vorabend von Kopenhagen beim *Pilgrim speech* in London seine Gegenargumente vorbrachte.

185

Während des Gipfeltreffens tauchten dann plötzlich in Kopenhagen – für den französischen Plan sehr hilfreich – die vier arabischen Minister auf.

Als Anfang Januar die Einladungen zur Energiekonferenz nach Washington eintrafen, hatten die politischen Direktoren der neun EG-Länder sich bereits darüber geeinigt, das Mandat von Kopenhagen dahingehend zu erweitern, daß eine euro-arabische Konferenz später im Jahr stattfinden solle. Diese Absicht, auf der die Entscheidung vom 4. März fußt, ist aber nie veröffentlicht worden. Darum war Kissinger so überrascht, während die Europäer die Planung als Parallele zur Konferenz von Washington verstanden wissen wollten.

Als Kissinger dann am 3. März in Bonn war, sagte Scheel ihm, am nächsten Tag in Brüssel werde ein Punkt der Tagesordnung des Ministerrats eine »Diskussion« des vorgeschlagenen Dialogs zwischen Europäern und Arabern sein. Da im Februar in Washington alle Europäer, mit Ausnahme Frankreichs, Kissingers Kooperationsplan zugestimmt hatten, glaubte dieser, die acht Europäer hätten sich endgültig von der Pariser Kollisionstaktik distanziert, und maß darum dieser »Diskussion« keine besondere Bedeutung bei.

Am Tag darauf – also am 4. März – erhielt der US-Außenminister während der NATO-Tagung einen Zettel von Scheel, dieser wolle ihn über das Resultat der Ministerratstagung informieren. Kissinger fuhr sofort nach der Sitzung in die Deutsche Botschaft, wo er zu seinem Schrecken und Ärger erfuhr, daß das, was als »Diskussion« annonciert worden war, mit einer Entscheidung geendet hatte.

Viel Unheil ist angerichtet worden, viele giftige Pfeile wurden während der letzten Monate verschossen. Die Emotionen gehen hoch und verdecken einstweilen jede Gemeinsamkeit des Ziels. Am Tage nach Nixons Rede schrieb der unabhängige *Monde:* »Die Kraftprobe zwischen Europa und den Vereinigten Staaten hat begonnen . . . Die Konfrontation kann nicht zu Ende gehen, ehe einer besiegt ist.« Diese Sicht der Dinge ist lebensgefährlich. Sie muß mit allen Mitteln bekämpft werden – bei diesem Kampf fällt Bonn eine entscheidende Rolle zu.

Nixons Fall geht ans Mark der Nation

Alle Ideale sind in Frage gestellt

Washington, im Juli 1974

Nun sind die Weichen gestellt, Präsident Nixons Schicksal vollzieht sich unaufhaltsam. Das jahrelange makabre Spiel zwischen einem listenreichen Präsidenten und einem zornerfüllten Kongreß, der an die Vorschriften der Verfassung gekettet ist – juristisches Procedere gegen abgefeimte Tricks –, ist nun in die Endphase eingetreten.

Seit dem 17. Juni 1972, seit dem Einbruch in den Annex des Watergate-Hotels, damals das Hauptquartier der Demokraten, sind mehr als zwei Jahre vergangen. Wie Ratten haben sich die Verfahren vermehrt: das erste gegen die Einbrecher, die das »Komitee für die Wiederwahl des Präsidenten« gedungen hatte, gebar immer neue, und diese heckten wiederum neue. Berge von Akten türmen sich, die nur noch von wenigen Experten übersehen werden. Sie alle tragen die Aufschrift »Watergate« und bilden die Grundlage für die Entscheidung, ob Nixon seines Amtes enthoben wird oder nicht.

In der vorigen Woche sind nun auf einem Nebenschauplatz zwei Prozesse vom *Supreme Court* entschieden worden, die, obgleich sie nicht unmittelbar in das eigentliche Watergate-Verfahren eingreifen, ganz entscheidenden Einfluß auf die Frage des *Impeachments* hatten.

Das eine Aktenstück trägt den Titel: *United States versus Richard Nixon,* das andere *Richard Nixon versus United States.* Bei dem ersten – also dem Fall Vereinigte Staaten gegen Nixon – handelt es sich um die Frage, ob Nixon 64 Tonbänder, die im Mai 1974 für den Prozeß gegen sechs seiner früheren Mitarbeiter angefordert wurden, herausgeben muß oder nicht. Der Präsident hatte damals unter Berufung auf sein angebliches Vorrecht, im Interesse des Staatswohls zu entscheiden, was vertraulich ist, also nicht veröffentlicht werden darf, die Herausgabe verweigert – woraufhin der Sonderankläger Jaworski das höchste Gericht anrief. Dieses hat nun entschieden, daß Nixon die Bänder herausgeben muß.

Beim zweiten Fall ging es darum, daß Nixon Einspruch gegen seine Erwähnung als »nichtangeklagtes Mitglied einer Verschwörung« in der Anklageschrift der *Grand Jury* gegen die Watergate-Verschleierer eingelegt hatte. Der *Supreme Court* erklärte sich für unzuständig, über diesen Einspruch zu entscheiden, was bedeutet, daß der inkriminierende Vorwurf gegen den Präsidenten fortbesteht.

Das sind zwei schwere Schläge für ihn – wie schwer, mag ihm selber erst klargeworden sein, als wenige Tage später der Rechtsausschuß in zwei Abstimmungen mit großer Mehrheit dem Repräsentantenhaus empfahl, den Präsidenten aus dem Amt zu entfernen. Daß sechs Republikaner sich zu dem Entschluß durchrangen, gegen ihren Parteichef zu stimmen – was für die Glaubwürdigkeit des Ganzen außerordentlich wichtig ist –, geschah wahrscheinlich nicht zuletzt unter dem Eindruck der beiden Urteile des Obersten Gerichts.

Jetzt, wo aus dem makabren Ringkampf zwischen Präsident und Kongreß – wer sticht wen aus? – unerbittlicher Ernst geworden ist, lastet die Verantwortung, an der Entscheidung mitzuwirken, ob Nixon der mächtigste Mann der westlichen Welt bleibt oder ein ruinierter, ehrloser, verfemter Mann wird, schwer auf den 38 Mitgliedern des Rechtsausschusses.

Der Abgeordnete Walter Flowers, einer der Süddemokraten, sagt: »Nachts wache ich auf und frage mich, ob nicht vielleicht das Ganze nur ein abscheulicher Traum ist: den Präsidenten der Vereinigten Staaten, den ersten Mann der Nation, unseren Oberbefehlshaber, in dieser erbarmungslosen, flüchtigen Welt des Jahres 1974 aus dem Amt zu jagen ... Die Leute, die ich hier repräsentiere, möchten doch, genau wie ich und die meisten Amerikaner, den Präsidenten stützen, ihm helfen.«

Der Zeitungsleser in Europa übersieht leicht die tragische Dimension, die dieses Geschehen für eine Nation hat, die noch nicht so abgebrüht und skeptisch ist wie die meisten europäischen Völker. Für sie, die Amerikaner, ist der Mann im Weißen Haus eben doch ein bewunderter Chef, den man gern fern von Verdacht, Anfechtung und

Korruption ansiedelt und der all das verkörpert, was den Glanz von Macht und Recht ausmacht. Dabei vergessen viele, wie schwer es ist, jedem dieser Begriffe für sich allein, geschweige denn der Kombination von beiden, mit Anstand gerecht zu werden.

Wer heute in Amerika ist und seine Gespräche und Erlebnisse mit denen des Vorjahres vergleicht, stellt zwar fest, daß alle Diskussionen – egal, ob es um Inflation, Moral, Öl oder gesellschaftliche Strukturen geht – immer noch binnen kurzem bei Nixon landen, aber das Klima ist anders als im Jahr zuvor. Damals bekam man den Eindruck, daß diese Watergate-Affäre, wenn sie erst einmal erledigt ist, als Katharsis dienen würde. Jeder schien den Moment der Überwindung mit Ungeduld zu erwarten, so als werde das Leben dann neu beginnen.

Diesmal ist ein gewisser Zynismus zu spüren. Resignation macht sich breit: »Alle Politiker sind Gauner.« Kein Wunder, wenn man zwei Jahre lang jeden Abend Watergate im Wohnzimmer hat! Wer zahlt noch ohne Murren seine Steuern, wenn er erfährt, daß der Präsident im Verdacht steht, während der letzten Jahre eine halbe Million Dollar Steuern hinterzogen zu haben? Wer kann sich noch vorstellen, daß es Ämter gibt, die ehrlich geführt werden, wenn ein halbes Dutzend der wichtigsten Mitarbeiter des Weißen Hauses im Gefängnis sitzt, der Intimus des Präsidenten, der ehemalige Finanzminister Connally, wegen Meineids und Bestechung angeklagt wird und ein anderer Spezi, der frühere Justizminister Mitchel, bereits ein Verfahren hinter sich hat, dem weitere folgen werden? Wer kann überhaupt noch etwas glauben, was »amtlich« ist? Drei hohe Beamte haben in den letzten neun Monaten den Staatsdienst quittiert; ich habe alle drei gesprochen und gespürt, wie diese Zustände sie anwidern.

Der Mangel an Vertrauen beginnt jetzt auch die Wirtschaft zu lähmen. Alles wird in Frage gestellt. Die Desillusionierung weitet sich aus. Sie greift sogar auf das Gebiet der Außenpolitik über: Viele sind enttäuscht über die spärlichen Früchte der Détente; sie erklären, die Kommunisten predigten Entspannung nur, um den Westen erst einzulullen und ihn dann besser erpressen zu können.

Die Befürworter verweisen dagegen auf den langfristigen Friedenseffekt: Die Entspannung hat bereits, so machen sie geltend, zu vermehrtem amerikanischen Einfluß in den arabischen Staaten geführt, die zuvor ausschließlich eine Domäne der Russen waren. Ferner: Der amerikanisch-sowjetische Handel ist von 200 Millionen Dollar im Jahr 1971 auf 1,4 Milliarden Dollar im Jahr 1973 – also um das Siebenfache – gestiegen. Einwand der Gegner: »Ja, aber da stecken die riesigen Getreidelieferungen drin, die die Russen uns weit unter dem Preis abgeluchst haben, wodurch unser eigener Konsum überproportional verteuert und mithin die Inflation angeheizt wurde.«

Mit einem Wort: Die alten Diskussionsschlachten der sechziger Jahre werden wieder geschlagen, dieselben Fragen von neuem gestellt, nur hat sich das Koordinatensystem langsam nach rechts verschoben – weg von der liberalen Mitte. Da reichen sich viele die Hand: der mächtige Gewerkschaftsboß Meany, der das Moskauer Gipfeltreffen vor dem Presseclub in Washington scharf kritisierte, Senator Jackson, der auf der Rechtswelle ins Weiße Haus strebt, verschiedene Intellektuelle, die Abwechslung brauchen, weil sie sich sonst langweilen.

Einen Resonanzboden für diese Stimmung bietet das wachsende Mißtrauen gegen die Presse, die sich nach Meinung vieler in der Watergate-Affäre übermäßig engagiert hat: »Ohne das Fernsehen hätte die Anti-Nixon-Hysterie diesen Grad nie erreicht.« – »Wir werden von ein paar arroganten Burschen der *news media* manipuliert.« – »Das Ganze ist doch nur eine Hexenjagd, die ein demokratischer Kongreß mit Hilfe der Presse gegen einen republikanischen Präsidenten veranstaltet.« – Der Chefredakteur einer Provinzzeitung warnt: »Wenn man heute ein Referendum abhielte, bin ich nicht sicher, daß die Pressefreiheit durchkäme.«

Amerika steht in einer Zerreißprobe, wie sie das Land seit dem Bürgerkrieg nur selten erlebt hat. Vom Vietnam-Krieg und My Lai über die Rassenunruhen bis zur Watergate-Affäre reiht sich ein Schock an den anderen. Für eine Nation, die so stark moralisch motiviert ist, ist diese Kettenreaktion von Enttäuschungen schwer zu verkraften. Freilich, weniger vitale, weniger glaubensstarke Völker wären längst total demoralisiert: Wer weiß, was in Europa geschähe, wenn in Bonn, Paris oder London zwei Jahre lang Watergate-Zustände herrschten.

Man muß die gelassene Souveränität, die entschlossene Schonungslosigkeit und den unbeirrbaren Ernst bewundern, mit dem die Gerichte und jetzt auch der Rechtsausschuß den Fall Watergate, der wirklich ans Mark der Nation geht, verhandeln. Hier wird beides deutlich: Gefährdung und Stärke der Demokratie.

Gewiß, die Arroganz gegenüber Gesetz, Kongreß und Bürger, die am Hofe Richard Nixons an den Tag gelegt, die Sprache, die geführt wurde, die moralischen Maßstäbe, die dort galten, erregen Ekel. Aber die Chirurgen, die sich nun daranmachen, das Geschwür herauszuschneiden, und die Methode, die sie dabei anwenden, überzeugen. Allerdings: schneiden müssen sie nun.

Konfrontation zwischen Kongreß und Präsident

Die Legislative mischt sich in die Außenpolitik und torpediert die Maßnahmen des Pentagon

Washington, im Februar 1975

Amerika hat sich verändert – oder besser: die Amerikaner wirken in vieler Hinsicht verändert. Von Optimismus, Selbstbewußtsein, Autoritätsgläubigkeit, Opferbereitschaft – Eigenschaften, die früher so charakteristisch schienen – sind nur noch Spuren wahrnehmbar; jedenfalls wenn man die Ostküste besucht. Der hervorstechende Eindruck, der einem heute nach einem Besuch von vierzehn Tagen bleibt, ist die Lust an der Selbstzerfleischung, ein gewisser Masochismus, das Vergnügen am Schwarzsehen und Kritisieren.

Und noch etwas: Nie zuvor, so schien mir, ist das jüdische Element so stark in den Vordergrund getreten – sowohl im offiziellen wie im akademischen Bereich. Dies ist nur insofern bemerkenswert, als zu befürchten steht, daß sich daraus angesichts der Situation in Israel – die immer neue materielle Opfer von den Bürgern Amerikas fordern wird – eines Tages eine Welle des Antisemitismus entwickeln könnte.

Der alles andere überdeckende Eindruck aber ist: Jeder ärgert sich über jeden – der Präsident über den Kongreß, der Kongreß über die Exekutive; Jackson über Kissinger, Kissinger über Schlesinger, die liberalen Ökonomen über das konservative Establishment: Burns, Greenspan und Simon, die ökonomischen Drahtzieher des Präsidenten, wie es heißt, die angeblich aus Angst vor der Inflation nichts gegen die Arbeitslosigkeit tun. Während ihre flotten Kritiker der Meinung sind, Inflation gibt es sowieso, laßt uns wenigstens die Arbeitslosigkeit beseitigen. Die Gründe für diese allgemeine Verärgerung sind entweder politischer oder wirtschaftlicher Natur: Entweder wird die Entspannung für alles verantwortlich gemacht oder Inflation und Arbeitslosigkeit.

192

Manchem freilich verbindet sich beides zu einer Kausalkette. So meinte Mr. Goldfinger, ein führender Gewerkschafter von der AFL/CIO: »Die Inflation hat 1972 begonnen; damals, als das dubiose Getreidegeschäft mit der Sowjetunion abgeschlossen wurde, das als Grundlage für die Entspannung dienen sollte. Damals wurden die Preise so in die Höhe getrieben, daß die Leute immer mehr bezahlen mußten und immer weniger dafür bekamen.« Auf dieses Argument stößt man häufig. Der Ärger über den weit unter Preis erfolgten Verkauf von 18 Millionen Tonnen Getreide an die Sowjets sitzt tief. Er fegte die Läger im Lande leer, so daß schließlich der Nachfrage kein Angebot mehr gegenüberstand und darum die Preise für Brot und Fleisch um 80 Prozent stiegen.

Ein anderer Vertreter von *Big Labour*, Mr. Lee, Direktor der Abteilung für internationale Angelegenheiten bei der AFL/CIO, sagte: »Wenn wir noch einmal vor der Wahl stünden, würden wir vieles wieder ebenso machen: Wir würden die Berliner mit der Luftbrücke unterstützen und den Marshall-Plan an Stelle der Morgenthau-Vision, wir würden helfen, Korea gegen die Invasion zu verteidigen, und wir würden die nationale Sicherheit Israels garantieren. Aber«, so fuhr er fort, »würden wir wirklich *jobs,* also Arbeitsplätze exportieren und Waren aus Ländern mit Niedrigstlohn importieren? Würden wir diesen skandalösen *grain deal* – diesen Getreidevertrag – noch einmal zulassen?« Und weiter: »Die Tatsache, daß die Sowjetunion von den Vereinigten Staaten ökonomische Hilfe und das Zugeständnis einer Überkapazität an Offensivwaffen erhalten hat – wohlgemerkt: durch vorgespiegelte Entspannung und sogenannte Verhandlungen erhalten hat –, das ist ein trauriges Kapitel in der Geschichte unserer Nation.«

Der Antikommunismus der Gewerkschaften ist noch genauso virulent wie in den fünfziger Jahren. Zu ihnen aber haben sich inzwischen neue Skeptiker gesellt, nämlich jene, die übertriebene Hoffnungen auf die Entspannung gesetzt hatten und deren Enttäuschung nun wieder weit nach der anderen Seite ausschlägt. Enttäuschung beispielsweise darüber, daß die Sowjets ununterbrochen weiter aufrüsten. Verteidigungsminister Schlesinger erklärte, die amerikanischen Aufwendungen für Sicherheit seien ständig gesunken: »Verglichen mit der Zeit vor dem Vietnam-Krieg geben die USA heute 30 Prozent weniger für ihre Verteidigung aus als damals, wobei zu berücksichtigen ist, daß allein die Soldzahlungen 55 Prozent des Budgets verschlingen – die Ausgaben der Sowjetunion hingegen steigen jährlich um drei bis fünf Prozent.«

Admiral Moorer, bis zum vorigen Jahr Vorsitzender der *Joint Chiefs of Staff*, wies darauf hin, daß die Sowjets vier neue Interkontinentalraketen auf einen Schlag herausgebracht haben: die SS 16, SS 17, SS 18 und SS 19. Er meinte, wenn man die notwendigen Neukonstruktionen im Bereich von Elektronik, Abschußtechnik, Silos und Sprengköpfen bedenke, so übertreffe dies alles, was bisher in der Geschichte der strategischen Waffen in so kurzer Zeit geleistet worden sei.

Schlesinger beklagt sehr, daß die amerikanische Militärmacht nicht mehr als so *awesome* – so ehrfurchtgebietend – gewertet werde, eben weil nicht genug für die Rüstung getan worden sei und der neue Kongreß sich seinen, Schlesingers, derzeitigen Bemühungen widersetze. Sein Verteidigungshaushalt für 1975/76 sieht Ausgaben in Höhe von 94 Milliarden Dollar vor, die unter Berücksichtigung der »Bewilligungsautorität« des Pentagon noch aufgestockt werden können, so daß unter Umständen zum erstenmal die 100-Milliarden-Dollar-Grenze überschritten wird. Seit der Abschaffung der Wehrpflicht und der Zunahme der Arbeitslosigkeit zeichnet sich im übrigen ein neues Problem ab: der Zustrom schwarzer Freiwilliger zu einer Armee, die von weißen Offizieren geführt wird.

Nicht nur der Verteidigungsminister, die Mehrheit des Pentagon steht Henry Kissingers Entspannung mit Skepsis gegenüber. Und Senator Jackson, der bereits seit dem letzten Sommer mit einem Stab von 22 Mitarbeitern und einer Million Dollar Wahlgeld in der Kasse an seiner Kandidatur für die Präsidentschaftswahlen im Herbst 1976 bastelt, stößt in das gleiche Horn. Er benutzt jede nur denkbare Gelegenheit, um Kissingers Ostpolitik ein Bein zu stellen.

Henry Kissinger ist überhaupt die Zielscheibe allen Ärgers: Jackson und Schlesinger stempeln ihn zum *appeaser;* der Kongreß wirft ihm seine Geheimdiplomatie vor, er sei autoritär und undemokratisch; die Intellektuellen ärgern sich über seine Intelligenz; die Journalisten, die mit der Hälfte der Informationen alles doppelt so gut wissen, zählen befriedigt die Rückschläge; und die vernachlässigte Ministerialbürokratie des *State Department* fühlt sich um ihre Bedeutung gebracht. Alle miteinander wünschen sich offenbar einen Adler mit den Lebensgewohnheiten der Wildgänse, die mit bürokratischer Präzision immer und überall ihre Flugordnung einhalten. Und nun ärgern sie sich, weil sie einen Adler mit Adlerallüren haben.

Lauter als alles andere aber sind die Klagen über die wirtschaftliche Situation. Eine Inflationsrate von 10,3 Prozent im Jahr 1974, Rückgang der Industrieproduktion um 3,6 Prozent im Januar 1975 bei derzeit 7,5 Millionen Arbeitslosen und ein voraussichtliches Defizit im Haushalt von 1976, das 51, vielleicht sogar 70 Milliarden Dollar betragen wird ... das kann schon manchen das Fürchten lehren. Vor allem, weil an der Durchschnittszahl für die Arbeitslosigkeit, die augenblicklich 8,2 Prozent beträgt, Teenager mit 23 bis 25 Prozent und die Farbigen mit 14 bis 15 Prozent beteiligt sind.

Auch gibt es, so schätzt man, eine Dunkelziffer von drei bis vier Millionen illegaler Einwanderer, die vorwiegend über die mexikanische Grenze ins Land strömen und keine Aufenthaltsgenehmigung besitzen. Viele von ihnen sind arbeitslos, die meisten unterbeschäftigt und kein einziger normal bezahlt. Sie stellen das eigentliche Elendspotential dar, das in keiner Statistik erscheint, weil sie, wie Morgenstern sagt, im Sinne bürgerlicher Konvention nicht existent sind.

Am 3. Februar wurde das Budget für 1976 veröffentlicht, ein dickes Buch, das auch die Projektionen bis 1980 verzeichnet. An diesem Tage drehte sich jede Unterhaltung – egal ob auf dem Kapitol, in einer Redaktion oder bei einer Cocktailparty – um diese Projektionen. Für 1977 weisen sie nämlich noch 6,5 Prozent Inflation und 7,5 Prozent Arbeitslosigkeit aus. »Wie der wohl im Herbst 1976 die Wahl gewinnen will?« fragt sich jedermann.

Es gibt eben keine Aktivität, bei der die Erbschaft, die Gerald Ford angetreten hat, sich nicht wie ein Mühlstein um seinen Hals legt, und kein Gebiet, in das sich nicht die Spuren seines Vorgängers eingegraben haben. In diesem Fall ist es die Angst vor Schönfärberei und manipulierten Zahlen, mit denen das Publikum jahrelang betrogen wurde, die den Präsidenten zur Preisgabe schwärzester Zukunftsperspektiven veranlaßte. Erst 1980, so rechnen seine Berater, wird die Inflation auf vier Prozent und die Arbeitslosigkeit auf fünf Prozent zurückgegangen sein. Die Börse scheint da ein bißchen zuversichtlicher zu sein; sie ist in den letzten sechs Wochen im Durchschnitt um 20 Prozent gestiegen.

Die drückendste Erbschaft aber ist das Verhältnis zwischen Regierung und Kongreß. Seit den Tagen Roosevelts hatte der Kongreß stillschweigend auf eine Prärogative nach der anderen verzichtet, was ihm wohl erst unter Nixon so recht zum Bewußtsein kam. Es war Johnson, der 543000 amerikanische Soldaten in Vietnam kämpfen ließ, ohne daß je der Krieg erklärt worden wäre, was laut Verfassung nur unter Mitwirkung des Senats möglich ist. Als dann zu Vietnam auch noch Watergate hinzukam, schwor sich der Kongreß, in Zukunft andere Saiten aufzuziehen. Dieser Moment war gekommen, als Nixon zur Abdankung gezwungen wurde und Ford seine Erbschaft antrat.

Fast die Hälfte der 435 Abgeordneten des Repräsentantenhauses sind erst seit 1970 im Parlament, und 37 der 100 Senatoren befinden sich in ihrer ersten Dienstperiode. Diese vielen neuen Volksvertreter sind fest entschlossen, einen rigorosen Reinigungsprozeß durchzuführen, den moralischen Gesetzen wieder Geltung zu verschaffen, die Nation von Grund auf zu erneuern und schließlich den Kongreß wieder in seine alten Rechte einzusetzen. Es sind tatendurstige Puristen, die ins Kapitol eingezogen sind, Aktivisten, die viel von Führung, Moral und Reformen reden.

Fords Problem ist gar nicht so sehr das Übergewicht der Demokraten im Kongreß, es geht meist gar nicht um parteipolitische Differenzen. Das Problem ist vielmehr grundsätzlicher, verfassungsrechtlicher Natur: Die Legislative ist gegen die Exekutive angetreten. Nach der Usurpation der Macht durch den Präsidenten schwingt jetzt das Pendel nach der anderen Seite. Nun ist der Kongreß dabei, die Autorität des Präsidenten in Frage zu stellen. Jetzt wollen die Abgeordneten und Senatoren zur Abwechslung die Macht ergreifen.

Sie mischen sich in die auswärtige Politik: Sie haben mit Jacksons abwegiger Forderung nach einer Liberalisierung der Auswanderung aus der Sowjetunion als Vorbedingung für die Gewährung der Meistbegünstigung beim Handelsvertrag diesen Vertrag zu Fall gebracht. Nicht weniger abwegig wäre es, wenn die Sowjets ihrerseits erklärten, sie würden erst dann einen Handelsvertrag mit den Vereinigten Staaten abschließen, wenn dort alle schwarzen Kinder in weiße Schulen eingegliedert sind.

Sie mischen sich in die Verteidigungspolitik: Der Kongreß hat die Militärhilfe für die Türkei gestrichen – was eine, wenn möglich, noch größere Dummheit ist, denn dies muß ja am Vorabend eines immerhin denkbaren neuen Krieges im Nahen Osten die tödliche Gefahr einer Antagonisierung der Türkei heraufbeschwören. Auch die Erhöhung der Militärhilfe für Indochina verweigert das Parlament.

Sie mischen sich in die Wirtschaftspolitik: Erst haben die Abgeordneten und eine Woche später die Senatoren das Energieprogramm des Präsidenten torpediert. Er muß es um 90 Tage verschieben, das heißt, es ist praktisch gescheitert; denn niemand kann sich vorstellen, wie das Veto des Präsidenten eine Zweidrittelmehrheit verhindern könnte. Dabei haben die Demokraten noch gar kein eignes Programm, das sie an die Stelle setzen könnten. Sie wollen erst eins erarbeiten.

Der Kongreß beteuert ständig die Notwendigkeit der Führung. *Leadership must be restored,* heißt es. Aber das sind verbale Beschwörungen – die Handlungen des Kongresses bewirken genau das Gegenteil: Sie schwächen den ohnehin schwachen Präsidenten. Und sie schwächen ihn ausgerechnet in einer Krise, in der es notwendig wäre, mit großer Sicherheit aufzutreten und moralische Anforderungen an die Bürger zu stellen. Dies aber kann nur ein Regierungschef, sofern er dazu qualifiziert ist. Winston Churchill konnte dies, das Parlament ist dazu gar nicht in der Lage.

Die Abgeordneten wollen ja schließlich wiedergewählt werden, sie verfügen überdies nicht über die notwendigen Informationen, und außerdem haben die Regionen, die sie repräsentieren, ganz verschiedene Interessen. Texas beispielsweise hat nur zwei Prozent Arbeitslosigkeit und kein Defizit im Budget; jenen Staaten, die selber über Öl oder Gas verfügen, geht es sehr viel besser als dem Nordosten des Landes, der ausschließlich auf Importe angewiesen ist.

Nun, der Kongreß wird sich diese Art lebensgefährlichen Indianerspiels nicht mehr lange leisten können: Die Wähler werden verlangen, daß etwas geschieht. Es ist nicht genug, den Präsidenten zu blockieren, die Politik des Außenministers zu durchkreuzen und die Talfahrt der Wirtschaft mit theoretischen Streitgesprächen darüber, ob die Rezession mit oder ohne Keynes bekämpft werden soll, zu verlängern.

Ich war bei einer dreitägigen Konferenz des *Center for Strategic and International Studies* der Georgetown-Universität. Dort stritten Experten aus aller Welt über monetäre und ökonomische Probleme, über das *Recycling* des Petrodollars und die Rolle der USA in der internationalen Finanzstruktur. Auch dort wurde Keynes als Zeuge für und gegen die derzeitigen Probleme häufig zitiert. Und überdies manch amüsante historische Parallele gezogen, so von Guido Carli, dem Gouverneur der Bank von Italien.

Carli schilderte den monetären Ruin, der sich nach dem Untergang von Byzanz, das mit seiner Handelsmünze, dem Solidus, die damalige Welt beherrschte, ausgebreitet hatte, bis dann am Ende des 7. Jahrhunderts der Kalif Abd el Malek eine Währungsreform durchführte und den Dinar an die Stelle des Solidus setzte. »Als das arabisch-islamische Reich auf der Höhe seiner Macht war, wanderte das Gold von Europa nach dem Orient. Da aber die Kalifen das Gold in den Kasten steckten, anstatt es zurückzuschleusen, geriet das internationale Währungssystem aus den Fugen: Der Westen trocknete aus, und der Orient erfuhr keine Befruchtung durch den Zuwachs, weil das Gold gehortet wurde. Einige Historiker betrachten die Kreuzzüge, die Urban II. protegierte, wenn nicht als das Motiv, so doch als ein Mittel, um das moslemische Gold wieder in Umlauf zu bringen.«

Andere Redner wiesen darauf hin, daß am Ende des 19. Jahrhunderts ein viel größerer Transfer von Kapital, beispielsweise in Länder wie Australien, Norwegen und Japan, vorgenommen worden sei als heute. Schlußfolgerung: Man solle sich durch das Problem des *Recycling* nicht kopfscheu machen lassen. Mit einer einzigen Ausnahme waren alle der Meinung, daß das Floaten der Wechselkurse mit den Schwierigkeiten des Jahres 1974 in optimaler Weise fertig geworden ist. Kein Wort mehr davon, daß ohne ein neues Bretton-Woods-System der internationale Handel zum allmählichen Erliegen kommen werde – statt dessen höchstes Lob für die vielen Improvisationen.

Ich staunte, denn während des ganzen Jahres 1974 hatte ich immer nur Wehklagen gehört: »Die Vervierfachung des Ölpreises hat uns vor unlösbare monetäre Schwierigkeiten gestellt.« Oder: »Das Problem ist so neu, daß wir es noch nicht einmal verstanden haben, geschweige denn, es in seinen Dimensionen übersehen könnten.« Jetzt also scheint man es plötzlich zu verstehen.

Am zweiten Tag der Konferenz trat ein hoher Beamter aus dem Finanzministerium auf und teilte mit, daß die Zahlen, die Anfang 1974 von der Weltbank genannt wurden, falsch seien. Die Weltbank hatte vorausgesagt, daß bis zum Jahr 1980 die OPEC-Länder 650 Milliarden nicht ausgegebener Dollar anhäufen würden – das Finanzministerium aber schätzt nun, es würden »nur« 200 bis 250 Millionen Dollar sein, weil jene Länder doch sehr viel mehr Waren und Dienste zu absorbieren vermögen, als angenommen worden war.

Auf diese frohe Botschaft hin wurden die Experten noch optimistischer. Hörte man bisher immer wieder das Wort »*unmanageable*« – nicht machbar –, so fiel nun das Urteil »*manageable*« – machbar – auf dieser Konferenz gewiß ein dutzendmal.

Man fragt sich mit einiger Sorge, was wohl der psychologische Einfluß solcher Konferenzen sein mag, deren Emanation rund um die Welt geht, von Washington bis Tokio und zurück. Im Kreis dieser Experten kennt jeder jeden, und solches Beisammensein ist wie ein riesiger Resonanzboden: Optimismus oder Pessimismus werden verstärkt, die jeweils im Umlauf befindlichen Zahlen beeinflussen Meinungen und wohl auch Entscheidungen. Nachher stellt sich dann heraus, daß alles auf falschen Voraussetzungen beruhte – vielleicht zeigt sich auch kurz darauf, daß die falschen doch richtig waren! Auf wirtschaftlichem Gebiet, wo man immer meint, mit faktischen Größen und Zahlen zu hantieren, ist dieses Phänomen noch erschreckender als in der Politik, wo Prognosen ohnehin spekulativ sind.

Apropos Prognosen: Ich habe keinen verantwortlichen Politiker oder Ostexperten getroffen, der nicht überzeugt gewesen wäre, daß die Entspannung zwischen Ost und West weitergehen wird. Die Diplomaten im *State Department* und auch die erfahrenen Leute im Kongreß glauben also nicht, daß die Aufkündigung des Handelsvertrages durch Moskau eine nachhaltige Zäsur darstellt.

Vielleicht ist den Sowjets nur die ständig wiederholte These, sie hätten westliche Technologie und *Know-how* so dringend notwendig, daß sie darum zu allem bereit seien, auf die Nerven gegangen. Und als die Amerikaner ihnen dann nur klägliche 300 Millionen Dollar über vier Jahre verteilt als Kredit anboten, hielten sie es wohl für richtig, einmal zu zeigen, daß sie keineswegs vom Westen abhängig sind.

Im übrigen läuft alles weiter. Im März findet in Moskau eine Konferenz über sowjetisch-amerikanische wirtschaftliche Zusammenarbeit statt, und zwar über langfristige Zusammenarbeit; die US-Delegation wird von einem stellvertretenden Finanzminister geführt. In Washington wird zur gleichen Zeit eine amerikanisch-sowjetische Handelsorganisation tagen, zu der die Sowjets drei stellvertretende Minister entsenden. Und schließlich geht ebenfalls im März eine Delegation des amerikanischen Kongresses in die Sowjetunion.

Auch die Unterredung zwischen Kissinger und Gromyko in Genf beweist, daß jene Unkenrufe, die Sowjetunion werde mit und ohne Breschnew alles tun, um die Krise der westlichen Welt auszunutzen, an der Realität vorbeigehen. Moskau ist an Stabilität genauso interessiert wie alle anderen. Das ist in der Tat für den Kreml eine neue Situation. Früher einmal mag es den Sowjets – egal zu welchem Preis – um den Zusammenbruch des Kapitalismus gegangen sein. Heute wägen sie ab. Sie müssen sich fragen, was ist wichtiger: Stabilität oder Expansion? Wirtschaftlicher Ausbau oder militärischer *overkill;* Unterstützung der kommunistischen Parteien in Westeuropa oder die Verhütung einer Destabilisierung?

Dies ist ein Fortschritt. Ein Fortschritt, den Washington durch die Politik der Entspannung erreicht hat.

Das Gewissen Amerikas

Zum 80. Geburtstag
von John J. McCloy

Hamburg, im März 1975

Wenn man ihn bei einer Konferenz oder auf einer Sitzung beobachtet, könnte man meinen, er schliefe: Stundenlang sitzt er wie ein Buddha da, unbeweglich, die Augenlider gesenkt – dann plötzlich regt er sich, schiebt die vor ihm liegenden Papiere samt Brille beiseite und beginnt, noch ein wenig zögernd und mit gedämpfter Stimme, zu reden.

Handelt es sich darum, für ein kompliziertes Problem eine Lösung zu finden, dann lautet seine erste Frage gewöhnlich: »*What makes sense?*« Die zweite: »*What is fair?*«. Geht es aber darum, einen Sachverhalt zu strukturieren, Ordnung in ein gedankliches Chaos zu bringen, dann gibt es niemanden, der dies so leicht, so selbstverständlich und auf solch überzeugende Weise zu tun versteht wie John Jay McCloy.

Er hat lange Jahre in der Öffentlichkeit gewirkt, abwechselnd im öffentlichen Dienst – als Unterstaatssekretär im US-Verteidigungsministerium, Amerikas Hochkommissar in Deutschland, Sonderberater des Präsidenten in Abrüstungsfragen – oder mit privaten Aktivitäten als Partner in großen internationalen Anwaltsfirmen, als Präsident der Weltbank, Chairman der *Ford Foundation*, Chef der *Chase National Bank*. Der liberale Republikaner hat unter Roosevelt und Truman gedient und war Berater von Eisenhower, Kennedy und Johnson. Er hat an den Konferenzen von Casablanca, Kairo, Potsdam und San Franzisko teilgenommen, hat die *Lend-lease*-Gesetzgebung durch den Kongreß gesteuert, mit Hilfe von Stimson den Morgenthau-Plan torpediert und so manche heikle diplomatische Mission im Nahen Osten und in Europa bewältigt.

Wenn man ihn heute – am 31. März wird er 80 Jahre alt – fragen würde, was für ihn das Wichtigste in seinem Leben gewesen ist, würde seine Antwort wohl lauten: »*To have served the country*.« Für manchen von uns mag dies ein wenig pathetisch klingen, obgleich er es sicher extra trocken und unterkühlt herausbringen würde – Europäer sind eben skeptisch, wenn nicht zynisch geworden. Amerikaner dagegen haben – oder jedenfalls hatten sie bis Vietnam und Watergate – ein ganz ungebrochenes Verhältnis zum Staat: *Public service* ist ein Begriff, bei dem vielen von ihnen ein bißchen feierlich zumute wird. Um des *Public service* willen hat schon mancher – auch McCloy – hohe und höchste Gehälter preisgegeben.

Jack, wie seine Freunde McCloy nennen, führt nicht das Leben eines Achtzigjährigen. Noch vor fünf Jahren jagte er Grizzly-Bären in Alaska. Ende vorigen Jahres erlebte ich ihn auf der Deutsch-Amerikanischen Konferenz in Bad Godesberg. Nach drei anstrengenden Tagen stand er am nächsten Morgen um sechs Uhr auf, flog nach Berlin, besichtigte die Veränderungen in der Stadt, war Ehrengast bei einem Mittagessen, das der Regierende Bürgermeister für ihn gab und dessen Teilnehmer er mit einer seiner stets pointenreichen Tischreden in angeregte Heiterkeit versetzte, nahm am Nachmittag an einer Diskussion bei »Aspen-Berlin« teil, der ein Empfang beim US-General folgte, und ging dann in die Oper, um die »Meistersinger« zu hören ...

McCloy ist, seit er als junger Offizier im Ersten Weltkrieg gegen die Deutschen kämpfte, immer auf diese oder jene Weise mit unserem Land verbunden gewesen. Die Großeltern seiner Frau waren aus Deutschland eingewandert; er spricht Deutsch; zehn Jahre seines Lebens hat er als Anwalt einem berühmten Spionagefall aus dem Ersten Weltkrieg, *Black Tom,* gewidmet. Dieser Fall, in den auch Franz von Papen verwickelt war, wurde erst 1939 vom Haager Schiedsgericht entschieden: Die Deutschen mußten damals 26 Millionen Dollar Schadenersatz zahlen. Heute verbindet McCloy ein ganzes Geflecht von Freundschaften mit Europa – aber am dichtesten ist dieses Netz wohl in Deutschland.

Shepard Stone, derzeit Direktor von Aspen-Berlin, jahrelang sein engster Mitarbeiter, erzählt folgende Geschichte: »Ende 1949 oder Anfang 1950, als Jack Hoher Kommissar in Deutschland war, mußten wir zusammen in die USA, um bei einem *Congress Hearing* auszusagen. An einem freien Nachmittag flogen wir nach Boston hinüber, wo Jack zu den ersten deutschen Austauschstudenten sprechen sollte. Er war riesig gespannt, wie wohl die Reaktion der jungen Deutschen auf Amerika sein werde. Bis zehn Uhr abends dauerte die Diskussion, dann mußten wir zurück; aber Jack hatte noch immer nicht genug. Um die Unterhaltung fortsetzen zu können, begleitete uns auf dem Rückweg ein junges Mädchen, das uns als besonders intelligent, offen und gut formulierend aufgefallen war. Ihr Name: Hildegard Brücher – heute Hildegard Hamm-Brücher.«

McCloy ging im Juni 1949 als Hoher Kommissar nach Deutschland. Schon Anfang 1945 aber war er als Leiter der *Civil Affairs Division* an der Durchführung der Besetzung beteiligt. Damals verhinderte er durch sein persönliches Eingreifen die Zerstörung der Stadt Rothenburg ob der Tauber, zu deren Ehrenbürger er 1948 ernannt wurde.

Bei McCloy kann man sich immer auf die menschlich richtige Reaktion verlassen: Im Oktober 1950 verfügte er die Entlassung von Staatssekretär Ernst von Weizsäcker – der 1939 alles getan hatte, um den Krieg zu verhindern – aus dem Gefängnis; im August 1951 lehnte er das Gesuch ab, Freiherr von Neurath – der sich als »Reichsprotektor von Böhmen und Mähren« hatte mißbrauchen lassen – aus der Haft in Spandau zu entlassen. In den folgenden Jahren trat er mit großer Verve vor dem McCarthy-Tribunal für Robert Oppenheimer ein.

Ich hatte McCloy und seine Frau, die für viele Deutsche damals der gute Stern war, im Sommer 1949 kennengelernt. Als ich eines Abends in ihrer Residenz in Homburg eingeladen war, berichtete der Hausherr von einem Jagderlebnis, das sich gerade zugetragen hatte.

Bei einer herbstlichen Treibjagd – McCloy stand, die Flinte im Arm, auf einer Waldschneise – kroch plötzlich unmittelbar neben ihm statt des erwarteten Hasen ein Mann aus der Dickung, der dort gewildert oder vielleicht auch Holz gestohlen haben mochte, jedenfalls hatte er ein schlechtes Gewissen. Der Mann erschrak bis ins Mark – kreideweiß riß er den rechten Arm zum »deutschen Gruß« hoch und schrie: »Heil Hitler!« Einer der anwesenden Amerikaner meinte: »Da kann man mal sehen, wie tief der Nazismus bei denen sitzt.« McCloy hörte sich das an und entgegnete trocken: »Ich hatte das Gefühl, diese automatische Reaktion zeigt nur, wie tief verängstigt viele Leute gewesen sein müssen, wenn sie nach Jahren noch immer die gleichen Reflexe haben.«

Zu jener Zeit war angesichts der herrschenden Arbeitslosigkeit unser aller Hauptsorge die Demontage von Industrieanlagen, von der die Alliierten durch keinerlei Argumente abzubringen waren. Eines Tages hatte ich durch einen Zufall erfahren, daß die Amerikaner wahrscheinlich bereit sein würden, diesen Irrsinn einzustellen, wenn die deutsche Regierung von sich aus sieben oder acht größere Werke zur Demontage anbieten würde.

Es schien mir unerläßlich, dieses Wissen, das dank der Bekanntschaft mit McCloy gut fundiert war, dem eben gewählten ersten deutschen Regierungschef mitzuteilen. Ich machte mich also – es mag Mitte Oktober 1949 gewesen sein – nach Bonn auf, um Dr. Adenauer darüber zu berichten und ihm zu raten, sich doch mit McCloy in Verbindung zu setzen. Aber Konrad Adenauer wollte nicht. Er habe McCloy noch nicht kennengelernt, und da dessen Frau deutscher Abstammung und eine Cousine seiner verstorbenen Frau sei, möge er ihn nicht von sich aus ansprechen.

Ich vermochte nicht recht einzusehen, was Adenauers Verwandtschaft mit der Demontage zu tun habe, und sagte beiläufig, meine Unterlagen zusammenpackend, ich würde nun Dr. Schumacher, dem Chef der Opposition, die Sache vortragen. Auf diese Ankündigung hin wurde sofort Herbert Blankenhorn herbeigeholt, und Adenauer nahm die Sache dann doch in die Hand.

Vor einigen Jahren – der Begriff Establishment war gerade aufgekommen – wurde in Amerika, genau wie bei uns, gern das Spiel gespielt: »Wer gehört zum Establishment?« In einem Freundeskreis dessen Mittelpunkt John Kenneth Galbraith war, wurde wie bei einem Puzzle die Idealfigur theoretisch zusammengesetzt: der Betreffende muß in Harvard studiert haben; er muß ein WASP *(White Anglo-Saxon Protestant)* sein; ferner als *Chairman of the Board* der *Ford Foundation* des *Council on Foreign Relations* und der *Chase Manhattan Bank* fungiert sowie verschiedenen Präsidenten in hohen Posten gedient haben. Nachdem man sich auf diesen Typ geeinigt hatte, wurden die Lebensläufe prominenter Amerikaner nachgeschlagen. Der einzige auf den alle Vorbedingungen optimal zutrafen, war McCloy.

Aber diejenigen, die da meinen, man werde ins Establishment geboren, werden durch ihn eines Besseren belehrt. Jack McCloy war sechs Jahre alt, als sein Vater, ein kleiner Versicherungsbeamter, starb. Da der Vater keine Versicherung hinterlassen hatte, mußte seine Witwe zu

Hause Wäsche waschen, damit der junge Jack auf die Quäker-Schule gehen konnte.

John Jay McCloy wurde nicht ins Establishment geboren, und er hat sich seine eigene Lebensweise und seine eigenen Maßstäbe erhalten. Er übernimmt keinen Vorsitz, wenn er sich dem Unternehmen nicht wirklich widmen kann. Im Gespräch redet er die Leute nie tot, sondern ist immer der Fragende: »Was hältst du von dieser oder jener Sache . . .?« Viele nennen ihn das Gewissen Amerikas.

Folgt Waterloo auf Watergate?

Die sowjetischen Rüstungsausgaben steigen, die amerikanischen fallen

Washington, im Februar 1976

Auf Außenminister Henry Kissingers Schreibtisch im siebten Stock des *State Department* liegt eine dicke Mappe mit Telegrammen. Sie alle beschwören die amerikanische Regierung, den Russen in Angola Einhalt zu gebieten, sie nicht nach Belieben schalten und walten zu lassen. Die Warnrufe kommen nicht nur aus Amerika, sie kommen aus aller Welt: aus Europa, China, vor allem aber aus Afrika. Auch Staaten, die bei der OAU-Abstimmung für die MPLA Stellung nahmen, teilen heimlich ihre Besorgnis mit.

Am größten sind Sorge und Unruhe bei den Nachbarn Angolas, in Zaire, dem früheren Kongo, dessen Chef sich zugunsten der antikommunistischen FNLA stark exponiert hat, und bei Kaunda, dem Präsidenten von Sambia, der vor kurzem in seinem Land schon den Ausnahmezustand erklären mußte. Sambia, dessen Wirtschaft durch die sinkenden Kupferpreise ohnehin schwer angeschlagen ist, hat größte Schwierigkeiten mit seinem Im- und Export, der in normalen Zeiten über Angolas Hafen Benguela abgefertigt wird. Überdies sind bewaffnete Banden schon mehrfach aus Angola über die Grenze gedrungen, und schließlich haben die Studenten des Landes jetzt erste Demonstrationen zugunsten der MPLA inszeniert.

Der Süden Afrikas schwirrt von Gerüchten und ist voller Schreckensnachrichten. Hunderttausende von Flüchtlingen, 11 000 sowjetische Söldner – denn genau dies ist die Rolle der kubanischen Soldaten –, russische Panzer und schwere Waffen aller Art im Werte von rund 200 Millionen Dollar, die scheinbar über Nacht auf dem afrikanischen Kontinent aufgetaucht sind, das ist keine Kleinigkeit. Auch im *State Department* ist man besorgt. Zum erstenmal, so heißt es, bedrohe die sowjetische Macht außerhalb des eurasischen Festlandkomplexes einen kleinen Staat, und zum erstenmal seit dem Zweiten Weltkrieg werde hier einem Land eine Minderheitsregierung aufgezwungen.

Kissinger kann die Frage nicht beantworten, wohin es führen soll, wenn die Russen ihre raffinierte Kombination – eine *Big-Lift*-Apparatur der östlichen Großmacht, mit Söldnern aus der Vierten Welt bestückt – in Zukunft überall dort einsetzen, wo es den Machthabern des Kreml gerade paßt. Vielleicht morgen schon im Libanon, ohne daß die westliche Großmacht etwas dagegen unternimmt.

Kissinger kann nichts unternehmen, weil der Kongreß ihm jede Möglichkeit zum Handeln genommen hat. Er sagt, erst nachdem die finanzielle Unterstützung der nationalen Gruppen, die in Angola gegen die marxistische MPLA kämpfen, im Dezember durch den Kongreß abgelehnt wurde, habe der Strom russischer Waffen und kubanischer Söldner im großen Stil eingesetzt. In den folgenden vier Wochen seien fünfmal soviel Kämpfer und Waffen nach Angola gekommen wie in den vorangegangenen sechs Monaten.

Der bisherige Verteidigungsminister James Schlesinger, der als Gegner Kissingers gilt, geht noch weiter als der Außenminister. Er sagt, die Stabilität, auf der zur Zeit das Gleichgewicht der Kräfte in dieser Welt ruht, werde außer Kraft gesetzt, wenn die Vereinigten Staaten das Eingreifen der Russen in Angola einfach hinnähmen. Begründung: Die Chinesen würden das Vertrauen in Amerikas Stärke verlieren, wenn Washington nicht einmal in der Lage sei, einen Kolonialstaat in Afrika gegen den sowjetischen Imperialismus zu schützen.

Dieser 94. Kongreß hat seine Negativ-Bilanz mit knallroten Zahlen in das Buch der Geschichte Amerikas geschrieben. Es begann 1973 mit dem *Amendment* des Senators Jackson, das der Kongreß gegen den Protest der Regierung durch Abstimmung bestätigte. Dieses Zusatzabkommen machte das Inkrafttreten verschiedener Handelsvorteile, die der Sowjetunion zugesagt worden waren, von der Bedingung abhängig, daß Moskau jährlich eine große Anzahl Juden (die Rede war von 60 000) nach Israel ausreisen lasse. Erfolg: Die Sowjetführung war wütend über diese Einmischung, sie kündigte den Handelsvertrag von 1972; und während 1973 noch 35 000 Juden haben ausreisen dürfen, erhielten 1974 nur 13 000 das Exit-Visum. Die Détente hatte ihre ersten Beulen bekommen.

Nachdem die griechischen Obristen 1974 auf der Insel Zypern, die zu 80 Prozent von Griechen und zu 20 Prozent von Türken bewohnt wird, einen Staatsstreich angezettelt hatten in der Absicht, die Insel anschließend zu annektieren, besetzten die Türken Teile der Insel, um ihrerseits die türkische Minderheit zu schützen. Der amerikanische Kongreß, in dem es eine starke griechische Lobby unter Führung des Abgeordneten John Brademas gibt, verfügte ein Waffenembargo gegen die Türkei und verbot die Auslieferung der zugesagten Waffen aus der US-Militärhilfe. Folge: Die Türken waren wütend und verlangten den Abzug der Amerikaner von allen zwanzig militärischen Stützpunkten und Anlagen (nur eine einzige blieb erhalten); darunter waren vier elektronische Abhörstationen, die Moskaus Raketenversuche überwachten und den militärischen Funkverkehr über der südlichen Sowjetunion abhörten. William Griffith, Professor für politische Wissenschaft am MIT in Boston, meinte: »Wenn die Russen sich vorgenommen hätten, dies alles zu erreichen, sie hätten kaum hoffen können, soviel Erfolg zu haben.«

Das gleiche Wort gilt auch jetzt wieder für Angola. Ohne die Hilfe des Kongresses hätten die sowjetischen Agenten sich nicht so rasch und so nachhaltig in Angola festkrallen können. Zwar könnte jemand einwenden, nach dem Trauma von Vietnam hätte kein Kongreß Truppen oder Marine-Einheiten nach Angola schicken können – auch ein anderer als der 94. nicht. Das ist richtig, aber darum handelt es sich gar nicht. Um die Russen zu Mäßigung und Vorsicht zu veranlassen, hätte es vollauf genügt, sie im ungewissen zu lassen. Wenn aber der Kongreß erklärt, daß er keine finanziellen Mittel für Angola zur Verfügung stellt und damit den Sowjets jedes Risiko abnimmt, wären sie schön dumm, wenn sie nicht rasch das Gesetz des Handelns an sich rissen.

Man muß sich wirklich fragen, wieso die Amerikaner noch immer voller Stolz von der Gewaltenteilung reden, die ihre Verfassung garantiert, wenn neuerdings die Außenpolitik vom Kongreß usurpiert wird, also die Legislative die Exekutive entmachtet. Und wenn dann der Präsident, für den der Wahlkampf längst begonnen hat und der die Farmer nicht verärgern will, auch noch öffentlich erklärt, er sähe keinen Grund dafür, den Sowjets die 20 Millionen Tonnen Getreide, auf deren Lieferung sie absolut angewiesen sind, zu sperren, dann bleibt dem Außenminister wirklich keinerlei Spielraum. Auch hier

wieder: Durch Schweigen hätte man den Sowjets quälende Ungewißheit aufgebürdet, ohne die Bauern um ihren Vorteil zu bringen.

Die Amerikaner sind über die Russen und die Enttäuschung mit der
Entspannung verärgert, aber die Repräsentanten des Volkes versperren der Regierung die Möglichkeit, entsprechend zu reagieren. Jetzt
haben wir das Schlechteste beider Welten. Einerseits wurde das Risiko
der Détente für Moskau auf ein Minimum reduziert, (Chruschtschow
schrieb in seinen Memoiren über die vorübergehende Entspannung
von 1954/55: »Wir hatten Angst, wirklich Angst. Wir fürchteten, das
Tauwetter würde eine Flut hervorrufen, die wir nicht würden unter
Kontrolle halten können und in der wir alle ertrinken könnten.«) Und
andererseits: Weil Moskau von der Entspannung so wenig profitiert
hat, ließ es seine Militärmaschine auf vollen Touren laufen.

Moskau hat in der Tat wenig profitiert. Breschnews Hoffnungen,
amerikanische Technologie und moderne Anlagen in großem Stil
importieren zu können, wurden im Zusammenhang mit dem Jackson-
Amendment vom Kongreß auf 300 Millionen Dollar für fünf Jahre
beschränkt, also auf einen Bruchteil reduziert. Aus dem Nahen Osten,
wo die Sowjets bereits fest im Sattel saßen, wurden sie im Windschat-
ten der Détente wieder herausgedrängt. Und von Helsinki haben sie
ebensowenig Nutzen gehabt wie der Westen. Vielleicht haben sie
darum ihre ganze Aktivität auf die Rüstung konzentriert.

Bei einer Konferenz des *Center for Strategic and International Studies*
in Washington nannten James Schlesinger und General Haig, der
Oberkommandierende der NATO, sowie Barry Blechman von der
Brookings Institution in der vorigen Woche interessante Zahlen. Die
Verteidigungsausgaben Washingtons, die Mitte der sechziger Jahre
noch 20 Prozent über denen Moskaus lagen, betragen heute nur mehr
70 Prozent der sowjetischen, die alljährlich um drei bis vier Prozent
steigen. General Haig sprach von einer »Explosion der militärischen
Kapazität der Sowjets, die bei weitem die Erfordernisse einer defensiven Haltung übersteigen«.

Der Besucher kehrt mit dem Eindruck nach Europa zurück, daß
Watergate nicht nur jegliche Führungsautorität zerstört und weite
Kreise in Amerika zum Masochismus, Skeptizismus und Zynismus
geführt hat, sondern daß Watergate aus außenpolitischen Gründen für
den Westen als Ganzes eine Tragödie war – fast ein Waterloo.

Jimmy Carter vor den Toren
des Weißen Hauses

Seine simple Rechtschaffenheit
läßt viele Amerikaner hoffen, aber
das Establishment ist skeptisch

Washington, im Juli 1976

Ob es das wirklich gibt, daß man einen Wendepunkt in der Geschichte
eines Volkes greifbar deutlich zu sehen vermag? Ich weiß es nicht, aber
der 4. Juli in diesem Bicentennial-Jahr und der unaufhaltsame Aufstieg
des Jimmy Carter schienen mir ein ganz neues Amerika zu markieren.

Nichts mehr von dem *»new pessimism«,* geboren aus Desillusionierung, Autoritätsverschleiß und allgemeiner Verunsicherung; jenem
Zustand, den Richard Holbrooke in *Foreign Policy* als die derzeitige
Weltanschauung der Amerikaner charakterisierte – als, wie er sagt,
eine seltsame Konvergenz der *New Left* und des *Neoconservatism.*

Die üblichen Klagen über Verbrechen, Drogen und den Verfall der
Städte stehen derzeit nicht im Vordergrund. Und auch die endlos
erscheinende Skandalkette Vietnam, Watergate, CIA, Lockheed, Kon-
greß-Amouren hat kein Glied mehr angesetzt. Es scheint, daß die
masochistische Zerstörungswut erlahmt, das Bedürfnis, immer neue
Mißstände aufzudecken, zum Stillstand gekommen ist. Vielleicht haben
sie sogar ihr Ziel erreicht. Denn das ist das Erstaunliche an diesem so
vitalen Volk: Die Amerikaner resignieren nicht, sie krempeln die Ärmel
auf fürs Großreinemachen – auch jetzt noch beim letzten Kapitel, den
Bestechungsskandalen; und hernach zeigen sie beim Heilungsprozeß
den gleichen Eifer.

Am 11. März 1975 verkündeten die Direktoren der *Gulf Oil,* daß
eine Kommission gebildet werde, die gewisse Zahlungsgepflogenhei-
ten dieser Gesellschaft untersuchen solle. Resultat: Am 15. Januar
1976 traten vier Top-Manager zurück. Am 1. August 1975 wurden die
anrüchigen Praktiken des größten Rüstungslieferanten, der *Lockheed
Corporation,* bei der Akquisition von Aufträgen im Ausland bekannt.

Am 13. Feburar 1976 traten die beiden Chefs von Lockheed zurück.

Anfang des Jahres 1976 begann auch die Regierung sich einzuschalten. Sie forderte die großen Gesellschaften auf, freiwillig die Fälle aufzudecken, bei denen »*improper payments*« geleistet worden sind. Fast 90 Gesellschaften folgten dieser Aufforderung. Am 10. Februar 1976 teilte der *Internal Revenue Service* – das zentrale Finanzamt Amerikas – mit, daß im Zusammenhang mit einer Steuerprüfung die Chefs der 1200 wichtigsten Gesellschaften gefragt werden würden, wie es ihr Unternehmen mit derartigen Zahlungen halte. Die Monsterveranstaltung ist noch immer im Gange.

Verschiedene Vorstände großer internationaler Gesellschaften haben daraufhin eine Art Verhaltenskodex für ihre Firmen ausgearbeitet. Bob Anderson, Chairman der *Atlantic Richfield Oil Company,* hatte bereits vor zwei Jahren in einer Erklärung für seine Mitarbeiter darauf hingewiesen, daß zweierlei notwendig ist: »Eine durch die Direktion vorgezeichnete klare Linie und dazu die Bereitschaft und das Urteilsvermögen jedes Angestellten, eben diese Politik durchzuführen.«

Ich las zufällig den Brief, den der Vorsitzende der *Borg-Warner Corporation,* einer großen internationalen Gesellschaft mit Sitz in Chicago, Ende Juni an die fast 40 000 Angestellten der Firma geschrieben hat, und fragte mich, ob europäische Unternehmen soviel Idealismus aufbringen würden – und auch die Naivität, die dazugehört, einen solchen Brief zu konzipieren.

In diesem Brief heißt es: »Wir glauben, die meisten Entscheidungen sollten von den jeweils verantwortlichen Chefs getroffen und nicht von der Gesellschaft schematisch verordnet werden. Sie selbst – die Angestellten – sollen jedoch wissen, was wir von Ihnen hinsichtlich der moralischen Seite solcher Entscheidungen erwarten. Kurz gesagt dies: Borg-Warner will nicht, daß Sie in Erfüllung ihrer Pflicht in irgendeiner Weise Ihren ethischen Prinzipien zuwiderhandeln.« Und dann folgt eine sehr praktische, sehr amerikanische Faustregel, nämlich zwei Fragen, die man sich in Fällen moralischen Zweifels stellen solle: »Wäre ich bereit, meiner Familie über das zu berichten, was ich vorhabe?« Und: »Wäre ich bereit, in meiner Gemeinde oder bei einem Kongreß-Hearing oder vor irgendeinem öffentlichen Forum die Handlungsweise, die ich gerade erwäge, zu vertreten?«

Überall sind alte Mißstände ausgeräumt worden, wurde großreingemacht – im Weißen Haus wie in der Business-Welt und im Kongreß mit seinen Sex-Affären. Die Vergangenheit ist bewältigt und nun will auch niemand mehr an sie erinnert werden. Jetzt soll ein neues Leben beginnen. Das ist die Chance des Jimmy Carter.

Vielleicht ließen Vergangenheit und Zukunft sich nicht so nahtlos aneinanderfügen, wenn nicht der 4. Juli und die Feiern zum 200jährigen Bestehen der Vereinigten Staaten alte Gefühle wieder erweckt hätten. Kaum zu zählen, wie oft ich nach jenen großen Feiern das immer wieder spontan vorgebrachte und überzeugend wirkende Statement gehört habe: »Ich war stolz auf mein Land.« Versuchte ich, diesem Gefühl auf den Grund zu gehen, so bekam ich zur Antwort: »Mir ist die grandiose Besonderheit unserer Geschichte noch nie so klargeworden.« Oder: »Ein solches Gefühl von Zusammengehörigkeit und Brüderlichkeit mit allen, die da durch die Straßen wogten, habe ich seit Jahren nicht mehr erlebt.« Oder: »Ich sah diesem Show-Geschäft und den Möglichkeiten, die es Terroristen bieten würde, mit größter Skepsis entgegen, dann aber war es plötzlich ein großes, ungetrübtes Fest der Freude, Heiterkeit und Harmonie.«

Natürlich besorgt einen Europäer die Bereitschaft, mit der der völlig unbekannte Jimmy Carter auch von Skeptikern und Intellektuellen als Führungsgestalt akzeptiert wird. Viele Politiker, Professoren, Journalisten habe ich befragt: »Er hat doch sicher keine Ahnung von Außenpolitik, hat doch vermutlich nie in weltpolitischen Kategorien gedacht, Georgia ist doch schließlich für euch, was für uns der Bayerische Wald ist?« Erwiderung: »Aber er hat erstklassige Berater, Cyrus Vance, Zbigniew Brzezinski, George Ball, Dick Gardener.«

»Ob er die großen wirtschaftlichen Zusammenhänge kennt und die Bedeutung der internationalen Währungsprobleme?« Antwort: »Er lernt sehr schnell. Zu Beginn des Wahlkampfes nannte er als Ziel seiner Präsidentschaft: Arbeitslosigkeit, Inflation und Diskontsatz, alle drei auf zwei Prozent herunterzubringen. Inzwischen hat er eingesehen, daß dies ganz unmöglich ist. Und nun spricht er nur noch von 4,5 Prozent.«

Carter hält den Abbau der Arbeitslosigkeit für noch wichtiger als die Bekämpfung der Inflation. Dies kann man nur verstehen, wenn man die beunruhigende Zunahme der Jugendarbeitslosigkeit unter den

Schwarzen in Betracht zieht. Sie steigt ständig, gleichgültig ob Boom oder Rezession das Wirtschaftsgeschehen bestimmen: 1955 betrug sie 15,8 Prozent, 1965 noch 26,2 Prozent, 1973 schon 30,2 Prozent, 1976 schließlich 40 Prozent.

Die Anzahl der weißen jugendlichen Arbeitslosen nahm 1976, verglichen mit 1955, nur um rund 6 Prozent zu. Jimmy Carter denkt offenbar an öffentliche Aufträge und im Hinblick auf die schwarzen Jugendlichen wohl auch an ein *Civilian Conservation Corps* für die Städte, wie es Roosevelt während des *New Deal* eingerichtet hatte – also an eine Art organisierten Arbeitsdienst.

Seine wichtigsten wirtschaftspolitischen Berater sind Lawrence R. Klein aus Pennsylvania und für internationale Währungsprobleme Professor Richard Cooper von der Universität Yale. Sie glauben im Gegensatz zu Milton Friedman, dem Berater Präsident Fords, daß die Finanz- und Steuerpolitik – und damit die Zinsrate – ebenso entscheidend ist wie die monetäre Politik, die davon ausgeht, daß alles nur eine Funktion der Geldmenge ist.

Um keine falschen Vorstellungen aufkommen zu lassen, betont Carter immer wieder, daß es sein Prinzip ist, die Staatswirtschaft abzubauen und der Privatwirtschaft so viel Spielraum zu gewähren wie irgend möglich. Er will alles aus dem Wege räumen, was die Marktwirtschaft und den Wettbewerb beeinträchtigt. So wird denn auch allgemein angenommen, daß unter ihm das Kartell-Gesetz in Amerika wesentlich verschärft werden würde.

Natürlich wird vor der Nominierung und während eines Wahlkampfes vieles verkündet, was später wieder in Vergessenheit gerät. So dürfte es einem Präsidenten Carter schwerfallen, sein Versprechen wahrzumachen, das Verteidigungsbudget um fünf bis sieben Milliarden Dollar zu kürzen und dennoch das Pentagon darauf zu vereidigen, die Abschreckung zu erhöhen und dafür zu sorgen, daß Amerika »die stärkste Flotte der Welt« zu seiner Verfügung hat. Wie es denn überhaupt wenig beruhigend ist zu erfahren, daß dieser Mann die letzten vier Jahre damit verbracht hat, 300 Tage im Jahr durchs Land zu ziehen, um Reden zu halten und sich dem Volk einzuprägen. Bei Revolutionären, die an die Macht gelangen, stellt sich hernach meist heraus, daß zum Regieren doch andere Qualitäten gehören als zum Revolutionieren – und bei Wahlkampftaktikern wird dies nicht anders sein.

Man muß jedoch zugeben, daß kaum je ein Präsidentschaftsbewerber in Amerika sich so bewußt jeglicher Demagogie und aller unnützen Rhetorik enthalten hat wie der Gouverneur von Georgia. Gerade seine schlichten, durch kein Pathos überhöhten und ohne jede Lautstärke vorgetragenen Reden sind es offenbar, die das Publikum überzeugen und in Bann schlagen. Er konzentriert sich nicht aufs Kritisieren. Im Gegenteil, er vermittelt Optimismus. *»He is very thoughtful and sincere«* – das ist ein Urteil, das man immer wieder hört. Ein sonst stets skeptischer, oft zynischer Kommentator sagte: »Er ist jemand, der die Nation mit Kraft und mit der unerläßlichen Gabe zur Vision führen kann, und der es den Leuten möglich macht, auch zu glauben, daß er wirklich dazu imstande ist.«

Daß Carter Willenskraft, Entschlossenheit, Zähigkeit und auch Augenmaß besitzt, beweist sein 1972 gefaßter Entschluß, das höchste Amt anzustreben und dann vier Jahre lang entsprechend zu leben, ohne je nachzulassen. Auch hat er bewiesen, daß eine gewisse Kraft zur Versöhnung von ihm ausgeht. Die zerstrittene Demokratische Partei hat zur Harmonie und Einigkeit zurückgefunden, die schwarzen Bürger stehen hinter ihm, *Biglabor* und die Liberalen auch. Vielleicht ist es die so ganz andere Art und Weise des Farmers und Südstaatlers, die die Leute fasziniert: seine Bodenverbundenheit und die simple Rechtschaffenheit, die keinerlei Assoziationen an doppelbödige Moral und zynischen Opportunismus aufkommen lassen.

Sein Pressechef Powell, offenbar Carters *alter ego,* sagt: »Auf einer Farm kann man nichts sich selbst überlassen. Wenn es Zeit zum Pflanzen ist, muß man pflanzen, sonst wird nichts daraus. Wenn die Zeit zum Pflügen ist, muß man pflügen, sonst kann man nicht ernten. Wenn die Ernte reif ist, muß sie eingebracht werden, sonst verdirbt sie. Um die Maschinen, die Tiere, die Aussaat – um alles muß man sich kümmern, für alles sorgen, Tag für Tag, sonst verliert man alles.«

Noch nie – jedenfalls nicht während der letzten 50 Jahre – hat es das gegeben, daß in Amerika jemand nach dem höchsten Amt greift oder auch nur einen hohen Posten anstrebt, ohne zuvor durch das strenge politische Establishment des Landes beobachtet und begutachtet worden zu sein. Der *Council on Foreign Relations* in New York, der 1921 gegründet wurde und der das außenpolitische Establishment des Landes verkörpert, stellt eine unnachahmliche Verbindung von Geld,

Geist und Macht dar. Alle führenden Leute gehörten und gehören ihm an: John McCloy, Averell Harriman, George Kennan, die Rockefellers, Dillons und andere Größen der Wirtschafts- und Finanzwelt, die wichtigsten Professoren von Harvard, Princeton, Stanford und Yale. Sie alle, die sonst jeden Kandidaten bei Vorträgen und Diskussionen genau beäugten, haben Jimmy Carter nie gesehen.

Der einzige, der ihn kennt, ist Zbigniew Brzezinski – und ihm müßte wirklich ein Denkmal gesetzt werden, weil er Carter in die *Trilateral Commission* (Amerika, Europa, Japan) aufgenommen und diesem damit den Zugang zu den Weltproblemen erschlossen hat. Professor Brzezinski kennt den Anwärter auf das Präsidentenamt seit drei Jahren. Und drei Jahre sind in diesem Zusammenhang eine lange Zeit. Verschiedene Journalisten, die ich traf, sagten ganz stolz: »Ich kenne Jimmy Carter schon seit dem Frühjahr 1975.« Und das sollte ebenso verblüffen wie ehedem die Feststellung, »mit dem war ich vor 20 Jahren im College zusammen«.

Carter spielte selber auf dieses Phänomen an – in der Rede im Madison Square Garden, mit der er die Nominierung zum demokratischen Präsidentschaftskandidaten annahm: »Ich habe nie einen demokratischen Präsidenten getroffen, aber ich bin immer ein Demokrat gewesen. Vor vielen Jahren, als Junge, da saß ich im Kreis der Familie nachts draußen auf dem Rasen vor dem Farmhaus. Alle drängten wir uns um das Radio, das an eine Autobatterie angeschlossen war, und nahmen so an dem demokratischen Parteikonvent teil, der irgendwo in einer fernen Stadt stattfand. Damals war ich von alledem weit entfernt.« Und mit einem Anflug von Humor fügte er hinzu: »*I feel much closer to it tonight.*«

Was eigentlich will Jimmy Carter? Daß es einem erfolgreichen Farmer in Georgia, dem es nach einem ersten, vergeblichen Versuch gelang, Gouverneur eines kleinen, entlegenen Bundesstaates mit noch nicht einmal fünf Millionen Einwohnern zu werden, plötzlich um die ganz große Macht geht, ist nicht anzunehmen. Macht als Selbstzweck ist sicherlich nicht seine Sache. Der Gouverneur ist ein frommer Mann, dem Grundsätze etwas bedeuten. Sein Bild von Amerika ist anders als das, was Johnson außenpolitisch und Nixon innenpolitisch daraus gemacht haben. Ihm geht es um die moralische Erneuerung des Landes. Es geht ihm um Reformen, vor allem um soziale Reformen.

Dies ist auch ein wesentlicher Grund dafür, daß er den liberalen Senator Walter Mondale zu seinem Vizepräsidenten erkoren hat. Carter will endlich ein modernes Krankenversicherungssystem obligatorisch machen – eine soziale Maßnahme, die in allen europäischen Staaten seit Jahrzehnten existiert.

Wenn Jimmy Carter ins Weiße Haus einzieht, dann werden sich die Vereinigten Staaten in mancher Beziehung mehr im Sinne Europas entwickeln, als es jenen lieb ist, die aus Angst vor dem sogenannten Sozialismus in Europa ihre Unternehmen oder ihr Kapital nach Amerika verlagert haben. Es wird mehr für den Wohlstand der Massen gesorgt werden als bisher; es wird mehr Planung geben, als bisher für nötig gehalten wurde; große Anstrengungen sind zur Rettung der Städte vorgesehen – auch dies wird viel Geld kosten. Lohn- und Preiskontrollen einzuführen, würde Carter sich nicht scheuen, aber er hofft, so sagt er, daß es nicht notwendig sein werde.

Ein Wendepunkt wäre es, wenn Jimmy Carter aus Georgia zum 39. Präsidenten der Vereinigten Staaten gewählt würde, vielleicht. Allerdings in anderer Weise, als seine Verehrer meinen. Die Amerikaner erfüllt eine Art Nostalgie nach der Zeit vor ihrem Sündenfall. Sie meinten schon, als Ford Präsident wurde: »Endlich ist wieder ein aufrechter, ehrlicher Mann an der Spitze der Nation, der tut, was er sagt, und sagt, was er glaubt.« Damals waren sie überzeugt, Gerald Ford werde sie zurückführen in das Gelobte Land, aus dem sie so leichtfertig ausgezogen waren. Bald aber folgte die Ernüchterung.

Auch Jimmy Carter wird die Amerikaner nicht mehr zurück in jenes erträumte Paradies führen können, in dem sie scheinbar ohne Fehl und ganz ohne Zweifel lebten. Die verlorene Unschuld kann nun einmal nicht wiedergewonnen werden. Aber es könnte dem Gespann Carter-Mondale vielleicht gelingen, die Gesellschaft wieder zu versöhnen und Amerika der modernen Auffassung vom Wohl aller – also der sozialen Gerechtigkeit – ein wenig näherzubringen.

Ein Realpolitiker mit Moral

Henry Kissingers Abschied: Ein bewunderter
Staatsmann, der viele Gegner hat

Hamburg, im Januar 1977

Wenn Henry Kissinger in diesen Tagen zum letztenmal die Tür jener
imposanten Suite im siebten Stock des *State Department,* die zum
Bereich des Außenministers führt, hinter sich schließt, werden ihm
dort nur wenige Tränen nachgeweint werden. Das hängt mit seiner
Gewohnheit zusammen, Geheimdiplomatie bis hinein ins eigene Mini-
sterium zu treiben.

Auf der größeren Bühne der Weltpolitik aber werden wir Henry
Kissinger vermissen. Mehr als irgendein lebender Staatsmann oder
Politiker hat er über den Gang der Welt nachgedacht, über die großen
Zusammenhänge der Geschichte und immer wieder auch über die
Zeitenwende, in der wir leben, und über die neue Gesellschaft, die da
vor unseren Augen entsteht. Niemand hat so bildhaft, überzeugend
und eindrucksvoll die großen Probleme unserer Zeit formuliert wie
der scheidende *Secretary of State.* Henry Kissinger hat überdies endlich
mit der amerikanischen Tradition, Außenpolitik als moralisches Exerzi-
tium zu betreiben, aufgeräumt. Von Wilsons vierzehn Punkten über
Roosevelt bis zu Dulles ist Außenpolitik in Amerika immer wieder als
ein Aufbruch zum Kreuzzug aufgefaßt worden: Strafe den Bösen, Hilfe
den Guten. Selbst Kennedy war nicht ganz frei von dieser Neigung.

Kissinger geht es um ein neues Gleichgewicht, das auf der Anerkennung verschiedenartiger Interessen beruht. Er hat die Außenpolitik
entemotionalisiert und entideologisiert. Eine neue globale Ordnung –
an den Interessen der Nation, nicht an ihren Gegensätzen orientiert –
sollte entstehen und Stabilität garantieren, weil es zu gefährlich ist, sich
darauf zu verlassen, von Fall zu Fall Krisen ausräumen und Konflikte
entschärfen zu können. »Man kann durch kein Abkommen Nationen

daran hindern, Kriege zu führen, wenn sie unbedingt wollen. Darum muß man Voraussetzungen dafür schaffen, daß sie keine Kriege mehr wollen.«

Sein ganzes Streben ging dahin, Moskau dazu zu bringen, von gefährlichen Einzelgängen abzulassen und eine bestimmte internationale Ordnung zu akzeptieren. Kissinger war bemüht, die Sowjets in ein »Netzwerk« von Sanktionen einerseits, Handelsvorteilen, sicherheitspolitischen Garantien und Gleichberechtigungs-Erfolgen andererseits so einzuspinnen, daß sie sich hüten würden, es zu zerreißen.

Seine Kritiker werfen ihm den Pragmatismus vor, der in jenem Konzept steckt. Er handle ohne jede Moral, heißt es, aber die Alternative zum Kreuzzug ist nicht Amoralität, und zwischen Realpolitik und Moral besteht kein notwendiger Gegensatz: »Reine Realpolitik steht immer in der Gefahr, von den Ereignissen gehetzt zu werden und in totale Beliebigkeit auszuarten. Ohne starke moralische Überzeugungen ist es sehr schwierig, Realpolitik zu betreiben«, sagt er.

Kissinger ist nicht nur mit intellektuellen Gaben reich gesegnet, er besaß auch Fortune. Es fügt sich so, daß seine Erfolge klar und für jedermann sichtbar zutage liegen, während seine Fehler wie auch mögliches moralisches Verschulden – mit Ausnahme der Invasion Kambodschas – nicht eindeutig nachgewiesen werden können: War er am Sturz Allendes beteiligt? Hätte er einen Frieden in Vietnam Jahre früher zustande bringen können? Hätte er in Zypern anders, gegenüber Portugal und in Angola früher handeln sollen, oder wäre der Schaden dann noch größer gewesen?

Zu der Zeit, als er von Nixon zum Sicherheitsberater im Weißen Haus ernannt wurde – es war Januar 1969 –, hätte die außenpolitische Lage deprimierender kaum gedacht werden können. In Vietnam waren 500 000 amerikanische Soldaten in einen aussichtslosen Krieg verwickelt, daheim zeichneten sich die ersten Spuren politischen Widerstandes und moralischer Zersetzung ab.

Im Nahen Osten hatte nach dem arabisch-israelischen Krieg von 1967 Moskau das Gesetz des Handelns an sich gerissen: Mit Syrien hatte die Sowjetunion schon 1966 ein Militärabkommen geschlossen, das die Entsendung von Beratern und Waffen vorsah. Die enge Kooperation mit Ägypten begann dann 1967. In den ersten drei Jahren nach dem Sieben-Tage-Krieg erreichten die Lieferungen von Raketen und anderer militärischer Rüstung an Kairo bereits den Wert von sieben Milliarden D-Mark, und der Freundschaftsvertrag, der schließlich im Mai 1971 geschlossen wurde, bot der Sowjetunion die Grundlage für die Entsendung von 20 000 Militärberatern. Die Amerikaner hatten im Nahen Osten nichts, aber auch gar nichts mehr zu melden.

Als Kissinger im September 1973 zum Außenminister ernannt wurde, lagen bereits einige seiner großen Erfolge hinter ihm. Unbemerkt von der sonst stets wachen amerikanischen Presse war er im Juli 1971 in geheimer Mission nach China geflogen und hatte den Besuch Nixons – den ersten amerikanisch-chinesischen Kontakt nach über 20 Jahren grollender Abstinenz – vorbereitet. Im Mai 1972 gelang es ihm dann, das erste Abkommen zur Begrenzung der strategischen Rüstung mit Moskau abzuschließen. Ein Jahr später, im Januar 1973, unterzeichnete er nach dreijährigen Verhandlungen den Friedensvertrag mit Nordvietnam. Die amerikanischen *boys* kamen endlich heim – auch die Gefangenen.

Aber zwei Jahre später wurde Südvietnam mit Haut und Haar von Hanoi vereinnahmt. Diese Tatsache wird Kissinger von vielen Amerikanern als grober Fehler und schwere Schuld angekreidet. Offenbar meinen sie, der Außenminister hätte in den Friedensverhandlungen das Eingeständnis militärischer Niederlage, das zum Waffenstillstand geführt hatte, wieder vergessen machen können. Doch diese Art siegreicher Niederlage ist noch nicht erfunden worden.

Und dann kam sein vielleicht größter Triumph. Es gelang Kissinger, die Russen aus dem arabisch-israelischen Krieg von 1973 herauszuhalten; einen Sieg Israels, der jeden Frieden unmöglich gemacht hätte, zu verhindern, dadurch das Wohlwollen der Araber zu gewinnen, was wiederum ein separates Truppen-Entflechtungsabkommen zunächst mit Ägypten und später auch mit Syrien ermöglichte. Ein Problem, von dem es seit Jahrzehnten resignierend hieß: »Dies ist eines derjenigen, die man eben nicht lösen kann.« Es wurde auf solche Art schrittweise einer Lösung zugeführt. Und schließlich: Amerika hat heute mehr Einfluß im Nahen Osten als je zuvor.

Die Fähigkeit, glasklar zu analysieren, überzeugend zu artikulieren, mit sicherem Blick den optimalen Zeitpunkt zu erkennen, dann geduldig zu verhandeln und schließlich kühn zu entscheiden – ist dies allein Begabung oder auch Erziehung und Erfahrung? Verschiedene Dinge wirken wohl bei Henry Kissinger zusammen. In ihm mischen sich drei Kulturen. Erstens die uralte Weisheit der Juden: die Mächtigen nicht herauszufordern, sondern sich mit ihnen zu arrangieren – darum tritt er den Sowjets gegenüber für Parität, nicht für Superiorität ein. Zweitens das leidvoll erworbene Geschichtsbewußtsein der Europäer: Er weiß um die Tragik der Geschichte, kennt die Unbeständigkeit der Menschen – darum sein Versuch, ein internationales Ordnungssystem zu etablieren. Drittens sein in Amerika erworbener Sinn fürs Pragmatische, fürs optimistische Zupacken, die Lust am Agieren – darum sein persönliches Eingreifen in China, im Nahen Osten, in Afrika, unbekümmert um die Spötter, die sich über den Außenminister einer Supermacht lustig machten, der wie ein Ping-Pong-Ball zwischen Juden und Arabern hin- und hersauste.

Die Frage drängt sich auf, was wohl aus Kissinger geworden wäre, wenn das Schicksal ihn nicht nach Amerika verschlagen hätte. Bevor er mit 15 Jahren Deutschland verlassen mußte, war er für einige Monate in eine jüdisch-orthodoxe Schule umgeschult worden. In einem Aufsatz, den er dort schrieb – das Thema hieß »Zionismus« –, erklärte er, Zionismus sei ein gotteslästerliches Beginnen, die Juden sollten gefälligst auf den ihnen verheißenen Messias warten!

Metternich, dessen Staatskunst er später so eindringlich geschildert hat, hat sich oft über die deutsche Leidenschaft für »klare Situationen« beklagt, die immer wieder zu katastrophalen, endgültigen Lösungen geführt habe – zur Brutalität im Sieg und letzter Unterwürfigkeit in der Niederlage.

Wäre Henry Kissinger in Deutschland herangewachsen, so wäre er sicherlich nicht weniger intelligent, aber wahrscheinlich im Zuschnitt sehr viel enger und provinzieller geworden. Hätten seine Eltern, was ja auch denkbar gewesen wäre, sich entschlossen, nach Israel statt nach New York auszuwandern – wer weiß: vielleicht wäre er dann heute irgendwo Botschafter des kleinen Staates Israel.

Weltpolitik mit Fanfarenstößen

Jimmy Carter auf Irrwegen

Washington, im März 1977

Müssen wir uns mit einem neuen Konzept amerikanischer Außen-und Sicherheitspolitik vertraut machen, oder handelt es sich bei den ersten Ausflügen Jimmy Carters in die Weltpolitik nur um eine Veränderung des Stils? Wer heute versucht, in Washington Antwort auf diese Frage zu finden, stößt auf eine seltsame Mischung von Verwirrung und Entschlossenheit.

In seiner Antrittsrede hat der neue Präsident gesagt, sein letztes Ziel sei die Abschaffung der Atomwaffen. Wer würde dies nicht gleich ihm herbeisehnen? Wird es dazu kommen, kann es überhaupt je dazu kommen? Die Verteidigung des Westens beruht nun einmal auf der Abschreckung und diese wiederum auf den Atomwaffen, weil der Westen im konventionellen Bereich unterlegen ist. Wann also und unter welchen Voraussetzungen könnten die Atomwaffen abgeschafft werden? Erst dann, wenn die Asymmetrie beseitigt ist, wenn die letzte Konferenz in Wien und Genf stattgefunden hat und wenn eine Methode erfunden worden ist, mit der sich die Abschaffung dann auch verifizieren ließe. Ob das noch in diesem Jahrhundert erreicht werden kann, erscheint mehr als zweifelhaft.

Mit beunruhigender Beharrlichkeit hat Präsident Carter in den ersten vier Wochen seiner Regierungszeit – übrigens auch während der Abwesenheit von Außenminister Vance und ohne je Marshal Shulman zu konsultieren, den neuernannten Berater für sowjetische Angelegenheiten im *State Department* – immer neue Erklärungen zum Thema Menschenrechte an die Adresse der Sowjetunion gerichtet: »Die Menschenrechte sind ein zentrales Anliegen meiner Regierung.« »Ich sehe es als meine moralische Verpflichtung an, den Menschenrechten auch in anderen Nationen Respekt zu verschaffen.« Wieder fragt man sich: Kann Carter das? Wie macht er das?

Die Amerikaner sind zufrieden. Sie sind von neuer Dynamik erfüllt und setzen volles Vertrauen in Carter. Viele sind begeistert von der festen Haltung, der mutigen Sprache. Das Verlangen nach moralischer Motivierung der sonst allzu schnöden Politik, nach Verwirklichung der großen Menschheitsideale, um deretwillen ihre Vorväter einst die alte Heimat verlassen hatten, war in diesem Volk zu allen Zeiten lebendig. Im Gefolge von Vietnam und Watergate aber ist dieses Bedürfnis nun offenbar unstillbar geworden, zumal die kühle, rationale Politik Kissingers den Mangel an herzerwärmender Rhetorik wohl noch spürbarer hat werden lassen.

Vieles von dem, was derzeit geschieht, ist überhaupt nur als Reaktion auf die vorangegangene Epoche zu verstehen, in der Kissinger auf den Vorwurf, er vernachlässige die Menschenrechte, geantwortet hatte: »Schmerzliche Erfahrung sollte uns gelehrt haben, daß wir unsere Möglichkeiten, soziale und politische Veränderungen in anderen Ländern zu bewirken, nicht überschätzen dürfen.«

Für Präsident Carter sind moralische Maximen ein selbstverständliches Gebot. Er möchte durch sein Handeln die Welt verbessern, das Böse in seine Schranken verweisen. Die Bürger spüren, wie ernst es ihm damit ist, wie ehrlich seine Überzeugungen sind – und sicherlich war dies mit ein Grund, warum sie ihn gewählt haben. Nun bestärkt das Volk ihn in seiner moralischen Entschlossenheit und er sie in ihren idealistischen Erwartungen.

Der skeptisch gewordene Europäer aber fragt sich besorgt, wohin das führen soll. Außenpolitik mit moralischen Absichten zu verquikken, wie Wilson und Dulles dies taten, hat die Welt nicht gerade moralischer gemacht, sondern in allerlei Katastrophen und Sackgassen geführt. Man muß befürchten, daß die ständigen Ermahnungen an die Adresse der Sowjetunion, das Eintreten für diejenigen, die dort als Verräter gelten, daß auch der Brief an Sacharow Folgen zeitigen könnten, auf die Carter keinerlei Einfluß zu nehmen vermag.

Erstens: Die sowjetische Regierung rächt sich an den Dissidenten, die der amerikanische Präsident doch gerade schützen will. Vier von den wichtigsten sind bereits eingesperrt worden. Wer wird sie wieder herausholen? Der Präsident gewiß nicht.

Zweitens: Die Erklärungen Carters ermutigen die Bürgerrechts-kämpfer und verführen sie dazu, in ihren Forderungen und Aktionen weiter zu gehen, als sie es normalerweise tun würden. Wenn man an Polen denkt und an die explosive Situation in jenem Lande, so kann einem himmelangst werden. Es ist gewiß schwer festzustellen, welchen Anteil John Foster Dulles, der ständig von *liberation* und vom *rollback* träumte, an den 1956 blutig zusammengeschlagenen Aufständen in Polen und Ungarn hatte, aber daß der Mut zu diesen Aufständen mit seinen Reden überhaupt nichts zu tun hatte, das ist wohl noch schwerer nachzuweisen.

Drittens: Der militante Antikommunismus, der durch solche Erklärungen im eigenen Lager herangezüchtet wird, bringt die falschen Wortführer auf die Bühne, entfesselt immer mehr Emotionen und führt schließlich zu einer Hysterie, die unter Umständen eine vernünftige Politik gar nicht mehr zuläßt.

Es ist überhaupt nicht zu begreifen, daß der Präsident sein Prestige so vorbehaltlos in die Hände der Russen gibt: Von ihnen allein hängt es nun in Zukunft ab, ob er Erfolg hat oder Niederlagen einstecken muß. Wenn die sowjetische Führung sich eines Tages entschließen sollte, Sacharow zu verbannen oder ins Gefängnis zu stecken, so bliebe dem amerikanischen Präsidenten nichts anderes übrig, als dies tatenlos und zornerfüllt hinzunehmen. Reagierte er dennoch mit Gegenmaßnahmen, beispielsweise auf dem Gebiet der Abrüstung oder des Handels, so strafte er damit seine Behauptung Lügen, es gebe kein *linkage* – keinen Zusammenhang – mit den anderen Verhandlungen; ein Argument, das im Augenblick in der amerikanischen Diskussion eine große Rolle spielt.

Es hat seinerzeit viele Jahre gebraucht, bis die von Dulles aufgeputschte öffentliche Meinung wieder soweit zur Ruhe gekommen war, daß sie rationalen Erwägungen zugänglich gemacht werden konnte. Nun, nach einer langen Zeit nüchterner, bewußt entideologisierter Außenpolitik, werden deren Maximen auf dem Scheiterhaufen verbrannt, dessen Flammen angeblich der Freiheit leuchten. Vergessen wird dabei, daß jene, wie es jetzt heißt, amoralische Realpolitik sehr vielen Leuten die Freiheit verschafft hat.

Kissinger hat, ohne daß die Öffentlichkeit davon erfuhr, ungezählte Male dem sowjetischen Botschafter Dobrynin in Washington eine

Liste überreicht mit der Maßgabe, es könnte die Verhandlugen außerordentlich erleichtern, wenn die auf jener Liste Verzeichneten freigelassen würden. Er hat Hunderten auf diese Weise die Freiheit verschafft. Ehe der Senator Jackson den damals gerade unterschriebenen Handelsvertrag durch sein *Amendment* zu Fall brachte, hatte Moskau 35000 Juden die Auswanderung gestattet. Nachdem Jackson die jüdische Auswanderung zur Bedingung für den Handelsvertrag gemacht hatte, ließen die Sowjets in den folgenden Jahren nur noch eine weit geringere Quote ausreisen: erst 19000, dann 12000 Juden im Jahr. Eine Großmacht, gleich welcher Färbung, läßt sich eben keine Bedingungen stellen.

Bei den Einwänden, die heute mancherwärts gegen die Entspannung vorgebracht werden, zumal von denen, die von Präsident Carters neuer Politik besonders angetan sind, wird eine Tatsache außer acht gelassen: daß die Bürgerrechtsbewegung, die nach der Konferenz von Helsinki soviel Auftrieb erhielt, eben hierauf zurückzuführen ist.

Der Vorwurf, die Entspannung habe nur Illusionen erzeugt, darum müßten jetzt Nägel mit Köpfen gemacht werden, stellt eine doppelte Ironie dar. Einmal ist das neue Konzept, im Gegensatz zum alten, nun wirklich illusionär – weder lassen sich die Atomwaffen abschaffen noch die Menschenrechte in anderen Staaten durchsetzen. Zum anderen werden die Erfolge, die bereits eingetreten sind, aufs Spiel gesetzt.

Helsinki hat in den sozialistischen Staaten das Bewußtsein dafür neu geweckt, daß es Menschenrechte und nicht nur Bürgerpflichten gibt. In Litauen haben 17000 Katholiken Proteste gegen die religiöse Unterdrückung unterzeichnet; etwa 1000 Juden sind in der Auswanderungsbewegung der Sowjetunion aktiv; rund 15000 Baptisten erteilen ihren Kindern verbotenerweise Religionsunterricht und weigern sich, in der sowjetischen Armee zu dienen ... Gewiß, all diese Ziffern mögen nicht ins Gewicht fallen. Was aber zählt, ist die moralische Kraft der einzelnen, der Sacharow, Medwedjew, Orlow, Kopelew und vieler, deren Namen wir nicht kennen.

Eine Politik, die auf Normalisierung und Entspannung ausgerichtet ist, kann ihnen von außen Unterstützung bieten, vielleicht ihr Tun überhaupt erst ermöglichen. Der amerikanische Versuch aber, frontal von außen einzuwirken, muß zwangsläufig als »Verschwörung« verdächtigt werden und ist darum zum Scheitern verurteilt.

Man kann nur hoffen, daß die ersten Aktionen der neuen US-Regierung den Trompetenstoß darstellen, mit dem der Präsident die Nation um sich sammelt, daß danach aber wieder die Normalität beginnt. Sollte sich jedoch herausstellen, daß dies ein Dauerzustand wird, dann muß Washington sich klar darüber werden, daß die Europäer diese Politik nicht mitmachen werden.

Mit Volldampf in den Fehlstart

Präsident Carters erste Rußland-Kontakte

Hamburg, im April 1977

Der sowjetische Außenminister Andrej Gromyko hat in den rund zwanzig Jahren seiner Amtszeit eine einzige Pressekonferenz in Moskau abgehalten. Sie fand in der vorigen Woche statt. Nach dem Scheitern der Gespräche mit dem amerikanischen Außenminister Vance gab er ein Statement ab, das eine Stunde dauerte und dem die Antworten auf sechs schriftlich vorgelegte Fragen folgten. Eigentlich hätte ein so denkwürdiges Ereignis die in Moskau nicht gerade verwöhnten Journalisten mit freudiger Erregung erfüllen müssen. Die allgemeine Reaktion aber war, ganz im Gegenteil, besorgtes Erschrecken.

Gromyko war zornig und machte deutlich, wie tief die Kluft ist, die sich zwischen den beiden Supermächten aufgetan hat: »Es gibt jetzt beachtliche politische Differenzen zwischen Amerika und der Sowjetunion, und sie werden in Zukunft nicht geringer werden.« Seinen Worten, die in den Tagen danach von der sowjetischen Presse mit wachsender Entrüstung variiert wurden, ist zu entnehmen, daß die sowjetische Führung über drei Dinge verärgert ist:

Erstens darüber, daß der Kreml die neuen Vorschläge Carters nicht auf dem üblichen Wege, also über seinen Botschafter Dobrynin in Washington erfuhr, sondern zugleich mit aller Welt durch eine Pressekonferenz des Präsidenten. *Open diplomacy* aber ist, wie jedermann weiß, den Russen ein Greuel.

Zweitens über die vielfältigen Erklärungen Carters zum Thema Menschenrechte, die als unzulässige Einmischung empfunden werden.

Drittens über die Substanz der Vorschläge, die, wie der sowjetische Außenminister sagte, eine Reihe von Punkten enthalten, deren Verwirklichung das Gleichgewicht verschieben müßte und die darauf abzielten, Amerika einseitige Vorteile zuzuschanzen: »Was heißt denn Stabilität, wenn die neue Führung alles das, was vorher besprochen und erreicht wurde, einfach wieder auskreuzt?«

Auch Präsident Carter berief eine Pressekonferenz ein, noch ehe Vance zurückgekehrt war und ihm berichten konnte. Wenn, so sagte der Präsident drohend, bei der nächsten Gesprächsrunde der Eindruck entstehen sollte, daß die Sowjets »nicht ehrlich« verhandeln wollen und »ein Abkommen unwahrscheinlich wird«, dann werde Amerika gezwungen sein, weiter aufzurüsten und neue Waffen zu entwickeln.

Obgleich Gromyko in aller Deutlichkeit gesagt hatte, was Präsident Carter zum Thema Menschenrechte erklärt habe, »vergiftet die Atmosphäre, es hilft nicht, die Frage der Begrenzung strategischer Waffen zu lösen, im Gegenteil, es macht alles schwieriger«, betonte der Präsident von neuem, es gäbe keinerlei Beweise dafür, daß die sowjetische Führung die SALT-Gespräche mit der amerikanischen Haltung in Sachen Menschenrechte verknüpfe. Er jedenfalls werde seine Einstellung nicht ändern, weil sie mit dem Gewissen des Landes in Einklang sei. In der Tat hat der *Speaker* Thomas O'Neill erklärt, das ganze Repräsentantenhaus sei – ohne Ansehen der Parteizugehörigkeit – voller Bewunderung für Carter. »Viel Feind, viel Ehr'«, hieß das einst bei uns.

Nun ist es gewiß nicht so, daß der Fehlschlag von Moskau das ist, was man aller Tage Abend nennt. Sicherlich werden die Verhandlungen in dieser oder jener Form fortgeführt werden, denn die Begrenzung der nuklearen Waffen ist für beide Großmächte von gleicher Wichtigkeit. Es stellt sich aber die Frage: Was wird bis dahin sonst noch alles geschehen? Welche Eskalationen werden da noch stattfinden? Gromyko drohte sogleich, die Sowjets würden ihre Einwilligung zurückziehen, die in Europa stationierten nuklearen Waffen nicht in das SALT-Paket mit einrechnen zu lassen. Brzezinskis Antwort: »Dann werden wir die in Zentraleuropa stationierten sowjetischen Mittelstrecken-Raketen einbeziehen . . .«

Es ist schwer, abzuschätzen, wie die Entwicklung weitergehen wird, weil weiterhin im dunkeln bleibt, was eigentlich Carters Prioritäten sind. Wenn die Rüstungsbegrenzung sein oberstes Ziel ist, dann ist schwerverständlich, warum er genau drei Tage vor der Vance-Reise beim Kongreß den Antrag stellte, die Mittel zum Ausbau von *Radio*

Liberty und *Radio Free Europe* entscheidend zu erhöhen; wo doch Moskau seit Jahren mit allen Mitteln versucht, die Einstellung dieser beiden Anstalten zu erpressen. Sollte hingegen seine Sorge um die Menschenrechte die erste Priorität haben, dann muß die Frage erlaubt sein, ob die in den letzten Wochen praktizierte Methode für die Betroffenen wirklich den meisten Erfolg verspricht. Das einzige Resultat, das bisher in der Sowjetunion zu verzeichnen war, sind die Verhaftung von vier führenden Dissidenten – und Haussuchungen, Entzug des Telefons, Verhöre und Drohungen für viele andere. In Südamerika, wo die wichtigsten Staaten über die »Einmischung« der Vereinigten Staaten so verärgert sind, daß sie sich weigern, weiterhin Militärhilfe anzunehmen, hat Washington nun überhaupt keine Handhabe mehr, um Einfluß auf die Behandlung mißliebiger Bürger zu nehmen.

Doch bleiben wir bei der Raketendiplomatie: Stimmt es, daß Carter mit seinen Vorschlägen alles, was früher verhandelt worden war, plötzlich ausgekreuzt hat? In Wladiwostok hatten Ford und Kissinger sich mit Breschnew auf einen Plafond von jeweils 2400 strategischen Waffen geeinigt, davon 1320 mit Mehrfachsprengköpfen. Das war 1974 im November. Danach wurden in Amerika die Bummelraketen *(Cruise Missiles)* und in der Sowjetunion der *Backfire*-Bomber entwickelt. Dies warf das Problem auf, ob sie mit unter jenen Plafond gerechnet werden müßten oder ob sie außerhalb bleiben sollten.

Moskau setzte alles daran, die neue amerikanische Rakete, eine Waffe von ganz ungewöhnlichen Qualitäten, in die Beschränkung mit einzubeziehen. Als Kissinger im Januar 1976 in Moskau war, um SALT II vorzubereiten, handelte er einen Kompromiß aus, mit dem die Amerikaner sich verpflichteten, die Zahl der *Cruise Missiles* zu beschränken. Der Handel war, wie Henry Kissinger sagte, zu 90 Prozent perfekt – aber dann kam der Wahlkampf und machte alles wieder zunichte.

Um dem ultrakonservativen Präsidentschaftsbewerber Reagan die Stimme für die Nominierung abjagen zu können, mußte Ford weiter nach rechts rücken, als es seiner Natur entsprach, und geriet damit in den Bannkreis der Gegner eines SALT-Kompromisses. Ford zögerte, Kissingers Rat zu befolgen: keine Rücksicht nehmen, den Kompromiß akzeptieren, ihn auf dem überfälligen Gipfeltreffen mit Breschnew unterzeichnen und dann mit diesem außenpolitischen Erfolg in den Wahlkampf ziehen.

Im Februar 1976 erreichten Reagans Angriffe auf Kissingers Außenpolitik schließlich ihren Höhepunkt. Gerald Ford bekam kalte Füße. Er wagte nicht, gegen das Pentagon und die übrigen Kissinger-Gegner aufzutreten, die behaupteten, der Außenminister habe schon 1972 bei SALT I einseitige Konzessionen gemacht. Darum wurden die Verhandlungen mit Moskau eingefroren. Als Ford im August die Nominierung gegen Reagan gewann, war es zu spät, um sie wieder aufzunehmen.

Mag sein, daß die Erfahrung seines Vorgängers mit der innenpolitischen Opposition gegen die vorgesehene SALT-II-Vereinbarung Präsident Carter das Gefühl gegeben hat, der eigentliche Verhandlungspartner, der beschwichtigt werden müsse, seien die *Joint Chiefs of Staff* und Senator Jackson. Darum ist dann wohl das Nachdenken darüber, was man den Russen zumuten kann und was nicht, zu kurz gekommen.

In der Tat ließ Präsident Carter den Sowjets zwei neue Vorschläge vorlegen. Der eine geht auf Wladiwostok zurück, läßt aber die *Cruise Missiles* unberücksichtigt; der andere visiert eine radikale Herabrüstung an. Die Londoner *Times* charakterisierte diesen Vorschlag mit folgenden Worten: »Von den Russen wird verlangt, daß sie ihre besten Waffen aufgeben im Austausch gegen das amerikanische Versprechen, ihre noch besseren, aber vorläufig gar nicht einsatzfähigen Waffen, nicht weiter zu entwickeln.«

Beim Gewerkschaftskongreß vor zwei Wochen hatte Breschnew erklärt: »Wir wären froh, wenn die sowjetisch-amerikanischen Beziehungen gutnachbarlich wären. Dies aber erfordert ein gewisses Maß an Verständnis für einander und wenigstens ein Minimum an beiderseitigem Takt.« Sicher hat er dabei an die Geheimdiplomatie Kissingers gedacht und an dessen außenpolitisches Grundkonzept.

Henry Kissinger ging in den Verhandlungen mit der Sowjetunion von der Vorstellung aus, daß es sich um zwei Supermächte handelt, die nicht in erster Linie durch ihre Ideologie motiviert sind, sondern durch ihre nationalen Machtinteressen. Diese Gleichstellung bot ihm und ihnen die Möglichkeit, immer wieder zu betonen, daß es Interessen gibt, die beide gemeinsam haben: Sicherheitsbedürfnisse, finanzielle Erwägungen, Stabilität. Daß die Gemeinsamkeit der Interessen betont wurde und nicht die Verschiedenartigkeit der Ideologie – das war es, was die Entspannung ermöglicht hat. Deren Früchte setzt Carter jetzt aufs Spiel.

Selbst in Washington werden jetzt manche nachdenklich. Zbigniew Brzezinski im Weißen Haus betont, die Moskau vorgelegten Pläne seien die ersten wirklichen Abrüstungspläne, die je erarbeitet wurden; Außenminister Vance jedoch räumt ein, daß die amerikanischen Vorschläge vielleicht nicht mit der genügenden Sorgfalt vorbereitet worden sind. Darin spiegelt sich das Unbehagen der professionellen Diplomaten wider, die lieber zu den klassischen Methoden ihres Metiers zurückkehren möchten.

Der Präsident lenkt ein

Carter schickt seine erste Friedenstaube
nach Moskau

Washington, im Juli 1977

Mißverstehen die sich immerfort? Bluffen die einander nur? Oder werden wir unausweichlich zurückversetzt in die Zeit wechselseitiger Hysterie, wie wir sie während des Kalten Krieges erlebten? Diese brennende Frage, die sich jeder Beobachter der amerikanisch-sowjetischen Beziehungen während der ersten sechs Monate der Regierung Jimmy Carters immer wieder angstvoll stellte, ist irrelevant geworden. Wenn nicht alles täuscht, hat ein neues Kapitel amerikanischer Ostpolitik begonnen.

Die vielfältigen Warnungen von Bundeskanzler Schmidt, Präsident Giscard d'Estaing und Ministerpräsident Trudeau haben sicherlich das ihre dazu beigetragen. Wahrscheinlich waren auch dem Präsidenten selbst und seinen Beratern inzwischen Bedenken über die Zweckmäßigkeit ihrer logisch durchaus zutreffenden Rechtfertigung gekommen, die Menschenrechtskampagne sei doch nur das Gegenstück zu der sowjetischen Maxime, eine ideologische Entspannung werde es nie geben. Aber Rechte, die einem logischerweise zustehen, sollte man ja wohl nur dann wahrnehmen, wenn sie den Interessen, die man vertritt, nicht schaden.

Schließlich hat sich inzwischen auch erwiesen, daß das Vorhaben, Entwicklungshilfe nur jenen Ländern zu gewähren, die sich nicht an den Menschenrechten vergehen, praktisch undurchführbar ist. Erstens kann man den Hahn der Entwicklungshilfe nicht entsprechend der jeweiligen politischen Lage kurzfristig auf- oder zudrehen; zweitens gibt es wahrscheinlich kein Entwicklungsland, das nicht auf irgendeine mehr oder weniger die Menschenrechte mißachtende Weise seine Opposition zum Schweigen bringt.

231

Die zwei Wochen zurückliegende Erklärung Präsident Carters, er sei von der feindseligen Reaktion der Sowjets auf seine Einstellung zu den Menschenrechten überrascht worden, ist offensichtlich zutreffend. Er hatte wirklich nicht damit gerechnet. Vielmehr sonnte er sich in der ungeteilten, ja begeisterten Zustimmung seiner Landsleute, die nach der Pervertierung aller traditionellen Werte der amerikanischen Gesellschaft durch Vietnam und Watergate sich nun angesichts der ethischen Aspekte der neuen Außenpolitik wieder als moralisch vollwertige Menschen fühlten.

Was also ist geschehen? Was gibt Anlaß zu der Hoffnung, daß wir um eine neue Phase des Kalten Krieges herumkommen und die Außenpolitik wieder zu einer gewissen Kontinuität zurückfindet?

Ehe diese Frage beantwortet wird, muß man sich noch einmal das Grundschema der früheren Politik vergegenwärtigen. Henry Kissinger hatte sich mit Erfolg darum bemüht, die Außenpolitik zu entideologisieren, sie erst freizumachen und dann freizuhalten von Emotionen – also nicht ständig mit dem Finger auf die unterschiedlichen Ideologien zu weisen, sondern im Gegenteil die gemeinsamen Interessen zu betonen: Erhaltung der Stabilität, allmähliche Abrüstung, Steigerung des Handels. In einem auf solche Weise entspannten Klima war es möglich geworden, gemeinsame Aktionen vorzunehmen, Verträge abzuschließen und die Konferenz in Helsinki abzuhalten.

Dies die Substanz der bisherigen Außenpolitik. Was die Methode anging, so hielt Washington sich gegenüber dem Osten an die in Europa seit Jahrhunderten geübte Geheimdiplomatie. Für die sowjetischen Führer, die sogar die Fenster ihrer Autos mit Vorhängen versehen lassen und sie auch stets zuziehen, sind Pressekonferenzen und offen dargelegte Verhandlungen ein Unding. Nirgends gibt es soviel Geheimniskrämerei wie in der Sowjetunion; nirgends spielt die Sorge, das Gesicht zu verlieren, eine so große Rolle wie in autoritären Regimen. Für die Sowjetunion, deren Außenminister seit über zwanzig Jahren amtiert, sind brüske Wechsel, wie sie in Washington unter Umständen alle vier Jahre stattfinden, stets ein Schrecken. In den zurückliegenden acht Jahren hatte Moskau Zeit gehabt, sich an den Stil Kissingers zu gewöhnen und allmählich Vertrauen zu fassen – um so unbegreiflicher und argwohnerregender war der plötzliche Wechsel.

Ein Brief des Präsidenten an Sacharow, der Empfang Bukowskijs,

232

Hilfe für die Dissidenten – dies alles mußte in Moskau als eine Verschwörung zwischen den Feinden draußen und der Opposition drinnen gewertet werden. Ein Verdacht, der durch verschiedene andere Maßnahmen verstärkt wurde. Vor der Reise von Außenminister Vance nach Moskau wurde in Washington verkündet, die bei den Sowjets verhaßten Sender *Free Europe* und *Radio Liberty* würden in Zukunft erheblich verstärkt werden. Und kurz bevor Vance zur Vorbereitung der SALT-Verhandlungen in die Sowjetunion abreiste, gab der Präsident auf einer Pressekonferenz in Washington Einzelheiten bekannt, die er den Russen vorschlagen wollte und die teilweise erheblich von den Abmachungen abwichen, die Präsident Ford und Kissinger im Dezember 1974 mit den Sowjets in Wladiwostok getroffen hatten. Auf diese Weise erfuhr die gesamte Welt zur gleichen Zeit (wenn man so will: noch vor den Verhandlungspartnern in Moskau), worum es ging. Die Folge: Zorn, Mißtrauen, Widerwillen und Abwehr wuchsen bei den Sowjets in solchem Maße, daß ein Rückfall in den Kalten Krieg unvermeidlich erschien. Nun ist zweierlei geschehen, das diese Gefahr abwenden könnte.

Zunächst wurde die Gründung eines Komitees bekanntgegeben, das den Namen trägt *Interagency Coordinative Committee on US-Soviet Affairs* (ICCUSA). Es hat die Aufgabe, den Präsidenten zu beraten und die zehn Ministerien und Behörden zu koordinieren, die mit Ostpolitik zu tun haben – eine Pflicht, die bisher dem *National Security Council* zustand, der im Weißen Haus lokalisiert ist. Das neue Komitee untersteht dagegen dem *State Department*. Seine beiden Vorsitzenden berichten direkt dem Außenminister Vance, dieser wiederum dem Präsidenten.

Einer der beiden Vorsitzenden, Marshal Shulman, der bisher Direktor des *Russian Institute* der Columbia University war, hat schon früh seiner Überzeugung Ausdruck gegeben, daß der Versuch, die Einhaltung der Menschenrechte von außen anzugehen, das genaue Gegenteil bewirkt. Im Januar schrieb er in einem Artikel in *Foreign Affairs,* der den Titel trug »Über das Lernen mit autoritären Regimen zu leben«: »Es ist wahrscheinlicher, daß ein Nachlassen der Repressionen aus inneren Entwicklungen in einem Umfeld der Entspannung erwächst als aus Forderungen nach Wandel, die draußen erhoben werden, weil dies nur die Belagerungsmentalität verstärkt.«

Schließlich hielt der Präsident in Charleston, South Carolina, eine bedeutsame Rede, die an die Adresse Moskaus gerichtet war und die einer neu gezüchteten Friedenstaube gleicht. Der Entwurf war die erste Arbeit jenes Komitees.

Was SALT angeht, so sprach Carter dort von seinem Willen, »das Wladiwostok-Abkommen zu bestätigen und weiter darauf aufzubauen«.

– Zum Thema Handel heißt es: »Zunehmender Handel zwischen den Vereinigten Staaten und der Sowjetunion würde uns beiden nutzen. Die *Joint Commission* hat nach einer langen Pause ihre Zusammenkünfte jetzt wieder aufgenommen. Ich hoffe, es gelingt, Bedingungen zu schaffen, die eine Ausweitung des Handels möglich machen.« (Seit dem Jackson-*Amendment* hatte der Kongreß darauf bestanden, die Liberalisierung des Handels von der Auswanderung der Juden aus der Sowjetunion abhängig zu machen.)

– Die bisher stets in den Vordergrund geschobene Menschenrechtsfrage spielte der Präsident herunter. Er beteuerte, daß er auf keinen Fall den Kalten Krieg wolle; es liege ihm auch nicht an raschen Veränderungen. Er sagte vielmehr: »Eine Atmosphäre friedlicher Kooperation ist der Respektierung der Menschenrechte förderlicher als eine Atmosphäre kriegerischer Konfrontation.«

– Den Schlußpassus seiner Rede bildet ein Zitat Breschnews: »Ich bin überzeugt, daß in der Politik Realitätssinn und der Wille zur Entspannung schließlich triumphieren werden und daß die Menschheit friedlich ins 21. Jahrhundert eintreten wird.« Präsident Carter fügte hinzu: »Ich bin überzeugt von der Aufrichtigkeit dieser Aussagen. Ich teile die Hoffnung und den Glauben, den sie zum Ausdruck bringen.«

Alles hängt jetzt davon ab, daß die Russen diese Botschaft richtig verstehen. Es ist ein Angebot, noch einmal neu zu beginnen. Wer diese Botschaft zur Wende als Schwäche, als Reaktion auf Moskauer Drohungen und Härte mißdeutete, der könnte den Dingen eine sehr unselige Wendung geben.

In Jimmy Carters eigenen Worten: »Wenn Moskaus Kommentare auf einem Mißverständnis unserer Motive beruhen, dann werden wir unsere Bemühungen verdoppeln, sie zu klären; wenn sie aber nur der Propaganda dienen, um Druck auf uns auszuüben, dann soll niemand daran zweifeln *that we will persevere*« – daß wir standhalten werden.

Rechtsruck in Amerika

Der Mittelstand begehrt auf

Washington, Ende Juli 1978

Ein beliebtes Argument der Europäer in Diskussionen mit den Amerikanern lautete früher: »Ihr habt's gut, ihr seid ein Kontinent, also ein riesiger Markt und darum von dem Auf und Ab der Weltwirtschaft ziemlich unabhängig.« Dies hat sich inzwischen geändert. Heute hängt auch Amerika im Netz der Weltwirtschaft.

Wurden in den fünfziger Jahren nur fünf Prozent aller produzierten Güter exportiert, so sind es jetzt rund zehn Prozent. Jeder fünfte Amerikaner arbeitet heute für den Export. Ein Drittel der gesamten Agrarproduktion im Werte von 24 Milliarden Dollar wird exportiert.

Am eindrucksvollsten aber wird die Veränderung, wenn man sich folgende Zahlen vergegenwärtigt: Vor zehn Jahren wurden für 30 Milliarden Dollar Waren exportiert, für 26 Milliarden importiert – der Handelsbilanzüberschuß betrug mithin vier Milliarden Dollar. Im vorigen Jahr lauteten die entsprechenden Ziffern: Export 121 Milliarden, Import 147 Milliarden – die Handelsbilanz wies also 1977 ein erhebliches Defizit aus. Allein für die Ölimporte wurden nicht weniger als 45 Milliarden Dollar ausgegeben.

Es gibt viele Gründe, warum der einzelne Amerikaner heute viel stärker von der wirtschaftlichen Konjunktur betroffen wird als früher: Inflation und Arbeitslosigkeit sind Sorgen, die jedermann gegenwärtig sind, vor allem aber drückt alle die wachsende Steuerlast. Besonders der Mittelstand wird immer mehr geschröpft, er hat die Hauptlast zu tragen und ist dementsprechend ärgerlich gestimmt – Staatsverdrossenheit macht sich breit.

Dies ist auch der Grund, warum der Kongreß Carters Energieprogramm feindlich und abwartend gegenübersteht. Es geht ja nicht nur ums Sparen, sondern darum, daß der Preis für Energie steigen soll, daß also, wie der Bürger meint, eine Sondersteuer auf den Treibstoff für sein Auto gelegt wird, und da hört der Spaß dann endgültig auf.

Charakteristisch für den Aufstand des Mittelstandes – denn das ist es, was zur Zeit in Amerika stattfindet – waren die beiden wichtigsten innenpolitischen Ereignisse der letzten Monate: der Fall Bakke und das Steuerreferendum von Kalifornien.

Im Fall Bakke ging es um den Prozeß eines Weißen, dessen Aufnahme von einer kalifornischen Universität abgelehnt worden war, obgleich er im Aufnahme-Examen besser abgeschnitten hatte als sein farbiger Konkurrent, den man aber aus sozialen Gründen bevorzugt hatte. Zorniger Aufschrei: Diskriminierung – unstatthafte Privilegierung der Unterprivilegierten!

Der zweite Fall, der noch manche unliebsamen Weiterungen haben wird, war die sogenannte *Proposition 13,* ein Referendum, mit dem die Wähler in Kalifornien sich erfolgreich weigerten, die Grundsteuern, die dort in exorbitante Höhen getrieben worden waren, weiterhin zu zahlen. Kalifornien ist der Staat, dessen Bevölkerung von 1955 bis 1975 um 60 Prozent zugenommen hat. Viele pensionierte Beamte und Mittelständler, die sich zur Ruhe gesetzt haben, sind wegen des guten Klimas dort hingezogen und haben sich ein Häuschen gekauft, das ihren Verhältnissen angemessen war. Da es in Amerika keine Einheitswerte gibt, erfolgt eine Neubewertung der *property* jedesmal dann, wenn einer aus der Umgebung verkauft hat – und zwar dann für alle. Dies hat zur Folge, daß die Wertfestsetzung und damit die entsprechende Steuer heute oft das Vier- und Fünffache der ursprünglichen Summe beträgt. Diese Belastung bringt das Budget der Mittelständler noch zusätzlich zu der allgemeinen Preissteigerung in Schwierigkeiten. Die Entscheidung aber, 60 Prozent der *property tax* zu streichen, führt zu katastrophalen Auswirkungen für das Sozialbudget, für Schulen Universitäten, Polizei.

Die Amerikaner waren gewöhnt, daß die Mieten und Grundnahrungsmittel, also das Allernotwendigste, verhältnismäßig billig waren. Jetzt steigen auch diese Preise ohne Unterlaß – in diesem Jahr rechnet man mit elf Prozent Geldentwertung. Inflation, Korruption, überhand nehmende Bürokratisierung, dies alles auf einmal ist einfach zuviel.

Immer mehr liberale Demokraten werden an ihren Wertvorstellun

gen irre. Ein Rechtsruck ist im Lande spürbar. Das ganze Koordinatensystem verschiebt sich nach rechts, so daß auch die Demokraten in
ihrer Grundstimmung an Liberalität einbüßen. Die Stimmung ist gegen
Big business, gegen *Big labor* und gegen *Big government,* das heißt
gegen die ständig zunehmende Einmischung in die Belange des einzelnen und der Wirtschaft. Was ist aus dem *American way of life* geworden? So fragen sich viele Amerikaner.

Für sie sind, anders als für die Europäer, Behörden und Beamte ein
nur gerade eben geduldetes Übel. Schließlich waren sie ja aus der Alten
Welt ausgezogen, weil sie frei sein und ihr Schicksal selbst gestalten
wollten. Bis zu Roosevelts *New Deal* gab es auf Bundesebene auch
tatsächlich keine Bürokratie. Heute ist paradoxerweise die Legislative
zu einer großen Administration geworden: Zum Senat und Kongreß
mit der *Library of Congress* und allem Zubehör gehören in Washington heute 30 000 Angestellte.

William Fulbright, bis 1975 Vorsitzender des Außenpolitischen Ausschusses und damals die hervorragendste Persönlichkeit des Senats
überhaupt, antwortete auf meine Frage: »Zu meiner Zeit stand den
Subcommittees des Außenpolitischen Ausschusses kein Stab zur Verfügung. Alle zuständigen Senatoren waren bei den Tagungen des jeweiligen Unterausschusses zugegen, und wenn sie einen Beschluß gefaßt
hatten, dann wurde dieser in der Vollsitzung des Außenpolitischen
Ausschusses gewöhnlich auch angenommen. Heute hat ein Senator so
ungefähr für jeden Spezialfall einen Experten. Der Senator selbst geht
kaum je noch in einen Unterausschuß – er schickt seine Assistenten
und wird auf diese Weise immer abhängiger von ihnen: Er ist wie ein
lebender Computer, in den die Experten ihre Informationen eingeben.
Sich ein eigenes Urteil zu bilden, wird auf diese Weise sehr schwierig.«

Mir fiel eine Unterhaltung mit General Gehlen ein, seinerzeit Chef
des Bundesnachrichtendienstes, den ich einmal gefragt hatte: »Glauben Sie, daß Friedrich der Große die Schlacht von Kunersdorf hätte
gewinnen können, wenn ihm die heutigen Informationsmöglichkeiten
zur Verfügung gestanden hätten?« Gehlens Antwort: »Ich bin, im
Gegenteil, besorgt, daß die Fülle der Nachrichten heute eher verwirrend wirkt, daß der Überblick getrübt, das eigene Urteil mißleitet wird,
daß also das Witterungsvermögen verlorengeht.«

Über die Sitzungen des *Foreign Relations Committee* sagen alle, sie seien sehr langweilig und auch bedeutungslos geworden, seit Fulbright sie nicht mehr leitet. Die große Frage ist, ob Senator Church, der den alten Sparkman demnächst ablöst, in der Lage sein wird, zusammen mit dem gewieften und erfahrenen Senator Javits, der dann Führer der republikanischen Minderheit des Ausschusses wird, den alten Einfluß wiederherzustellen.

Das wäre um so nötiger, als ja die internationale Politik genug Anlaß zu Sorgen und Ärger gibt. Das Stichwort heißt: »Die Russen in Afrika.« Senator Church sagt: »Wenn die Regierung weiter mit ihrer Kalten-Kriegs-Rhetorik operiert, wird sie jegliche Möglichkeit verspielen, ein SALT-Abkommen durch den Senat zu bekommen.« Der Zorn auf die Russen, die die Kubaner nach Afrika geholt haben und für eine Milliarde Dollar Waffen nach Äthiopien lieferten, ist gewaltig. Mit Recht: Castro hat heute – vergleicht man die Bevölkerungszahlen – mehr Kubaner in Afrika, als die Amerikaner auf dem Höhepunkt des Krieges Soldaten in Vietnam hatten.

Wichtig aber scheint mir die Frage, warum die Sowjets in Schwarzafrika so abenteuerlich agieren, so ganz und gar bedenkenlos, während sie im Mittleren Osten jedes Risiko einer Konfrontation sorgfältig vermeiden. Warum dieser Unterschied in ihrem Verhalten? Könnte es nicht sein, daß der Zweck des Sprungs nach Afrika der ist, den Chinesen zuvorzukommen? Schließlich ist Tschou En Lai 1963/64 nicht zum Vergnügen drei Monate lang durch Afrika gereist, und auch seither haben die Chinesen immer wieder versucht, dort Fuß zu fassen, was ihnen in einigen Staaten, beispielsweise in Tansania, auch gelungen ist.

Was denkt Amerikas Altmeister der Diplomatie über die Russen in Afrika? Henry Kissinger sagt: »Ich mache mir Sorgen über das, was in Afrika vorgeht. Ich glaube nicht, daß die Russen einen *master plan* haben, der den Ereignissen der letzten Jahre zugrunde liegt: Angola, Äthiopien, Jemen, Afghanistan – vieles davon hat sich aus örtlichen autonomen Entwicklungen ergeben, in einigen Fällen boten sich einfach gute Gelegenheiten, und solche werden die Russen immer wahrnehmen. Aber der Marxismus, der erst die Revolution predigt und dann rechtfertigt, daß die, die sie gemacht haben, auch regieren und dranbleiben, ist für junge Staaten natürlich viel einleuchtender als das Westminster-Modell unserer Demokraten, das auf Aristoteles zurückgeht und das die Regierungsübernahme durch Minderheiten fordert, wenn sie zur Mehrheit werden.« Mit anderen Worten: Das Motiv für den Sprung nach Afrika interessiert Henry Kissinger offenbar nicht. Neue Realitäten sind geschaffen worden, und das betrifft auch und gerade die Supermacht Amerika.

»Beide Supermächte«, so Henry Kissinger, »wissen, daß sie ungeachtet der ideologischen Verschiedenheit und der machtpolitischen Rivalität zur Koexistenz verurteilt sind. Man muß nur verdammt aufpassen, daß nichts schiefgeht: Wenn Großmächte sich gegenseitig analysieren und ihre Handlungen beurteilen, dann neigen sie dazu, einander viel rationalere Motive zu unterstellen, als oft tatsächlich vorliegen. So kann es leicht passieren, daß zufällige Entscheidungen falsch interpretiert werden und dann nachteilige Reaktionen hervorrufen. Eben darum ist es so wichtig, ein langfristiges, genau durchdachtes Konzept zu haben. Wir haben 1974/75 Fehler gemacht (er meinte wohl das Jackson-*Amendment*), die Russen 1977/78. Darum ist ein *code of conduct,* ein Verhaltenskodex, so wichtig, eine internationale Ordnung also, die für gewisse, allgemein anerkannte und verbindliche Spielregeln sorgt.«

Die Sache mit den rationalen Motiven, die man sich fälschlicherweise gegenseitig unterstellt, schien mir sehr einleuchtend. Ich mußte an die Geschichte denken, die der Hamburger Eric Warburg erzählt. Er war im Sommer 1945, also nach Kriegsende, in Kissingen, wo sich ein amerikanisches Stabsquartier befand. Eines Tages bat ihn General Patton, der berühmte amerikanische Haudegen, er möge doch eine Zusammenkunft mit Generalfeldmarschall von Rundstedt arrangieren. Rundstedt – nunmehr Gefangener der Amerikaner – war während der Ardennen-Offensive im Winter 1944/45 Oberbefehlshaber West und somit Pattons »Gegenüber« gewesen.

Ein Treffen zwischen Sieger und Besiegtem kam zustande, bei dem zunächst lange über allerlei militärtechnische Dinge geredet wurde. Endlich stellte Patton, der diesem Moment offenbar seit langem entgegenfieberte, die entscheidende Frage: »Herr Generalfeldmarschall, wenn ich am dritten Tag der Ardennen-Offensive die Mosel heruntermarschiert und dann in einer großen Zangenbewegung nach Norden Richtung Nordsee vorgestoßen wäre, was hätten Sie dann getan?« Rundstedt, der von Warburg als kluger, einsilbiger alter Mann geschildert wird, schwieg lange, dann sagte er: »Herr General, ich habe jeden

Abend, an dem das nicht geschah, ein Dankgebet gesprochen, denn das war meine große Befürchtung.«

Da sprang Patton auf, raste um den Tisch und schrie: »*God damn it, damn it, damn it,* ich wollte es ja, aber Eisenhower und Omar Bradley ließen mich nicht – *oh, damn it, damn it.*« Offenbar hatten Eisenhower und sein Armeegruppenchef angenommen, die deutsche Seite hätte noch genügend Kräfte, um Patton den Rückzug abzuschneiden. Sie hatten sicher Hitler nie für normal gehalten, aber daß er aus der im Osten zusammenbrechenden Front Divisionen abziehen würde, um mit unzulänglichen Kräften eine Offensive im Westen zu beginnen, das ging begreiflicherweise über ihr Vorstellungsvermögen.

Der Rechtsruck in Amerika drückt sich auch in einem neuen Nationalismus – oder vielleicht sollte man besser sagen: Antikommunismus – aus. Eben darum sah sich der Präsident auch veranlaßt, Geräte zur Ölförderung neuen Ausfuhreinschränkungen zu unterwerfen. Für die Sowjetunion, die während der letzten 18 Monate solche Lieferungen im Werte von 540 Millionen Dollar bereits erhalten hatte, ist dies sehr einschneidend, denn sie beabsichtigte, während der nächsten drei Jahre noch einmal für eine Milliarde Dollar derartige Ausrüstungen von Amerika zu beziehen. Die Vereinigten Staaten sind offenbar als einziges Land zu solchen Lieferungen imstande.

Mindestens ebenso ärgerlich für die Sowjets aber dürfte es sein, daß, wie soeben bekanntgemacht wurde, vier amerikanische Ölgesellschaften mit Peking über *Offshore*-Bohrungen in chinesischen Küstengewässern verhandeln, natürlich mit Zustimmung der US-Regierung.

Besonderen Verdruß erregen in der amerikanischen Öffentlichkeit von Zeit zu Zeit auch die Getreideverkäufe, zumal sie unter dem Weltmarktpreis getätigt werden. Im Jahr 1973 erreichten diese Ausfuhren mit 15 Millionen Tonnen den absoluten Höhepunkt. Um nicht sowjetischer Willkür ausgeliefert zu sein, schlossen die Amerikaner 1975 ein langfristiges Abkommen, in dem Washington die Lieferung von sechs bis acht Millionen Tonnen Getreide und Moskau die Abnahme in mindestens dieser Höhe garantierte. Daß dies, wie viele Amerikaner meinen, ein Hebel sei, um Druck auf die Sowjetunion ausüben zu können, ist ein Irrtum: Als Präsident Ford – vor jenem Abkommen – einmal für kurze Zeit den Verkauf suspendierte, gab es sogleich einen Aufstand unter den Farmern.

Deutlich spürbar ist die Verschiebung des politischen Koordinaten-systems nach rechts auch an der Art der Zeugen, die beschworen werden, wie auch an den Argumenten, die im Kongreß auftauchen. Mehr Intellektuelle als bisher bekennen sich zu den typisch konservati-ven Forschungs-Institutionen, die früher eher im Schatten standen und die bei der Meinungsbildung in Washington während der letzten Jahre keine Rolle spielten. Da ist die *Hoover Institution* in Stanford, die als Brutstätte des Kalten Krieges galt; heute lehrt dort während der Hälfte des Jahres der Ökonom und Nobelpreisträger Milton Friedman, der übrigens hinsichtlich *Proposition 13* reichlich leichtfertig den sehr populären Ausspruch tat: »Wenn die Regierung von Kalifornien sieben Milliarden Dollar weniger auszugeben hat, dann können die Bürger sieben Milliarden mehr ausgeben, und die werden sehr viel besser wissen wie!«

Auch der angesehene Philosoph Sidney Hook gehört heute zur *Hoover Institution,* desgleichen Martin Seymour Lipset, den ich vor drei Jahren als liberalen Demokraten in Aspen/Colorado kennenge-lernt hatte; damals war er noch in Harvard Professor für Soziologie. Sidney Hook ist im *Bakke Case* dafür eingetreten, daß für Minderhei-ten, also für Studenten aus unterprivilegierten Schichten, keine Aus-nahme gemacht wird, sondern allein die Leistung zählen soll.

Andere konservative *think tanks* sind das *Center for Strategic and International Studies* der Georgetown-Universität, in dem Ray Cline, der von 1966 bis 1969 in Deutschland Chef des CIA war, eine wichtige Rolle spielt, und dann das *American Enterprise Institute* in Washing-ton, das gelegentlich als republikanisches Pendant zum *Brookings Institute* charakterisiert wird. Sie alle warten darauf, dem nächsten republikanischen Präsidenten bei der Stellenbesetzung unter die Arme zu greifen.

Ich fragte einen erfahrenen alten Professor der *New School* in New York: »Man spricht immer von der Neuen Linken. Gibt es eine Neue Rechte in Amerika?« Auch nach seiner Meinung findet derzeit ein beachtlicher Rechtsruck im Lande statt, aber ihm fehle der theoreti-sche Unterbau – es sei mehr eine Stimmung, allgemeiner Mißmut, antikommunistisches Ressentiment.

Diese Stimmung scheint mir am besten verdeutlicht durch eine Umfrage, die gerade veröffentlicht wurde. Sie ergibt etwa folgendes

241

Bild: Kein Vertrauen in die Regierung, kein Vertrauen in den CIA und die Gewerkschaften, Mißbilligung zu häufiger staatlicher Einmischung, Ärger über die Inflation – aber Vertrauen in die eigene Kraft, in das Militär und die junge Generation.

Wenn man sehr stark unter einem bestimmten Eindruck steht, also in diesem Fall »Aufstand des Mittelstands, Rechtsruck, chauvinistischer Antikommunismus, Sorge vor Rußlands Imperialismus«, dann läuft man leicht Gefahr, diese Seite zu sehr zu betonen und andere zu übersehen. Darum war ich froh, meinen alten Freund, den Kolumnisten James Reston, der immer weiser wird, gerade noch zu erwischen, ehe er selbigen Tags auf Urlaub ging.

Wir fragten uns, was jeder von uns sich wünschen würde, wenn plötzlich die berühmte Fee im Traum vor uns stände. Restons Traum: »Ich befinde mich in Schottland auf dem Besitz des Lord Hamilton, wo Heß einst mit seiner Maschine landete, und wieder kommt ein Flugzeug und landet. Ihm entsteigt nicht Heß, sondern Molotow, und es ist keine kleine Me 110, sondern ein riesiger Apparat vollgestopft mit Dokumenten des Politbüros und des Ministeriums für Äußeres. Ich habe ein Jahr Zeit, um die Papiere zu sichten, und dabei stelle ich fest, daß auch die Russen immerfort Angst hatten und zitterten, genau wie wir und genau bei denselben Anlässen . . .«

Ich konnte nicht mithalten, Restons Traum war nicht zu übertreffen.

Zweifel an den Deutschen

Wiedervereinigung gegen Neutralisierung?
Rapallo?

Berlin, im März 1979

»Bismarck hat nie in den Begriffen von Ost und West gedacht, von denen heute stets die Rede ist. Für ihn gab es vier europäische Groß-mächte, mit denen er rechnen mußte, aber die Himmelsrichtungen spielten keine Rolle«, meinte ein Historiker und machte mit dieser Bemerkung deutlich, wie artifiziell die ideologisierte Welt ist, in der wir seit dem Zweiten Weltkrieg leben. Wie kompliziert demzufolge unsere außenpolitische Situation geworden ist, machte ihrerseits die Debatte sehr augenfällig, die Amerikaner, Engländer und Franzosen mit Deutschen im Aspen-Institut Berlin geführt haben.

»Werden die Russen nicht eines Tages die deutsche Karte spielen?« fragte besorgt ein Engländer. »Es könnte doch sein«, erläuterte er, »daß sie euch Wiedervereinigung gegen Neutralisierung anbieten, wie schon einmal 1952, als ihr noch nicht die Selbstsicherheit besaßt, darauf einzugehen.« Die deutsche Antwort: »Das können sie schon wegen ihrer osteuropäischen Partner nicht tun.«

Ein Amerikaner interpretierte »die deutsche Karte« ein wenig anders: »Die Sowjets sind zur Zeit auffallend zuvorkommend mit euch, das ist ihr Zuckerbrot – und die Peitsche, das sind die drohenden neuen Mittelstreckenraketen. Auf diese Weise sollt ihr gefügig und zu Vertre-tern der russischen Argumente in der westlichen Allianz gemacht werden.«

»In der Tat«, fiel ein Franzose ein, »euer Sonderinteresse an der Entspannung ist schon wegen Berlin so groß, daß ihr immer bereit sein werdet, die Politik der Sowjets positiver zu interpretieren als die mei-sten eurer Bündnispartner.«

Die deutschen Einwendungen: »Es gibt gar keine Alternative zu unserer Westpolitik. Der Lebensstil, das Identitätsgefühl, die Vorstellungen von Zivilisation, unsere wirtschaftlichen und technologischen Interessen, alles fesselt uns an den Westen, läßt eine Alternative ganz undenkbar erscheinen.« Dennoch: Das Rapallo-Gespenst scheint umzugehen.

Alle redeten über Rapallo, auch wenn sie schworen, nicht daran zu glauben – Ostpolitik hin oder her. In Rapallo hatten sich 1922 die beiden Außenseiter der Weltpolitik – die junge deutsche Republik und das nachrevolutionäre Rußland – überraschend über die Wiederherstellung ihrer diplomatischen Beziehungen geeinigt. Es war eine vergleichsweise harmlose Verbindung, aber dennoch geistert »Rapallo« seitdem als Symbol eines sowjetisch-deutschen Alleinganges durch die europäische Politik.

Alle waren sich einig: Rapallo ist eine absurde Analogie. Ein Bonner Politiker fragte verblüfft: »Wieso kam Rapallo überhaupt auf die Tagesordnung?« Zur Begründung seiner Frage führte er aus: erstens, 1922 hatten sich Russen und Deutsche die Hand gereicht, weil sie keine anderen Partner hatten. Beide waren die Ausgestoßenen Europas. Heute hat die Bundesrepublik einen festen Platz in der europäischen und in der atlantischen Gemeinschaft. Wichtiger noch als die diplomatischen Wandlungen ist der kulturelle Umbruch: »Zum erstenmal in der Geschichte«, meinte ein deutscher Teilnehmer, »haben die Deutschen aufgehört, sich als eine Art Zwitter zwischen West und Ost zu begreifen.«

Zweitens: Damals waren Russen und Deutsche annähernd gleiche Partner – weil sie gleichermaßen geschwächt waren. Heute ist die Sowjetunion eine Supermacht, also würde jede Verbrüderung nur auf die Unterordnung und Abhängigkeit der Bundesrepublik hinauslaufen. Drittens: In den zwanziger Jahren konnten sich Moskau und Berlin einigen, weil sie ein gemeinsames Interesse an dem Verschwinden ihres Nachbarn – Polen – hatten. Heute aber liegt die DDR zwischen Bonn und Moskau, ein Staat, der zur wichtigsten Klammer des sowjetischen Imperiums in Osteuropa geworden ist.

Das Fazit: Die Bundesrepublik kann kein Sonderverhältnis zur Sowjetunion haben, sie hat nur ein besonderes Interesse an der Aufrechterhaltung der Entspannung in Europa.

Die Nation ist, wie man weiß, kein Gegenstand, kein Territorium und auch kein universaler Wert. Was also ist die Nation? Vielleicht nur noch eine vage Bewußtheit, Erinnerung an Vergangenes? Spricht derjenige, der heute deutsche Nation sagt, in Wahrheit nur noch von unerfüllten Hoffnungen auf die Tröstungen deutscher Kultur?

Das Erbe europäischer Kultur zu bewahren, erklärte ein führender Europäer, sei ein langfristiges Handlungsziel gegenwärtiger Entspannungspolitik. Aber wo endet europäische Kultur? An Amerikas Ostküste? In der Erinnerung an Puschkin, Shakespeare oder Mozart? Franzosen fragten Deutsche, ob sie nicht riskierten, auf ihre kulturelle Identität zu verzichten, wenn sie die Hoffnung auf Wiedervereinigung vollends aufgäben. »Kulturelle Identität« – betrifft das auch den DDR-Alltag der Kulturparolen? Daß Friedrich Schiller inzwischen zum »Erbe des Sozialismus« geworden ist, macht deutsche Kultur (»hüben und drüben«) nicht behaglicher.

Nachmittags auf dem Kurfürstendamm: Der kluge alte Franzose Raymond Aron, der das »dekadente Europa« besser als jeder andere zu verteidigen weiß, starrte auf den regennassen Asphalt: »Hier stand ich als Student im Jahr 1933, als da drüben die Bücher auf die Scheiterhaufen flogen, Thomas Mann, Musil, Feuchtwanger.« Später gingen wir durch die Einstein-Ausstellung in der grandiosen neuen Staatsbibliothek. Auf vergilbten Photos: Otto Hahn, Lise Meitner, Max von Laue, Albert Einstein und ein Zeitungsausschnitt aus dem »Völkischen Beobachter«: »Jüdische Physik . . .«

Raymond Aron, der während der Tagung nur englisch gesprochen hatte, sagt auf einmal: »Ach, die Deutschen hatten die große Chance, die bedeutendste Nation des 20. Jahrhunderts zu werden. Es ist tragisch.«

Krise des Systems?

Mangel an Führung, aber die Bürger
sind einfallsreich

Washington, im August 1979

Wer während der letzten zwanzig Jahre regelmäßig Amerika besucht hat, ist immer wieder beeindruckt, wie sehr das Land und seine Bewohner sich in den siebziger Jahren verändert haben. Mit Erklärungen dafür sind die meisten schnell bei der Hand: Watergate und vor allem Vietnam.

Das ist zweifellos richtig – aber es ist nicht die ganze Wahrheit. Watergate und Vietnam sind nicht der einzige Grund dafür, daß aus strotzend optimistischen Idealisten ratlose Skeptiker geworden sind; und auch nicht dafür, daß so typisch europäische Gefühle wie »Entfremdung« sich in die Begriffswelt der Amerikaner eingeschlichen haben.

Eine Meinungsumfrage, die die Ergebnisse von 1969 mit 1979 vergleicht, stellt fest, daß das Gefühl von Entfremdung und Machtlosigkeit, das damals für ein Drittel der Bevölkerung charakteristisch war, jetzt zwei Drittel aller Amerikaner befallen hat; daß der Glaube an die Integrität der Regierung von 62 Prozent auf 32 sank und daß das Vertrauen in die Geschäftswelt und deren Fairneß ins Bodenlose – von 70 auf 19 Prozent – gefallen ist.

Also allenthalben Mißtrauen und das Gefühl, nicht mehr selber sein Geschick in der Hand zu haben, sondern von irgendwelchen nicht lokalisierbaren und nicht durchschaubaren Mächten manipuliert zu werden: Jedermann ist betroffen von der langsam aber stetig fortschreitenden Inflation. »Warum läßt die Regierung dies zu?«, so fragen die Leute, die den sozio-ökonomischen Zusammenhang von wachsenden Ansprüchen der Bürger, nachgiebiger Gefälligkeit der Politiker und daraus folgender Geldentwertung nicht durchschauen. Dabei sind sie

246

es, die ständig nach besseren Schulen und mehr Universitäten rufen, nach höheren Renten, Löhnen, Gewinnen, Agrarpreisen, nach qualifizierterem Umweltschutz, verläßlicheren Sicherheitsvorkehrungen und natürlich nach Steuersenkungen, was alles zwangsläufig dazu beiträgt, die Inflation ständig anzuheizen.

Die Probleme sind so kompliziert geworden, so komplex, daß die wenigsten die Zusammenhänge noch verstehen. Der Verfall des Dollars und seine monetären Hintergründe sind theoretisch schwer zu erklären, praktisch aber ergeben sich daraus Konsequenzen für jedermann. Dies gilt genauso für das Steuersystem wie für die Energiekrise: »Noch vor zehn Jahren hat kein Mensch von Energieproblemen geredet. Was ist denn eigentlich los? Schuld sind sicher die Multis«, so heißt es.

Seit einem Jahr bemühen sich die drei großen Fernsehanstalten in regelmäßigen Sendungen, die Ursachen der Energiekrise zu durchleuchten, bei der ja der wachsende Import von arabischem Öl eine entscheidende Rolle spielt; heute sind die Vereinigten Staaten zweimal so abhängig von Importen wie beim Ausbruch der Krise von 1973. Doch als die Anstalten kürzlich eine Umfrage machten, um den Erfolg ihrer Bemühungen zu ermitteln, stellte sich heraus, daß das Publikum überzeugt ist, Amerika führe überhaupt kein Öl ein, sondern produziere alles selber.

Präsident Carter hatte bald nach seinem Regierungsantritt 1977 jene berühmte Rede gehalten, die in Amerika als *moral-equivalent-of-warspeech* apostrophiert wird. Damals hatte er in einer zwanzig Minuten währenden Rede den Bürgern Amerikas auf dramatische Weise klarzumachen versucht, daß sie ihren in dreißig Jahren unangefochtenen Lebensstil ändern müßten: zu große Wagen, überheizte Häuser, Verschwendung von Energie, die in Amerika künstlich billig gehalten wurde und wird. Dann jedoch für lange Zeit kein Wort mehr zu diesem Thema.

Wenn aber Leute ihren angestammten Lebensstil ändern sollen, bedarf es dazu ganz anderer Anstrengungen. Dann muß der Führung gegenwärtig sein, daß so eine Forderung erst einmal unter Beschuß gerät und daß darum das Problem öffentlich debattiert werden muß. Die Bürger lehnen sich auf, müssen argumentieren, Fragen stellen, Tatsachen lernen. Und erst ganz allmählich werden sie dann bereit sein, ihren *way of life* zu ändern. Von allein kommt das nicht. Ein solcher Überzeugungsprozeß – und ohne den geht es in der Demokratie nicht – erfordert große Anstrengungen der Führungsgremien. Nirgends sieht man so deutlich wie heute in Amerika, daß es auch in der Demokratie nicht ohne Führung geht.

Ein Universitätsprofessor, der gerade von einem sehr hohen Amt zurückgetreten war, sagte: »Nicht die Bürokratie ist schuld, wenn heute nichts vorangeht und viele resignieren, denn«, so setzte er hinzu, »auch Bürokraten möchten ja Erfolg sehen und Freude an ihrer Arbeit haben – was fehlt ist das Ziel, die Motivierung. Vom Präsidenten abwärts weiß niemand, wo die Reise hingeht.« Und dann beschrieb er anschaulich und überzeugend, wie die Ungewißheit, die über Zweck und Ziel oben herrscht, wie Sand im Getriebe nach unten rieselt. Wenn die Bürokratie nicht weiß, was die Führung will, dann wird sie verunsichert, und alle Energie und Aktivität, die eigentlich auf das Ziel konzentriert sein sollte, richtet sich dann nur mehr auf den technischen Ablauf, auf den Prozeß als solchen.

Noch nie habe ich in Amerika so viele Klagen über das krebsartige Wuchern bürokratischer Verordnungen *(regulations)* gehört wie in diesem Sommer. Große Unternehmen haben riesige Abteilungen mit Dutzenden von Leuten, die nichts anderes tun, als Formulare auszufüllen. Anträge auf Erweiterung oder neue Anlagen bleiben oft jahrelang liegen, ehe sie genehmigt werden. Jedes Jahr kommen 75 000 Seiten neuer Verordnungen des Bundes heraus. Oft handelt es sich dabei um Bestimmungen, die nur dem unmittelbaren Vorteil irgendeiner Gruppe dienen, deren Lobby sie durchgeboxt hat – über ihre langfristige Wirkung aber hat kein Mensch nachgedacht.

Der Kongreß und das *Federal Reserve Board* haben vor einiger Zeit 3000 Seiten Erklärungen und Interpretationen über ein einziges Gesetz herausgebracht, das sich mit *Truth in Lending* befaßt, also mit den Regeln, unter denen Geld ausgeliehen wird. Es zwingt Banken und Geldinstitute, Hunderte von Angestellten damit zu beschäftigen, diese Erläuterungen zu studieren, weil ein Fehler bei der Erhebung von Zinsen ihnen schwere Strafen eintragen würde. Ich habe zwei Stunden bei einem Hearing in der Zentralbank zugehört, das sich mit diesen Interpretationen beschäftigte und hatte den Eindruck, einer Sitzung des Plankomitees in einem sozialistischen Land beizuwohnen.

Als Tocqueville Anfang des 19. Jahrhunderts Amerika bereiste und erschrocken über die Kurzatmigkeit der Demokratie meditierte, tröstete er sich damit, daß ja der Senat nicht gewählt, sondern ernannt werde und mithin wenigstens die Senatoren über langfristige Probleme nachdenken könnten. Dieses System hat man 1913 geändert, und heute stecken auch die Senatoren tief im Dickicht der Tagesprobleme.

Angesichts der verwirrenden Komplexität aller Probleme hat jeder Senator ein paar Dutzend Assistenten. Die Senatoren, die große Staaten repräsentieren, verfügen sogar über 50 Assistenten und mehr, so daß jeder von ihnen sozusagen Kopf einer kleinen Behörde ist; wobei der Kopf soviel Zeit damit verbringen muß, seinen Stab zu leiten und richtig einzusetzen, daß seine eigentlichen Aufgaben wahrscheinlich zu kurz kommen dürften.

Ex-Präsident Gerald Ford, der 25 Jahre im Kongreß war und zweieinhalb Jahre in der Exekutive, sagt: »Als ich 1949 zum erstenmal gewählt wurde, hatte jedes Mitglied des Repräsentantenhauses drei Mitarbeiter in seinem Stab. Heute sind es allenthalben bis zu 17 Assistenten. Es gibt keinen Ausschuß mehr, der nicht mindestens fünf Unterausschüsse hat. Wenn man alle zusammenzählt, kommt man auf 152.«

Diese Spezialisierung auf dem Capitol, die der immer komplizierter und differenzierter gewordenen Materie entspricht, hat nun auch die Lobby immer umfangreicher werden lassen, weil auch sie die Notwendigkeit sieht, sich immer mehr zu spezialisieren. Der Chef eines großen Industrieunternehmens erklärte, früher hatten wir einen Mann in Washington, heute sind es elf.

So treibt ein Keil den anderen. Die wachsende Bürokratie in der Exekutive bringt ihre Entsprechung in der Legislative hervor, und dies wiederum fordert die Lobbyisten zu immer neuer Verstärkung heraus. Alle aber sind frustriert: Die Repräsentanten fühlen sich belagert, und die Belagerer haben den unbefriedigenden Eindruck, daß ihnen die erwartete Hilfe nur ungenügend zuteil wird. Unter solchen Umständen geht das öffentliche Interesse verloren, jeder denkt nur an sich.

Ein alter erfahrener Bankier sagte mir: »Als ich vor fünfzig Jahren als Lehrling in ein New Yorker Bankhaus eintrat, gab die Regierung 3,1 Milliarden Dollar im Jahr aus – davon ein Viertel für Kriegsveteranen; sie waren übrigens die einzigen Bürger, die vom Staat etwas bekamen.« Heute beträgt das Budget 200 Milliarden Dollar.

»Wir meinten zu jener Zeit«, so fuhr er fort, »die Regierung sei dazu da, jene Dienste auf sich zu nehmen, die wir selber nicht zu leisten vermochten. In meiner Lebenszeit also hat sich das Konzept dessen, was Regierung ist, total verändert. Heute ist die Regierung in erster Linie eine gewaltige Maschinerie, die Eigentum von einer Gruppe von Bürgern auf eine andere Gruppe von Bürgern überträgt.«

Es ist diese ganze Entwicklung, die sich noch dazu von Jahr zu Jahr beschleunigt, die die Amerikaner beunruhigt: die immer weniger durchschaubaren Probleme; der Mangel an Führung; das Anwachsen der Bürokratie; das Überhandnehmen des Staatlichen gegenüber dem Privaten. Immer häufiger hört man die bange Frage, ob die Demokratie mit den heutigen Schwierigkeiten überhaupt noch fertig werden könne. Und oft wird die *governability*, die Regierungsfähigkeit unserer Gemeinwesen, in Frage gestellt.

Da ist es denn herzerfrischend und ungemein beruhigend festzustellen, daß, obgleich die Kritik an der Entwicklung und die damit verbundenen Sorgen durchaus berechtigt sind, es gerade in Amerika noch immer soviel Vitalität gibt, daß der Mangel an Führung von oben durch das entschlossene Zupacken einiger Bürger unten wettgemacht wird. Zwei solche Beispiele schienen mir besonders eindrucksvoll. Für beide steht das Stichwort *governance,* das über dem Begriff von *government* – Regierung – hinaus alles umfaßt, was Öffentlichkeit im weitesten Sinne ist.

Im ersten Fall haben sich eine Reihe von Bürgern zusammengetan in dem Bestreben, heranwachsende Jugendliche auf praktische Weise für das zu interessieren, was der heutigen Generation verhältnismäßig fern gerückt ist, aber allen Amerikanern von jeher heilig war: die Verfassung und die *Bill of Rights.*

Im Mittelpunkt der Themen, die jene Bürger mit jungen Leuten abhandeln, stehen Probleme, die die Jugendlichen angehen und interessieren: Drogenabhängigkeit, Jugendkriminalität, elterliche Vernachlässigung, Sex und psychologische Probleme. Angestellte des Bürgermeisteramtes, der Polizei, Rechtsanwälte – in Los Angeles allein haben sich 350 Anwälte zur Verfügung gestellt – gehen in die Oberklassen der Schulen und handeln zusammen mit Jugendlichen Fälle ab, die gerade im Zentrum der öffentlichen Debatte stehen.

Auf diese faszinierende Weise werden die jungen Leute mit den

Normen des rechtlichen, sozialen und politischen Systems ihres Landes vertraut. Während dies eine neue Aktivität ist, handelt es sich bei dem zweiten Beispiel um eine längst bewährte Einrichtung.

Seit 30 Jahren besteht das *Institute for Humanistic Studies* in Aspen, Colorado. Es hat in dieser Zeit ein Netz von bedeutenden Mitarbeitern, eine intellektuelle Infrastruktur rund um die Welt aufgebaut, wie sie kein zweites Mal existiert. Zweigstellen unterhält das Institut in Berlin und Tokio. Nobelpreisträger, bekannte Politiker und gewichtige Wirtschaftler sind seine Mitarbeiter. Auch eine Reihe Berater wurden verpflichtet, beispielsweise Henry Kissinger für weltpolitische Fragen, John Sawhill – Vorgänger von James Schlesinger – für Energieprobleme, Alan Bullock aus Oxford für den Bereich der Bildung. Das gemeinsame Kriterium ist, daß jeder Fachmann auf seinem Gebiet ist, sich darüber hinaus aber in entscheidender Weise dem Ganzen und den großen Problemen unserer Zeit verpflichtet fühlt und bereit ist, dafür Zeit zu opfern.

Jenes »*humanistic*« im Titel des Instituts ist also vor allem im Sinne eines Weltbürgertums zu verstehen. Darum wird auch soviel Wert auf die Lektüre der großen Ideen der Menschheitsgeschichte von Plato über Thomas von Aquin, Kant, Rousseau, Jefferson bis zu Schumachers »*Small is Beautiful*« gelegt, die den Bezugspunkt für die Auseinandersetzung mit den heutigen Problemen darstellen. Diejenigen, die Entscheidungen treffen, sollen sich der Ideen und Werte bewußt sein, aus denen sinnvolles Handeln wächst und sich nicht nur als Technokraten auszeichnen.

Finanziert wird das Institut durch verschiedene amerikanische Stiftungen, Spenden und die Gebühren, die für Seminare erhoben werden sowie durch Beiträge von Bob Anderson, dem Vorsitzenden des Vorstands der *Richfield Oil Company*, der diese Aufgabe von dem Gründer des Instituts, Walter Paepcke, übernommen hat. Die Leitung des Instituts hofft aber, in absehbarer Zeit eigenes Kapital zur Verfügung zu haben, um die Unabhängigkeit auf Dauer gewährleistet zu wissen. Präsident des Instituts ist seit 1969 Joseph Slater, der als junger Mann im *Allied Control Council* in Berlin für die ökonomischen Belange verantwortlich war.

Nach seinem eigenen Verständnis will das Aspen-Institut als »Frühwarnsystem« wirken, also aufkommende Probleme beizeiten ausmachen und analysieren und dann versuchen, mitzuhelfen, daß die langfristigen Ziele nicht über dem Druck der unmittelbaren Krisen in Vergessenheit geraten. Darum jetzt die Konzentration auf *governance,* also auf die Organisationsprobleme der modernen Gesellschaft, ihre pragmatischen Lösungsmöglichkeiten und philosophischen Implikationen. Hier einige der Fragen, die auf der Tagesordnung stehen:

– Wieviel individueller Widerspruch ist in einer komplexen Gesellschaft, die immer anfälliger für Störungen wird, tragbar?

– Wie kann ein wichtiges Ziel erreicht werden, ohne daß anderen Zielen unerträglicher Schaden zugefügt wird?

– Wie kann ein wichtiges Ziel erreicht werden, Mitspracherecht eingeräumt werden, dabei aber die Fähigkeit zu entschiedenem Handeln erhalten bleiben?

– Wie läßt sich individuelle Selbstverwirklichung mit der erforderlichen Bereitschaft zu sozialer Verantwortung vereinbaren?

Die nächsten Aufgaben: Der Präsident des Instituts ist der Meinung, eine grundsätzliche Überprüfung der amerikanischen Verfassung sei einfach unerläßlich, und eine bessere Zusammenarbeit von Exekutive und Legislative müsse unter allen Umständen sichergestellt werden. Er sagt, heute sind alle ratlos: Die einen meinen, dieser Krise der *governance* sei nur beizukommen, indem man die Uhr zurückstellt, die anderen hoffen auf weiteren Fortschritt. Die einen träumen also vom einfachen Leben, die anderen von technischen Lösungen; und die Berufspessimisten unken, alles liefe auf ein autoritäres System zu.

Joseph Slater und das Aspen-Institut sagen: »Nein, das stimmt nicht. Wir müssen nur die Kreativität der Menschen zu gesellschaftlicher Innovation und gemeinsamem Handeln wieder freilegen.« Und recht haben sie.

Die achtziger Jahre

Amerikas Sorge: der Zerfall der Gesellschaft

Noch nie herrschte in den Vereinigten Staaten so große Unsicherheit

Washington, im Juli 1980

Ob den Amerikanern die frustrierende Alternative Carter/Reagan nun doch erspart bleibt? Man möchte es ihnen wünschen, denn diese große Nation hätte wirklich Besseres verdient und könnte auch überzeugendere Kandidaten präsentieren. Aber gleichgültig, ob Präsident Carter nun die Gunst der Delegierten verliert und der dann an seiner Stelle nominierte Kandidat gewählt wird, oder ob er oder jener gegen Reagan unterliegt – soviel steht fest, in jedem Falle wird der künftige Präsident der Vereinigten Staaten dem Rechtsruck, der das Land erfaßt hat, Rechnung tragen müssen. Nach einem vierzehntägigen Aufenthalt in Amerika ist dies jedenfalls der hervorstechende Eindruck. Und diese Entwicklung bahnte sich bereits 1978 und 1979 an.

Es ist also diese Entwicklung nicht nur die flüchtige Reaktion auf die Geiselaffäre in Teheran oder die Ereignisse in Afghanistan, wie man zunächst meinen könnte, wenn man sie drüben reden hört. Da kommt allenthalben patriotische Hochstimmung und emphatischer Nationalismus zum Ausdruck, und auch der Antikommunismus blüht wieder wie zu Dulles' Zeiten. Merkwürdig, wie rasch die Leute vergessen: In der Nach-Dulles-Periode hatte man eingesehen, daß man nur mit der Devise: stark sein und rüsten und immer stärker werden und immer weiter rüsten, weil die Russen dann eines Tages klein beigeben müßten, keinen Erfolg hatte. Damals sah man ein, daß die Russen, wie schwer dies ihrer Wirtschaft auch fallen mag, entschlossen sind, mitzuhalten, und daß daher das einzige Resultat dieser Politik ein nie endender Rüstungswettlauf sein kann.

Jetzt scheint dies alles vergessen. Wieder wird der Faden dort aufgenommen, wo er damals liegenblieb, als Kennedy in seiner *peace-*

strategy-Rede »Stärke plus Verhandeln« auf sein Panier schrieb. In den politischen Kreisen Amerikas wird heute nur noch von militärischer Stärke gesprochen und von der Notwendigkeit, mehr für die Verteidigung zu tun, so als gäbe es keine anderen Sorgen. In den mehr populären Gesprächen heißt es ganz einfach: »Wir waren immer die stärkste Nation und das freieste Land der Welt, und das wollen wir wieder werden – und, verdammt nochmal, das werden wir auch wieder werden.« Darum hat der Wahlkampf auch bei beiden Parteien gewisse kreuzzugartige Züge angenommen.

Es ist natürlich klar, daß der hochgeschraubten sowjetischen Rüstung eine verstärkte Verteidigung entgegengesetzt werden muß. Unverständlich aber bleibt, warum der Präsident sich selbst Fesseln anlegte mit der Erklärung, er werde, solange die Russen in Afghanistan sind, nicht mit ihnen sprechen. Ohne Sprechen – ohne Verhandlungen – kann es aber gar nicht gehen. Jeden Tag kann es an den Krisenpunkten der Welt, im Nahen Osten oder im Iran, zu Katastrophen oder mindestens zu ganz neuen Situationen kommen, und da muß Washington doch wissen, was Moskau denkt und wie es darauf reagieren wird. Die Zentren der beiden Weltmächte müssen miteinander in Verbindung stehen und können die Entwicklung nicht von Zufällen oder Gerüchten abhängig machen, die leicht zu Fehlbeurteilungen und Kurzschlußhandlungen führen können.

Wenn ich den *state of mind* – wörtlich: den Geisteszustand, aber besser: die Seelenverfassung – der Amerikaner charakterisieren sollte, würde ich nach ungezählten Gesprächen mit Politikern, Intellektuellen und Industriellen sagen: Verwirrung, Unsicherheit und verdrossene Ratlosigkeit. Das liegt zum Teil, aber nur zum Teil, an der Alternative Carter/Reagan, zum anderen an dem für sie unbegreiflichen Zustand, daß andere stärker werden, während Amerika auf vielen Gebieten immer schwächer geworden ist.

Henry Kissinger sagte ärgerlich: »Natürlich muß man die sowjetische Expansion stoppen, aber wie soll das gelingen, wenn man weder Zuckerbrot (erweiterten Handel) anbieten, noch die Peitsche zeigen (drohen) darf, weil die Konservativen das eine verbieten, die Liberalen das andere.« Er meint – was viele beklagen –, in der letzten Dekade sei der Konsensus in der Gesellschaft und im Lande verlorengegangen. Jeder denke nur an seine Karriere oder sein Geschäft und nicht mehr

an das Ganze. Die amerikanische Gesellschaft sei zu einem Zusammenschluß von *special interest groups* degeneriert. Das gemeinsame Interesse sei verlorengegangen.

John McCloy findet, das sich endlos hinziehende Wahlverfahren für
die Ermittlung des Präsidentschaftsanwärters wirke sich verheerend
aus. Dieses Mal waren es 18 Monate und 34 Primaries, denen sich die
Kandidaten zu stellen hatten. Und das bedeutet, daß sie sich 34mal der
gleichen, im Grunde erniedrigenden Prozedur der Schaustellung und
des Buhlens um die Gunst der Delegierten unterziehen müssen. »Von
wem eigentlich kann man erwarten, daß er dazu bereit ist?«, so fragt
der *grand old man* der Nation.

Dick Clark, der junge liberale Senator von Iowa, der seinen Sitz im
Senat verloren hat, weil er für das Abtreibungsgesetz eintrat, beklagt
drei Gründe, die an der Desintegration der Gesellschaft mitwirken:

1. Wenn man nicht eine *special interest group* findet, die bereit ist,
einen zu finanzieren und zu unterstützen, dann kann man sich bei
keiner Wahl bewerben.

2. Es gibt mehr und mehr *single issue groups,* also solche, denen es
nur um ein bestimmtes Anliegen geht, und die sind nur an einem
Repräsentanten interessiert, der bereit ist, sich für diese ganz bestimmte
Frage einzusetzen.

3. Ethnische Gruppen mit ihren Sonderinteressen.

Alle drei Gründe tragen dazu bei, die Gesellschaft zu fragmentieren.
Wenn das so weitergeht, würden, so meint der Ex-Senator, die Parteien
allmählich verschwinden.

Viele machen sich Sorgen über den Zustand der Gesellschaft und
den Niedergang der traditionellen Autorität. Deutlich tritt dabei eine
Gruppe Intellektueller hervor, die sich die Neo-Konservativen nennen.
Zu ihnen gehören Senator Patrick Moynihan, der Autor Irving Kristol,
die Professoren Daniel Bell, Walter Laqueur, Edward Shils, Sydney
Hook und andere; ihre Zeitschriften *Commentary* und *The Public
Interest.* Nach unseren Begriffen sind es Liberal-Konservative im Sinne
der Federalisten. Sie verteidigen den Liberalismus nicht als garantierten
Zugang zum Fortschritt, aber als Bollwerk gegen Radikalismus aller
Art. Sie sind gegen den *laissez-faire*-Kapitalismus, aber auch gegen den
Wohlfahrtsstaat.

Einige von ihnen waren zuvor Sozialisten, aber alle sind engagierte

Antikommunisten. Sie machen sich Gedanken über die Zukunft unserer Kultur und fragen sich, was denn eigentlich Grundlage moralischer Prinzipien in einer Zivilisation sein kann, die kein religiöses Fundament mehr hat. Ihre Sorge gilt der Familie, den Kirchen und natürlich der amerikanischen Gesellschaft. Es sind Konservative, die intellektueller sind als alle, die es vor ihnen gab.

Bei dem eingangs erwähnten Rechtsruck dachte ich aber nicht an diese liberal-konservativen Intellektuellen, sondern an eine höchst merkwürdige religiöse Bewegung, die mit jenen nicht das geringste zu tun hat, an die *Born Again Christians*. Diese Bewegung ist zu Beginn des Jahrhunderts entstanden, ist aber erst während der siebziger Jahre wirklich populär geworden. Die *New York Times* schrieb Ende der siebziger Jahre über die *Born Again:* »Dies ist die erste religiöse Kraft in Amerika geworden, sowohl was die Zahl wie was ihren Einfluß angeht.«

Die Mitglieder dieser Bewegung – es gibt deren 30 bis 40 Millionen – nennen sich *Born Again*, weil das Herzstück dieser protestantischen Bewegung, die keine kirchliche Hierarchie kennt und keine spezifische Doktrin hat, auf der persönlichen Erfahrung der Bekehrung oder Wiedergeburt des einzelnen beruht. Ihre Anhänger zeichnen sich dadurch aus, daß sie eine Art Erweckung erlebt haben, indem sie Christus begegneten, ihn »akzeptierten«, also angenommen haben, und dadurch zu einer neuen Existenz, einem zweiten Leben, wiedergeboren wurden.

Es gibt eine Flut von Literatur, die man freilich kaum als solche bezeichnen kann und die darum auch auf keiner Bestseller-Liste erscheint, obgleich es Hunderte von Büchern gibt, die eine Millionenauflage haben; aber sie werden nicht in den großstädtischen Buchhandlungen vertrieben, sondern nur in religiösen Spezialgeschäften, die sich vielfach in der Nähe von Colleges befinden, weil ein großer Teil ihrer Anhänger junge Leute sind.

Der bekannteste Bestseller war das Buch von Charles Colson, der beim Watergate-Skandal kräftig mitgemischt hatte und dafür ins Gefängnis kam. Er war als junger Anwalt zu Nixon gestoßen und hatte zu dessen Wahlsieg mit beigetragen, empfand aber offenbar schon zu jener Zeit, auf der Höhe seines Erfolges, wie er schreibt, »die innere Leere seines Lebens«. Damals hatte er Tom Phillips getroffen, den Präsidenten einer großen Gesellschaft, der Christus akzeptiert hatte und wiedergeboren worden war und den Colson zum Vorbild nahm. Seit mehreren Jahren, seit er wieder frei ist, betätigt er sich nun als Prediger.

Im allgemeinen sind es *lower middle class-*Leute aus dem Süden und Mittleren Westen, fast ausschließlich Weiße, die dieser Bewegung angehören. Aber auch Carter und in gewisser Weise Nixon sind Wiedergeborene. Und Colson berichtet von den »christlichen Brüdern«, die ihm geholfen haben, die Zeit der Verhöre und der Verurteilung durchzustehen. Zu ihnen rechnet er den früheren Senator Harold Hughes aus Iowa, den früheren Abgeordneten Graham Purcell von Texas und Albert Quie von Minnesota.

Das Bedürfnis nach solcher Art religiösen Halts entspringt offensichtlich der Verunsicherung, die durch das rasche Tempo, mit dem Amerika sich verändert, verursacht worden ist. Stets wird Vietnam und Watergate angeführt, wenn nach Erklärungen für den Seelenzustand der Amerikaner gesucht wird, aber das unpolitische Volk ist über ganz andere Dinge beunruhigt. Sie machen sich Sorgen wegen der Inflation, die seit zwei Jahren mit zehn Prozent höher ist als der Einkommenszuwachs. Und noch höher als die Inflationsrate sind die Gebühren für einen Platz im College geworden, und daher stellen sich viele besorgt die Frage, ob es möglich sein wird, auch das zweite und womöglich ein drittes Kind ins College zu schicken, woran man sich in den Jahren des Wohlstands gewöhnt hatte.

Für viele ist der Zustand der heutigen Gesellschaft aus mancherlei Gründen tief beunruhigend: Terrorismus, Drogen, Sex, vor allem aber die Auflösung der Familie, die Emanzipation der Frauen – heute sind 24 Prozent aller Haushalte Einzelhaushalte, vor zehn Jahren waren es nur elf Prozent. In den letzten zehn Jahren hat die Anzahl der Scheidungen sich verdreifacht. Da wächst dann die Sehnsucht nach den Werten der Väter, nach einem übergeordneten Ordnungsprinzip, nach religiösem Halt. Die *Born Again* nennen sich bezeichnenderweise auch Fundamentalisten.

»Sind alle *Born Again* Reagan-Anhänger?« fragte ich einen Soziologen, der sich mit dieser Bewegung beschäftigt.

»Das kann man nicht ohne weiteres sagen: 1960 haben viele für Nixon gearbeitet, weil sie verhindern wollten, daß ein Katholik Präsident wird. Sie sind zwar rechts – die Radikalen unter ihnen glauben, sie müßten verhindern, daß der Teufel Amerika zum Sozialismus verführt –, aber man kann sie nicht eindeutig den Republikanern zuordnen. Gefährlich könnte dieses Reservoir an potentiellen Radikalen aber werden, wenn es zu einer echten ökonomischen Krise käme.«

Nun, eine echte ökonomische Krise steht Amerika gewiß nicht bevor, aber es ist erstaunlich, wie wenig die sprichwörtliche Umsicht der Unternehmer und der vielgepriesene Marktmechanismus sich bewährt haben. Die Stahlindustrie ist total veraltet, die Automobil-Industrie nun wirklich tief in die Krise geraten, weil sie die im Herbst 1973 beginnende Öl-Problematik nicht zur Kenntnis genommen hat: 1979 waren 28 Prozent der verkauften Autos ausländische Wagen. Bei der Londoner Gipfelkonferenz im Mai 1977, auch noch 1978 in Bonn, bestanden die Amerikaner darauf, Deutschland und Japan müßten ihre Konjunktur ankurbeln, um als »Lokomotive« die westlichen Wirtschaften aus der Stagnation zu ziehen. Nur der wütigen Widerborstigkeit von Bundeskanzler Schmidt gelang es, diesen Wunsch, der uns eine solenne Inflation beschert hätte, einzudämmen.

Heute sehen die Amerikaner ein, daß ihre Wettbewerbsfähigkeit nachgelassen hat, und daß sie selbst etwas tun müssen: *Reindustrialization of America* heißt jetzt die Devise und die Begründung dafür: Es fehle am überlegenen Management, am rechten Unternehmergeist und an einer vernünftigen Zusammenarbeit mit den Gewerkschaften. Viele Experten propagieren eine Art »konzertierte Aktion« Karl Schillerscher Prägung. Noch 1972 hatten die Vereinigten Staaten den höchsten Lebensstandard, heute stehen sie an fünfter Stelle. Je mehr Amerika in den Welthandel verflochten wird: 1960 waren es sieben Prozent des Sozialprodukts, heute sind es 13 Prozent – und je abhängiger es von Energieeinfuhr wird: 1960 betrug der Wert der Ölimporte 3,3 Milliarden, in diesem Jahr werden es 90 Milliarden Dollar sein – desto deutlicher wird, daß Amerika nie genötigt war, sich auf Wettbewerb einzustellen. Für Deutschland und Japan ist dagegen der Wettbewerb auf dem Weltmarkt eine Frage des Überlebens. Darum werden heute auch in Amerika den eigenen Statistiken oft mahnend die deutschen und japanischen gegenübergestellt.

Das Bild, das dabei entsteht, ist in der Tat erschreckend, weil alle US-Zahlen abwärts, die der beiden Vergleichsländer aufwärts weisen, egal ob es sich um die Sparquote handelt oder um die Aufwendungen für Forschung und Entwicklung. Beim Export metallverarbeitender Maschinen lagen Amerika und die Bundesrepublik 1960 Kopf an Kopf – heute deckt die Bundesrepublik 40 Prozent, die USA nur noch 21 Prozent des Welthandels dieser Produkte.

Hundert Jahre Wirtschaftswunder mit nur kurzen Einbrüchen haben die Amerikaner offenbar zu selbstsicher werden lassen. So konnte es geschehen, daß sie zwar den Video-Recorder als großen Schlager erfanden, aber die Japaner seine Massenproduktion übernahmen. Oder daß sie noch 1960 den eigenen Markt mit Unterhaltungselektronik (Fernsehen etc.) zu 95 Prozent selbst versorgten, 1979 aber 50 Prozent importierten.

Amerikanische Firmen haben über die Jahre in der Zeit, als der Dollar überbewertet war, etwa 180 Milliarden Dollar im Ausland investiert, indem sie Tochtergesellschaften gründeten oder auch ausländische Firmen kauften. Heute fließt der Strom in umgekehrter Richtung. Der abgewertete Dollar veranlaßt die europäische und japanische Industrie, in Amerika Unternehmungen aufzukaufen, mit dortigen zu fusionieren oder Zweigfirmen zu etablieren, weil daheim die Kosten steigen, um die Produkte dann von Amerika aus zu exportieren.

Das Bild Amerikas mag im Augenblick recht düster erscheinen, aber niemand soll sich täuschen: Dieser Kontinent hat riesige Reserven, vor allem menschliches Potential. Augenblicklich herrscht Unsicherheit und Resignation, aber wenn die Wahl einen neuen Anfang bringen sollte, dann wird auch der alte Optimismus wiederkehren, und dann wird man staunen, was diese Nation zu leisten vermag. Man hat das ganz vergessen.

Reagans Ziel: die USA wieder
als Führungsmacht zu etablieren

Die Amerikaner sollen wieder
stolz sein können

Washington, Anfang April 1981

Anfang November 1980 wurde in Amerika der Präsident und damit die neue Regierung gewählt. Drei Monate später, Ende Februar 1981, wurde in der Sowjetunion auf dem XXVI. Parteitag das Politbüro, die Quelle aller Macht, durch Abstimmung neu bestätigt. In diesen beiden Vorgängen kommt die Verschiedenartigkeit der Herrschaftsstrukturen beider Systeme mit eindringlicher Deutlichkeit zum Ausdruck.

In den Vereinigten Staaten wurde nach Ronald Reagans Sieg die gesamte Führungsschicht – etwa 3000 Personen – ausgewechselt. Im Politbüro, das aus vierzehn Personen besteht, hat dagegen keinerlei Veränderung stattgefunden. Suslow sitzt dort seit 1955, Breschnew seit 1957, Kirilenko seit 1962; der heute zweiundachtzigjährige Pelsche ist mit 67 Jahren in dieses höchste Gremium eingezogen.

In Washington hatte der neue Verteidigungsminister Caspar Weinberger bisher nichts mit militärischen Dingen, der Vier-Sterne-General Alexander Haig wenig mit Außenpolitik zu tun. Haigs sowjetischer Kollege Andrej Gromyko dagegen ist seit 24 Jahren Außenminister. In vielen Krisen gehärtet, durch ungezählte Konferenzen gewitzt, mit der intimen Kenntnis aller Konflikte und deren historischer Implikation versehen, ist er zu einem außenpolitischen Experten geworden, der seinesgleichen in dieser Welt nicht hat – weder in der östlichen noch in der westlichen.

Es kann einem himmelangst werden bei den vielen Pannen, die in der neuen Administration in Washington passieren, wenn man an den routinierten Gegenspieler in Moskau denkt. Doch ist gleichzeitig auch deutlich, wie übergroß die Nachteile des sowjetischen Systems sind, das nicht in der Lage ist, seine Führungsschicht zu erneuern, und das aus eben diesem Grunde langsam, aber sicher versteinert. Und dies in einer Zeit, in der die Geschichte offenbar mit besonderer Beschleunigung abläuft, so daß, wer nicht mithalten kann, unwiderruflich zurückbleibt.

Auf einem Gebiet allerdings hat die Sowjetunion nicht nur mitgehalten, sondern den Rivalen Amerika angeblich übertrumpft: auf dem militärischen. Aber die Sowjetunion ist eben nur auf diesem Gebiet stark. In allen anderen Bereichen – Landwirtschaft, Technologie, Konsumproduktion – ist sie ausgesprochen schwach, schwächer als manches kleine Land in Westeuropa. Darum fragt sich der Westeuropäer, der heute durch die Vereinigten Staaten reist, warum das ganze Land sich wie ein Mann erhebt, entschlossen, auch unter großen Opfern eine gigantische zusätzliche Aufrüstung auf sich zu nehmen.

Könnte es nicht sein, daß die Sowjetunion ihre Rüstungsanstrengungen nur unternommen hat, um ihre Schwäche auf den anderen Gebieten auszugleichen – also sozusagen um sich selber Mut zu machen? Und könnte es nicht sein, daß Washington mit seiner neuen Rüstungsanstrengung Moskau lediglich anstiftet, noch mehr Raketen zu produzieren, wodurch die Diskrepanz zwischen dem militärischen und dem zivilen Sektor schließlich so groß zu werden droht, daß der Kreml meint, es bleibe ihm gar nichts anderes mehr übrig, als diese Waffen nun auch einzusetzen?

Den Europäer, der heute nach Washington kommt, ergreift Besorgnis, weil dort alles nur durch die Brille des Ost-West-Verhältnisses gesehen wird und weil nur noch in militärischen Kategorien gedacht wird. Außenpolitische Erklärungen sind von erschreckender Simplizität. »Wir brauchten mehr Diplomatie und weniger Kanonen«, meinte ein demokratischer Senator, aber Verhandlungen, Rüstungskontrolle, Abrüstung sind ganz in den Hintergrund getreten. Détente ist tot, heißt die Devise. Alles Sinnen und Trachten ist aufs Rüsten gerichtet, auf Starkwerden und Aufholen. Dabei sollte man sich doch über folgendes klar sein: Sehr viel effektiver als durch alle Rüstung wird der Kommunismus durch die Entwicklung in Polen bedroht, und die war ohne die Détente nicht möglich.

Brzezinskis Nachfolger Richard Allen, des Präsidenten Berater für Sicherheitsfragen, behauptet, in Europa sei der Pazifismus ausgebrochen. Er beklagt die Stimmung in Europa, weil dort »Verhandlungen über Rüstungskontrolle als Ersatz für militärische Stärke propagiert werden.« Der Kommentar, den man am häufigsten hört, lautet: »Die (also die Russen) denken, sie könnten machen, was sie wollen – *we have got to stop that* – das hört jetzt auf.« Und: »Mit den Russen kann man nur aus einer Position der Stärke verhandeln.«

Nach Haig ist »das Anwachsen der sowjetischen Militärmacht, die Moskau eine imperiale Außenpolitik ermöglicht, die größte Gefahr in der Welt«. Und Präsident Reagan sagt: »Jeder, der unsere Rechte verletzt, wird in Zukunft nicht mehr mit der Zuversicht schlafen gehen dürfen, daß er am nächsten Morgen feststellen kann, Amerika habe noch nicht gehandelt.«

Auf die Frage, wie die neue Administration es mit der Carter-Doktrin für den Persischen Golf halte, zeigt sich, daß auch dort schärfere Maßnahmen vorgesehen sind. Carters Doktrin ging davon aus, daß der Versuch irgendeiner auswärtigen Macht, Kontrolle über den Persischen Golf zu gewinnen, »eine Antwort der USA finden werde«. Bei Haig heißt es kurz und bündig, »eine Veränderung des Status quo würde mit aller zur Verfügung stehenden Macht gekontert werden.«

Was den Nahen Osten anbetrifft, so erklärte der Außenminister, die Regierung werde versuchen, einen »strategischen Konsensus« zu entwickeln, der sich über ein Gebiet von Ägypten bis Pakistan erstrecke und der die Türkei, Israel und Saudi-Arabien einschließen soll. Man fühlt sich unwillkürlich an John Foster Dulles und seine Pakt- und Stützpunkt-Praxis erinnert, und das ausgerechnet in einem Augenblick, da alle Länder der Dritten Welt nur eine Sorge haben: sich nicht mit engen Beziehungen zu den USA ertappen zu lassen.

Große Summen, die für Sicherheitsbelange bestimmt sind, kommen zur Verteilung an prowestlich gesonnene Staaten: Ägypten soll 1,65 Milliarden Dollar bekommen, der Sudan 100 Millionen, Tunis 95 Millionen, die Türkei 700 Millionen, Pakistan 500 Millionen. Präsident Reagan bemüht sich, eine Reihe von Verboten, die der Kongreß seinerzeit erlassen hat, wieder aufheben zu lassen: das Clark-*Amendment,* demzufolge dem angolanischen Widerstandskämpfer Savimbi keine militärische Unterstützung gewährt werden darf; auch das Waffen-Embargo gegen Chile und Argentinien – die notorischen Sünder wider die Menschenrechte – und gegen Pakistan, das der Entwicklung nuklearer Waffen verdächtigt wird, soll aufgehoben werden.

Vor meinem Hotel in Washington standen zwei Bauarbeiter, die gleich mir auf Abholung warteten: »Wäre es nicht besser«, so fragte ich, mit ihnen ins Gespräch gekommen, »wenn der Präsident weniger für militärische Verteidigung ausgäbe und dafür die Sozialausgaben nicht so stark kürzen würde?« »Wie stellen Sie sich das denn vor?«, war die ärgerliche Antwort, »Sie haben wohl keine Ahnung, was die Russen alles an neuen Waffen haben. Nein, wir lassen uns von denen nicht überrunden oder womöglich erpressen.« Der andere fügte einen weiteren Gesichtspunkt hinzu: »Es gibt zu viele Leute, *who want to have a free ride* – die umsonst mitreisen wollen –, während wir schuften müssen. Es ist Zeit, daß damit aufgeräumt wird. So reich sind wir nicht. Wir haben zu lange über unsere Verhältnisse gelebt.«

Tatsächlich ist die Verbitterung über die sozialen Einsparungen, die alle mit Ausnahme der Reichen treffen, nicht – noch nicht – so groß, wie man annehmen sollte. Dabei werden die Stipendien für Studenten empfindlich gekürzt, Sozialhilfen aller Art – von der Krankenkasse bis zur Veteranen-Unterstützung – eingeschränkt und die Anwälte für die Armen sowie die Schulspeisungen mehr oder weniger ganz gestrichen. Auch die Steuersenkungen kommen nur den höheren Einkommen zugute. Die dreißigprozentige Senkung würde im Jahr 1984 einer Familie mit 20 000 Dollar Jahreseinkommen keine Erleichterung bringen; eine Familie mit 50 000 Dollar würde dagegen etwa 1200 Dollar sparen.

»Das harte ökonomische Programm des Präsidenten«, gab ein Professor der Wirtschaftswissenschaften zu bedenken, »ist ja nicht aus Experimentierlust, sondern aus Verzweiflung geboren: 7,5 Prozent Arbeitslose und 11,2 Prozent Inflation, und dies schon seit Jahren – da versteht jeder, daß das so nicht weitergehen kann. Die Einsichten von Keynes helfen nicht mehr, darum muß man auf andere Abhilfe sinnen. Alles muß darangesetzt werden, die Unternehmer dazu zu bringen, wieder zu investieren und die Wirtschaft in Gang zu setzen.«

Es ist wahr, etwas muß geschehen, und vielleicht ist das durch außerordentliche Kühnheit charakterisierte ökonomische Programm Reagans das richtige. Niemand allerdings kann garantieren, daß die dramatischen Maßnahmen, die er verordnet, wirklich greifen werden. Aber der Schock, den sie für jedermann bedeuten, ist vielleicht das, was notwendig war, um eine Wende herbeizuführen, um einen neuen

Anfang zu setzen. Mag sein, daß gerade die Doppelkrise von militärischer Gefahr und sich abzeichnender wirtschaftlicher Ausweglosigkeit den Umschwung ermöglichen wird, der notwendig ist, um vom Glauben an den Überfluß zur Überzeugung zu gelangen, daß Einschränkung not tut.

Auch Reagans Devise: weniger Staat – mehr Privatinitiative, fällt offenbar auf fruchtbaren Boden. Allenthalben wird jetzt die staatliche Verschwendung angeprangert. *US-News & World Report* behauptet, aus offiziellen Statistiken sei ersichtlich, daß der Staat etwa 60 Milliarden Dollar jährlich verschwende. Beispiele: Fünf bis sechs Milliarden Dollar werden jährlich an *consultants* bezahlt, die häufig 300 Dollar am Tag bekommen und lediglich die Arbeit von fest angestellten Beamten duplizieren. Etwa 24 Milliarden Dollar öffentliche Kredite werden jedes Jahr notleidend, ohne daß ausreichende Anstrengungen gemacht werden, das Geld einzutreiben.

Millionen werden angeblich durch unnütze Reisen von Beamten verpulvert oder im Verteidigungsministerium vergeudet. Eine Studie republikanischer Abgeordneter hat festgestellt, daß im Pentagon 1980 etwa 15 Milliarden Dollar verschwendet wurden. Im Gesundheitsministerium hätten sich betrügerische Praktiken eingebürgert – Labors berechnen dem Staat fünfmal soviel wie individuellen Kranken: Kostenpunkt zirka drei Milliarden Dollar. Mit *food stamps,* Lebensmittelmarken, wird Schwindel getrieben, der den Steuerzahler, wie es heißt, 500 Millionen im Jahr kostet. Von den zwölf Millionen Kindern, die täglich eine freie Mahlzeit erhalten, sind nur ein Teil bedürftig – Budget-Beamte schätzen, daß 800 Millionen Dollar jährlich unberechtigterweise für diesen Zweck ausgegeben werden ...

In Princeton fand die XI. Amerikanisch-Deutsche Konferenz statt. Anwesend auf beiden Seiten: Politiker, hohe Beamte, Abgeordnete, Professoren, Journalisten. In der Gruppe, die sich mit den Beziehungen zu kommunistischen Staaten befaßte, entwickelte sich folgende Debatte:

Ein Berater im Weißen Haus sagte, zu den Deutschen gewandt: »Ihr könnt nicht erwarten, daß die amerikanischen Wähler bereit sind, ihre *boys* zur Verteidigung des Persischen Golfs zu schicken, von dessen Öl ihr weit mehr abhängt als wir, wenn ihr nichts weiter tut, als der Türkei Geld zu geben.«

Ein deutscher Abgeordneter: »Wir sind aber in einer besonderen

Lage. Wir sind ein geteiltes Land. Unsere Streitkräfte dürfen laut Verfassung nur zur Verteidigung eingesetzt werden; wir haben als einzige Nation grundsätzlich auf Atomwaffen verzichtet.«

Der Amerikaner: »Wenn ihr in einer so speziellen Situation seid, dann könnt ihr eben in der Weltpolitik nicht mitbestimmen.«

Ein Deutscher: »Wir tun ja aber eine ganze Menge für die Verteidigung Europas. Wir haben während der siebziger Jahre die Rüstungsausgaben um 30 Prozent erhöht, während eure in der gleichen Zeit geringer geworden sind. Außerdem haben wir allgemeine Wehrpflicht – ihr nicht.«

Der Berater aus dem Weißen Haus: »Wenn ihr nicht bereit seid, die Last zu teilen, dann werdet ihr auch nicht konsultiert. Ihr könntet wenigstens als symbolische Geste ein Schiff zum Persischen Golf schicken.«

Ein deutscher Professor: »Wir sind seit unserem Beitritt zur NATO daran gewöhnt und dazu erzogen worden, nur das Gebiet der Allianz zu verteidigen. Wenn ihr uns auf andere Kontinente schicken wollt und wenn ihr Nachrüstung verlangt, ohne daß in Verhandlungen mit den Russen überzeugend nachgewiesen wurde, daß alle Bemühungen um Rüstungskontrolle vergebens waren, dann besteht die Gefahr, daß die Jugend wirklich pazifistisch wird.«

Ein Harvard-Professor: »Wenn die Deutschen das Öl haben wollen, dann müssen sie auch was dafür tun. Unsere Beziehungen zu Paris sind heute viel besser als die zu Bonn. Die Franzosen haben 45 000 Söldner (*mercenaries*) in Djibouti, die könnten sie, wenn nötig, in Saudi-Arabien einsetzen. Ihr habt gar nichts, ihr wollt nur Ratschläge geben. – Die afghanischen Rebellen? Ich würde ihnen ebenso viele Waffen liefern, wie die Sowjets den Nordvietnamesen gaben.«

Diese Diskussion ist für die allgemeine Stimmung viel typischer als die offiziellen Erklärungen Washingtons, die immer wieder die volle Übereinstimmung mit den Europäern beschwören. Die Grundeinstellung in Amerika hat sich eben doch geändert und damit auch die Prioritäten und die Wahl der Freunde. Galt zu Nixons und Kissingers Zeiten und auch noch bei Carter und Vance die Einsicht, daß Mißverständnisse und eine falsche Behandlung von Konfliktfällen die größte Gefahr darstellen, woraus folgte, daß ständige Kontakte, Verhandlungen und Absprachen das Wichtigste sind, so ist die heutige Regierung offenbar der Meinung, daß die Gefahr ausschließlich im sowjetischen System als solchem steckt.

Damit wird dann das politische Problem internationalen Zusammenlebens zu einer prinzipiellen und moralischen Frage. Insofern war der viel beanstandete Ausspruch von Professor Pipes, Berater im Weißen Haus, so wie er zitiert wurde, durchaus logisch und folgerichtig. Pipes hatte angeblich gesagt, auf die Dauer gäbe es nur eine Alternative, entweder das kommunistische System verändere sich in Richtung auf die westliche Demokratie oder es gebe Krieg.

Nun wird bekanntlich nichts so heiß gegessen, wie es gekocht wird. Es gibt Realitäten und Sachzwänge, die der Verwirklichung ideologischer Vorstellungen den Weg versperren. Und es gibt Lernprozesse, die jede Regierung durchmachen muß. Die Europäer können einiges dazu tun, daß dieser Lernprozeß nicht allzu kostspielig wird. Sie müssen noch ein paar Monate Geduld haben. Sie dürfen nicht jede Rede von Richard Allen oder Richard Pipes für bare Münze nehmen, und auch des Präsidenten erste Schritte in dem für ihn neuen außenpolitischen Gelände sollten nicht gleich als gültige Direktive angesehen werden.

Dies gilt für das Kriegsgeschrei El Salvador gegenüber, das aus dem kubanischen Trauma geboren ist – nicht dem Kuba der Raketenkrise, sondern der Geburtsstätte der südamerikanischen Revolution. Es gilt auch für Reagans Erklärung, er denke darüber nach, den afghanischen Rebellen Waffen zu liefern. Eine Erklärung, die im krassen Gegensatz zu seiner Forderung steht, die Sowjets müßten aus Afghanistan abziehen, ehe Washington bereit sei, mit ihnen zu verhandeln, denn die Sowjets haben gerade dies – die Unterstützung der Rebellen durch fremde Mächte – stets als den Grund für ihre Anwesenheit in Afghanistan ausgegeben. Und es gilt für viele unbesonnene Aussprüche Reagans. Wir könnten uns da ein Beispiel an den Russen nehmen, die die Bezeichnungen, die ihnen der Präsident an den Kopf warf: »Terroristen, Lügner und Betrüger«, einfach überhörten.

In einigen wesentlichen Fragen hat der Präsident sehr einleuchtende Entscheidungen getroffen. Es war wichtig, daß das *Crisis Management Committee* nicht wie bisher dem Sicherheitsberater im Weißen Haus unterstellt wird, was der verhängnisvollen Rivalität mit dem Außenminister wieder Nahrung gegeben hätte. Daß die Erwartungen Haigs, er werde damit betraut werden, enttäuscht wurden, hat er ausschließlich sich selbst und seinem ungewöhnlichen Ehrgeiz zuzuschreiben, der durch die Ernennung von Vizepräsident Bush gezügelt werden sollte.

Wichtig war auch, daß die große Gruppe kalifornischer Freunde und Wahlkampf-Finanziers, die sich als Berater betätigt und sich in unmittelbarer Nähe des Weißen Hauses eingenistet hatten, von dort vertrieben wurde – freilich erst, nachdem einige von ihnen mit Botschaften und andern hohen Posten abgefunden worden sind. Sehr zweckmäßig ist auch der Versuch, Entscheidungen über so kontroverse Themen wie: Abtreibung, *busing* und die Wiedereinführung des Schulgebets auf das nächste Jahr zu verschieben.

Das Hauptanliegen der Regierung ist es, der Welt ein neues Image von Amerika als der entschlossenen Führungsmacht des Westens darzubieten und den Amerikanern nach den Demütigungen von Vietnam, Watergate und dem Geiseldrama wieder Selbstvertrauen und nationalen Stolz einzuimpfen. Nachdem Ronald Reagan das Attentat glücklich überstanden hat, wird er in den Augen seiner Landsleute vermutlich noch mehr Berechtigung haben, Opfer zu fordern.

Es gibt in der Außenpolitik Gründe genug, um besorgt zu sein. Aber wenn man sich einmal zu optimistischer Spekulation durchringt, könnte man sich vorstellen, daß gerade nach den martialischen Reden am Anfang und dem ostentativen Zögern Washingtons, sich auf Verhandlungen mit Moskau überhaupt einzulassen, der Weg für eine Rüstungskontrolle zum erstenmal freigeschaufelt worden ist.

Ob solcher Optimismus Realität werden kann, wird entscheidend von den Europäern abhängen. Sie dürfen keinen Anlaß dafür bieten, daß ihre Reaktion auf das übertriebene Säbelgerassel Amerikas mit dem Vorwurf Neutralismus bedacht wird – was bei ihnen dann wiederum antiamerikanische Emotionen auslösen würde. In solcher Eskalation, so scheint mir, liegt zur Zeit die größte Gefahr.

Antiamerikanismus in der Bundesrepublik?

Washingtons Kraftmeierei jagt uns Angst ein

Hamburg, im April 1982

Die kritischen Äußerungen über Präsident Reagan, die Erhard Eppler und Oskar Lafontaine auf dem SPD-Parteitag in München von sich gaben, werden sicherlich wie Schockwellen über den Atlantik gebraust sein – und darüber mag dort vergessen werden, daß nur 30 Prozent der Delegierten beim NATO-Doppelbeschluß für die beiden Oppositionellen stimmten, aber 70 Prozent für den Kanzler Helmut Schmidt.

Augenblicklich sind wieder einmal Argwohn und Mißtrauen gegen die Bundesrepublik ein gängiges Klischee. Wer kürzlich auf der deutsch-englischen Konferenz in Cambridge die westlichen Sanktionen gegen Polen um der Polen willen mißbilligte, löste bei vielen Engländern den Verdacht aus, die demokratische Gesinnung der Deutschen sei eben doch nur eine sehr dünne Tünche. Und wie die Franzosen uns in diesem Zusammenhang sahen, brachte damals, nach den Ereignissen in Polen, jene Karikatur des *Express* einprägsam zum Ausdruck, die Helmut Schmidt zeigte, wie er kniend dem hochaufgerichteten, triumphierend dreinblickenden Breschnew die Stiefel putzt, während Hitler und Stalin sich im Hintergrund die Hand reichten.

An plötzlich aufbrechende Vorwürfe und Verdächtigungen von Europäern sind wir gewöhnt und nehmen sie nicht tragisch, weil wir wissen, daß sie kommen und gehen. Aber daß ein drei Jahrzehnte lang unbeschwertes Verhältnis zu Amerika mit einemmal gestört erscheint, ist besorgniserregend. Wer helfen will, die Beziehungen wieder ins reine zu bringen, muß sich vor allem darüber klarzuwerden versuchen, wodurch sie denn eigentlich belastet werden.

Die amerikanischen Vorwürfe lauten: Den Deutschen sind Geschäfte wichtiger als die Freiheit; ihre Ostpolitik dient nicht der Normalisie-

269

rung, sondern der Beschwichtigung des Ostens; sie sind unzuverlässige Partner – siehe Afghanistan und Polen; ihnen ist die Beziehung zur Sowjetunion so wichtig, daß die enge Bindung an Amerika ihnen lästig wird. Weitere Kennworte des amerikanischen Argwohns lauten: Rapallo, die Friedensbewegung, die Grünen und Alternativen, Entspannung...

Wir sehen dies alles ganz anders. Die Bilder, die wir voneinander haben, decken sich einfach nicht mehr. Wir finden die Vorwürfe unberechtigt, haben aber natürlich eigene, die ebenso unberechtigt sein mögen. Zunächst jedoch läßt sich feststellen, daß nicht nur bei uns, sondern bei allen Europäern das früher selbstverständliche Vertrauen in das politische Urteil der amerikanischen Administration verlorengegangen ist. Was übrigens die Kolumnisten von *New York Times* und *Washington Post* viel erbarmungsloser analysieren und aggressiver zum Ausdruck bringen, als dies in Europa geschieht.

Alle Kritiker diesseits und jenseits des Atlantiks monieren: Die Reagan-Administration hat kein Konzept; das Allheilmittel wird stets in militärischen Reaktionen gesucht, selten in diplomatischen oder politischen; grundsätzlich wird mit zweierlei Maß gemessen: Militärdiktaturen, sofern sie nur ein Bollwerk gegen den Kommunismus darstellen, werden unterstützt, kommunistische Diktaturen unterschiedslos bekämpft; alle Krisen, auch ortsspezifische in anderen Erdteilen, werden in das Prokrustesbett des Ost-West-Konflikts gepreßt; Antikommunismus ist das einzige Kriterium, das die US-Außenpolitik kennt.

Für die Deutschen ergeben sich innerhalb dieses allgemeinen Rahmens kritischer Betrachtung noch besondere Gesichtspunkte, die mit der Teilung unseres Landes zusammenhängen.

Erstens: Wir haben praktisch auf die Wiedervereinigung verzichtet, und das bedeutet, daß wir das Los derer, welche die Last dieser Entscheidung zu tragen haben, also der Bevölkerung in der DDR, nicht noch schwerer machen dürfen. Wir dürfen die Kluft nicht vergrößern, die Kontakte zum Osten nicht abreißen lassen. Also: Entspannung – nicht Spannung – muß unsere Losung sein. Deshalb müssen wir viele Ärgernisse, beispielsweise die Erhöhung des Zwangsumtauschs, diplomatisch verarbeiten und können nicht spontan so reagieren, wie uns eigentlich zumute ist, nämlich: »Zum Teufel, dann beschneiden wir euch eben den Swing.« Wir können uns die Strafe-muß-sein-Reaktion der Amerikaner nicht leisten, denn dann würde die Eskalation von Rache und Vergeltung kein Ende nehmen, und die, die darunter zu leiden hätten, wären die anderen Deutschen.

Zweitens: Unser Land ist nicht nur geteilt, die Teile sind auch noch in die beiden feindlichen Militärallianzen eingegliedert, die sich an eben dieser Trennlinie der Welt hochgerüstet gegenüberstehen. Dies macht uns für jegliches Säbelrasseln besonders empfindlich. Leichtfertige martialische Reden der Kalten Krieger vom *Committee on the Present Danger*, die heute in zwanzig führenden Positionen der Reagan-Administration sitzen, jagen uns einfach Angst ein. Wer zu jenem Komitee gehört hat? Beispielsweise Paul Nitze, Chef der in Genf verhandelnden Delegation; Eugene Rostow, Chef der Rüstungskontroll- und Abrüstungsbehörde; William Casey, Direktor der CIA; Richard Pipes, Sowjetspezialist im Weißen Haus; Jeane Kirkpatrick, Botschafterin bei den Vereinten Nationen.

Die härtesten und aufreizendsten Reden stammen gar nicht einmal von diesen ehemaligen Kalten Kriegern, sondern von dem Rüstungsfanatiker Verteidigungsminister Weinberger, der gleich zu Anfang der Legislaturperiode vor dem Haushaltsausschuß des Kongresses erklärte: »Diese Regierung wird ihr militärisches Potential so vergrößern, daß sie jederzeit die Sowjetunion vor einem Weltkrieg (*global war*) abschrecken kann oder ihn zu führen im Stande ist.«

Nie war so viel von Krieg und so wenig von Frieden die Rede wie unter dieser Administration. Und da soll den Deutschen nicht angst werden? Dort, wo man dem potentiellen Gegner unmittelbar gegenübersteht, ist das Lebensgefühl eben anders als in 6000 Kilometer Entfernung. Im vorigen Herbst wurde in Amerika wochenlang über die Möglichkeit eines begrenzten – und das heißt doch auf Europa beschränkten – Nuklearkriegs diskutiert. Erst die Schreckensschreie der Europäer setzten diesem Unsinn ein Ende.

Ungeachtet dessen hat Richard Pipes jetzt die Wahrscheinlichkeit eines Nuklearkrieges mit 40 Prozent beziffert. Er, der im Weißen Haus sitzt, betrachtet es als die beste Abschreckung, »sich auf einen gewinnbaren Atomkrieg vorzubereiten«. Eugene Rostow schließlich hat unlängst in Yale die Behauptung aufgestellt, die Sowjetunion könne mit einem Fünftel ihrer Interkontinentalraketen alle Langstreckenraketen der USA vernichten. Er war es übrigens, der im vorigen Jahr vor dem Außenpolitischen Ausschuß des Senats auf die Frage, ob ein Land einen Atomangriff überleben könne, antwortete: »*Japan, after all, not only survived but flourished after the nuclear attack*« – schließlich hat Japan nach dem nuklearen Angriff nicht bloß überlebt, sondern erst richtig floriert . . ., und da soll uns nicht bange werden?

Für die Weltmacht Amerika ist die Sowjetunion ein Rivale, dem es überall in der Welt Paroli zu bieten gilt. Kleine Leute wie wir aber müssen darauf bedacht sein, den großen Nachbarn nicht unnütz zu verärgern. Das ist nicht *appeasement* – das ist Pragmatismus.

Solange Entspannung das allgemeine Klima beherrschte, gab es in der Allianz Raum für Differenzierungen. Seit jener Begriff verfemt ist, wird verlangt, daß alle auf das Kommando der Führung hören. Abweichungen auf Grund der Interessenlage werden als Verrat betrachtet. Wenn sich dies nicht dank höherer Einsicht ändert, wird das Bündnis einer gefährlichen Zerreißprobe ausgesetzt werden.

Glücklicherweise aber scheint sich in Amerika eine Wende vorzubereiten. Auch dort greift die Angst um sich: Geistliche, Ärzte, Hunderttausende von Jugendlichen und ein so prominenter Politiker wie Edward Kennedy protestieren gegen das aufgeregte Kriegsgeschwätz. Sie aber können nicht einfach als Pazifisten und Neutralisten abgetan werden.

Wenn wieder Maß und Vernunft in Washington einziehen sollten, wird das, was irrtümlicherweise als deutscher Antiamerikanismus angesehen wird, rasch verfliegen. Denn wir haben alle das gleiche Ziel: die Freiheit und den Pluralismus zu erhalten – diejenigen, die an der Trennungslinie der Welt leben, sogar in ganz besonders hohem Maße.

Die amerikanische Friedensbewegung wächst

Sie wird vom Establishment getragen – nicht, wie bei uns, von der Basis

Hamburg, im Juni 1982

Wenn Präsident Reagan auf der historischen Walstatt in Versailles die wirtschaftlichen Kontroversen mit den Europäern ausgefochten hat, werden er und sein Troß sich in Bonn den Sicherheitsfragen stellen. Er wird über Rüstung reden, aber auch über Abrüstung – und er wird mehr Gehör und Verständnis finden als noch vor einem Jahr, da er allen Bemühungen um eine Zügelung des nuklearen Wettrüstens mit abgrundtiefer Skepsis begegnete. Inzwischen haben ihn die Europäer überredet, mit den Sowjets über eurostrategische Kernwaffen zu reden; die Gespräche laufen seit November. Und nach langem Hin und Her hat sich der Präsident unter dem Druck der amerikanischen Friedensbewegung auch dazu durchgerungen, mit den Kreml-Führern erneut über eine Begrenzung der strategischen Arsenale zu verhandeln; die nächste Runde soll Ende Juni in Genf beginnen.

Im vorigen Jahr nannte Washington die Deutschen, die für den Frieden demonstrierten, Neutralisten und Pazifisten. Diesmal wird der Präsident der Friedensbewegung bei uns gewiß verständnisvoller gegenüberstehen, auch wenn sie aktiver aufs Protestieren fixiert ist als die mehr nachdenklich-erzieherisch bemühten Warner in den Vereinigten Staaten.

Man kann heute in Amerika kein Gespräch führen, ohne daß irgendwann das Thema Rüstungskontrolle, Einfrieren, Kürzung der Verteidigungsausgaben auftaucht. Es ist, als seien die Amerikaner genau wie die Deutschen, aufgeschreckt durch die leichtfertigen Reden über einen begrenzten Atomkrieg, sich erst jetzt der Existenz dieser Waffen bewußt geworden.

Sorgen und Friedenssehnsucht gehen in großen Wellen über das

Land. Unübersehbar sind die Organisationen und Gruppen, die sich zusammengeschlossen haben, um vor Nuklearwaffen zu warnen. Da gibt es die *Physicians for Social Responsibility,* also den Zusammenschluß der Ärzte, zu dem 13000 Mitglieder gehören, unter ihnen große Namen; ferner die *Union of Concerned Scientists (UCS),* deren Vorsitzender Henry Kendall Professor an dem berühmten *Massachusetts Institute of Technology* ist. Ihr gehören 120000 Mitglieder an. Die UCS ist die einzige Institution, die schon seit einer Reihe von Jahren existiert. Alle anderen – *Freeze in* oder *Ground Zero,* dessen Direktor Molander früher als Spezialist für Nuklearwaffen und Rüstungskontrolle im Weißen Haus saß – sind erst in den letzten zwei Jahren entstanden.

Anders als bei uns treten in diesen Gruppen viele Angehörige des Establishments als treibende Kraft auf: Wissenschaftler, Ärzte, Professoren, Rechtsanwälte. Senator Gary Hart setzt sich für diese Bewegung ein, der Kongreßabgeordnete Morris Udall, Paul Warnke, Carters Chefverhandler bei SALT, General Gavin, einst Botschafter in Paris. Fünfzig Bischöfe der katholischen Kirche protestieren gegen das Wettrüsten. Der Demokrat Senator Edward Kennedy, der zusammen mit dem republikanischen Senator Mark Hatfield einen Bestseller für das Einfrieren der Atomwaffen in Ost und West geschrieben hat, konnte 40 Prozent der Abgeordneten des Repräsentantenhauses und 24 der 100 Senatoren für die Unterzeichnung einer Moratoriums-Resolution gewinnen.

Die Reden, die der Präsident in Eureka und auf dem Arlington-Friedhof gehalten hat, zeigen die Sinnesänderung an, die sich derzeit in Amerika vollzieht und die man dort allenthalben spürt. Sie ist charakterisiert durch eine Reorientierung der Regierung von der extremen Rechten zur Mitte hin; Washington paßt sich der Realität an.

Das eröffnet Hoffnungen auch für die arg strapazierten, deutschamerikanischen Beziehungen. Ob sie freilich je wieder so selbstverständlich werden können, wie sie drei Jahrzehnte lang waren, mag durchaus zweifelhaft sein. Denn auch intensives Nachdenken fördert immer nur eine Motivation für die plötzliche Entfremdung zutage: enttäuschte Liebe. Und das ist, wie man weiß, eine schwer heilbare Krankheit.

Damals, nach den Jahren moralischer Perversion, Intoleranz und geistiger Enge der Hitler-Zeit, war die offene, frei diskutierende, moderne Gesellschaft Amerikas, ihre Vitalität, ihr Optimismus und ihr Vertrauen in die Zukunft geradezu eine Offenbarung für die Deutschen, die demoralisiert und ohne Hoffnung in der zerstörten Heimat vegetierten. Diese Gesellschaft jenseits des Ozeans wurde für uns zum bewunderten Modell. Die Amerikaner ihrerseits betrachteten die Bundesrepublik als eine Art Klein-Amerika: leistungsorientiert, wirtschaftlich potent, präzis und ihrem Lande in mancher Weise nicht unähnlich. Wahrscheinlich hatten beide Seiten, ohne darüber viel nachzudenken, das Gefühl, dies werde immer so weitergehen.

Aber eben dies tat es nicht. Wir, die Deutschen, meinen, weil in Amerika plötzlich ganz neue, bisher unbekannte, erschreckend martialische Töne angeschlagen wurden. Sie, die Amerikaner, meinen, weil wir, die wir durch Marshall-Plan und Luftbrücke zweimal von ihnen gerettet wurden, keinerlei Dankbarkeit zeigten. Beweis: Wir seien nicht bereit, ihrer Politik (die ein stark ideologisch gefärbter Antikommunismus bestimmt) ohne weiteres zu folgen. Ferner: Wir wären sehr darauf bedacht, den Kontakt zum Osten nicht zu verlieren, bildeten uns aber offenbar ein, der zum großen Bruder im Westen sei ganz selbstverständlich.

Wir haben in der Tat die Freundschaft Amerikas wohl für selbstverständlicher gehalten, als dies zulässig ist; und wir haben vielleicht auch vergessen, daran zu denken, daß uns um der Vergangenheit willen diese Lässigkeit doppelt angekreidet wird. Wahrscheinlich gibt es auch unter Völkern keine Freundschaft, wenn man sie nicht pflegt und sich um sie müht.

Bei einer Meinungserhebung wurde im vorigen Jahr die Frage gestellt: »Glauben Sie, daß die Vereinigten Staaten heutzutage eine besondere Rolle in der Welt zu spielen haben, oder sind sie ein Land wie jedes andere?« 80 Prozent waren von einer besonderen Rolle überzeugt. Auf die Frage: »Wie stolz sind Sie, Amerikaner zu sein?« haben 78 Prozent geantwortet: »außerordentlich stolz«. Nur zwei Prozent hatten die Rubrik »überhaupt nicht stolz« angekreuzt. Dieses nationale Selbstgefühl befähigt die Amerikaner dazu, aus voller Überzeugung ihr Urteil als Maßstab für alle anderen zu setzen. Denn waren es nicht ihre Vorväter, die sich entschlossen, das dekadente, von prestigebedachten Königen und Fürsten, von prunksüchtigen geistlichen Herren und

275

ständischen Hierarchien geplagte Europa zu verlassen, um »drüben« eine freie Welt gleichberechtigter Bürger aufzubauen, ein neues Gemeinwesen alternativer Lebensweise?

Freiheitsdrang und das Bedürfnis einer moralischen Begründung politischer Entschlüsse waren denn auch das Fundament, auf dem die Bürger, die sich in den Häfen Europas zu jenem großen Abenteuer eingeschifft hatten, ihren Staat gründeten. Etwas davon ist seither stets geblieben. Und geblieben ist wohl auch die Notwendigkeit, dieses Völkergemisch emotional zu motivieren; denn nur auf diese Weise läßt sich ein gemeinsamer Nenner für die Einwanderer aus so verschiedenen Kulturbereichen finden.

Nun ist der Weg zur Freiheit natürlich nicht eindeutig vorgezeichnet, und das moralisch erwünschte Ziel unterliegt auch unterschiedlicher Interpretation; allein die Emotionalisierung als Mittel zum Zweck ist stets konstant geblieben. In Amerika haben immer zwei Prinzipien miteinander konkurriert. Die Anhänger des einen wollen *Big government*, Hilfe für die sozial Schwachen, Gerechtigkeit, Wohlstand, Fairneß; die Verfechter des anderen Prinzips setzen auf Selbsthilfe, um nicht zu verweichlichen, auf Tüchtigkeit und Leistung; sie beschwören das freie Spiel der Kräfte, den Frontgeist und die nationale Stärke, und sie wollen den Einfluß des Staates auf das Nötigste beschränken.

Zur zweiten Gruppe gehört Ronald Reagan. Mit dem Schlachtruf: Kürzt die Steuern und die Staatsausgaben – mit Ausnahme der Rüstung –, damit die Leute wieder investieren, wollte er die Wirtschaft zum Blühen bringen, und mit der Devise: Macht Amerika stark, damit es dem Kommunismus widerstehen kann, das außenpolitische Programm bestreiten. Doch die Wirtschaft ist auf diese Weise in die Rezession geraten.

Die außenpolitischen Ambitionen aber, die durch bellikose Reden begleitet wurden und die den größten Rüstungshaushalt aller Zeiten – 1500 Milliarden Dollar in fünf Jahren – zur Voraussetzung haben, lösten eine gegenläufige Welle der Emotionen aus, so daß der Präsident nun im Schnittpunkt zweier aufeinander zurollender Sturmfluten steht. Einer, die er selbst ausgelöst hat und die man als antikommunistischen nationalen Aufbruch bezeichnen könnte, und einer zweiten, eben der hierdurch verursachten Reaktion angstvollen Fragens, wohin dies wohl alles führen werde, verkörpert durch die Friedensbewegung.

Reagan hat mit seinen Reden in Eureka und Arlington der Friedensbewegung Rechnung getragen. Aber, so fragt man sich, werden die
Falken im Pentagon und an der Spitze der entscheidenden Rüstungs-
und Abrüstungsinstanzen ihm folgen? Oder werden sie versuchen,
einen Kurswechsel zu verhindern? Man kann sich beides vorstellen:
sowohl, daß der Rüstungswettlauf weitergeht, als auch, daß der Präsident, der häufig genug das Happy-End auf der Bühne von Hollywood
gespielt hat, jetzt die Versuchung verspürt, auf der großen Bühne der
internationalen Welt der Held zu sein, der unserer bedrohten Welt den
Frieden bringt. Er könnte es, wenn er wollte.

Falsche Voraussetzungen

Reagans Sanktionen strafen nicht die Russen, sondern allein die Polen

Hamburg, im Juli 1982

Jeder Klippschüler lernt, daß es beim Rechnen auf den richtigen Ansatz ankommt, denn wenn der falsch ist, dann ist zwangsläufig auch das Resultat falsch. Anders kann es gar nicht sein. Das weiß im übrigen jeder, dessen Geschäft etwas mit Ursache und Wirkung oder mit Diagnose und Therapie zu tun hat; jeder Unternehmer also ebenso wie jeder Arzt. Auch für den Politiker ist diese Einsicht lebenswichtig, weil alles andere zur Katastrophe führt.

Natürlich wissen auch die erfahrenen Leute im *State Department* sehr genau, daß eine Politik, die auf falschen Voraussetzungen aufgebaut ist, zum Scheitern verdammt ist. Der Rücktritt von Außenminister Haig ist der beste Beweis dafür. Aber dem Weißen Haus, wo die Sanktionen gegen den Osten soeben noch einmal verschärft worden sind, ist dies offenbar unbekannt.

Schon gleich nach der Einführung des Kriegsrechts am 13. Dezember verkündete ein Sprecher Reagans voller Stolz, daß nur die amerikanischen Drohungen die Sowjetunion abgehalten hätten, in Polen einzumarschieren. Was für eine groteske Diagnose! Als ob die Russen ihre Entscheidung in einer für sie so existentiellen Frage von den zwangsläufig leeren Drohungen Washingtons abhängig machen würden.

Nein, die Sowjetunion mißt die Welt mit eigener Meßlatte. Für sie trifft in weit höherem Maße zu, was mit Recht für Amerika geltend gemacht wird: Sie ist ein Kontinent. Ihn zu durchmessen, braucht die Sonne zehn Stunden. Ein solches Reich lebt nach eigenen Gesetzen. Auch wenn die ganze übrige Welt unterginge, würden die Kasachen, Usbeken, Jakuten und die meisten anderen Sowjetvölker dies kaum bemerken.

278

Das oberste Gesetz für die Sowjets heißt: unter allen Umständen den Machtapparat im eigenen Reich abzusichern. Die Voraussetzungen dafür aber hängen von der inneren Situation ab und können von außen kaum beeinflußt werden. Darum sind für Moskau innenpolitische Fragen viel wichtiger als alle Außenpolitik. Alle entscheidenden Ereignisse in der Sowjetunion während der letzten drei Jahrzehnte waren endogener Natur. Sie sind vom Westen in keiner Weise beeinflußt worden. Das gilt für den Abfall Titos, für den XX. Parteitag und für das Schisma mit Mao. Eine einzige Entscheidung gibt es, bei der es scheinbar anders war: Kuba 1962. Aber der Entschluß, die eben in Kuba aufgestellten Raketen eigenhändig wieder abzubauen, war ja, wenngleich eine Reaktion auf die Drohung Kennedys, im Grunde nur eine Revision des selbstbegangenen Fehlers, sie dort installiert zu haben.

Nach dem 13. Dezember – also noch im alten Jahr – verkündete Washington die Sanktionen gegen Rußland und Polen. Es sperrte Warschau die zugesagten Getreide- und Lebensmittellieferungen im Werte von 740 Millionen Dollar, angeblich um Rußland für die polnischen Ereignisse zu strafen. Aber das einzige, was diese Maßnahme bewirkte, ist, daß Polen zwangsläufig und gegen den Willen selbst eines Teils der heutigen Führung in noch größere Abhängigkeit von Moskau geraten ist. Was aber eine wirkliche Strafe hätte sein können, unterblieb: die Einstellung der Getreidelieferungen an die Sowjetunion, der für dieses Jahr 23 Millionen Tonnen zugestanden wurden, die einen Wert von etwa vierzehn Milliarden Dollar darstellen.

Inzwischen sind Monate vergangen, werden die Tage bereits wieder kürzer, aber das Weiße Haus hat noch immer nicht begriffen, daß seine Diagnose falsch ist. Im Gegenteil, es ist dabei, die alten Fehler zu potenzieren. Ungeachtet der Europa-Reise des Präsidenten und der Beteuerung, seine wichtigsten Anliegen seien die freundschaftliche Zusammenarbeit mit den Europäern und die Verhandlungen über Abrüstung mit den Russen, hat er beide auf nie dagewesene Weise vor den Kopf gestoßen. Die Russen, indem er sie am Tage des Beginns der Genfer Verhandlungen mit neuen Sanktionen bedachte und zuvor die provokativste Rede, die je ein amerikanischer Präsident vor der UNO gehalten hat, dort zum besten gab; und die europäischen Bündnispartner, indem er jetzt hinterrücks versucht, ihnen die Erfüllung der Verträge, die sie mit der Sowjetunion über die Gasleitung abgeschlossen haben, unmöglich zu machen.

Die falschen Voraussetzungen, auf denen die Reagansche Politik fußt, verhindern im Osten den gewünschten Effekt. Das einzige, was sie bewirken, sind höchst unerwünschte Konsequenzen im Westen. Fürwahr eine gelungene Doppelstrategie.

Der Präsident ist unbelehrbar

Der Gasleitungs-Krieg
gegen die Europäer geht weiter

Hamburg, im August 1982

Nun hat also auch die britische Regierung die vier englischen Firmen, die sich vertraglich verpflichtet hatten, Gasturbinen für das sibirische Erdgas-Röhren-Projekt zu liefern, angewiesen, das amerikanische Embargo gegen die Sowjetunion nicht zu beachten. Begründung: Anweisungen Washingtons außerhalb der Vereinigten Staaten seien unzulässig. Der britische Handelsminister Lord Cockfield nannte die amerikanische Anordnung eine »unannehmbare Ausweitung der amerikanischen Souveränität«. Man könnte sie auch als »Anstiftung zum Bruch internationaler Verträge« bezeichnen und fragen, was wohl aus dem ohnehin gefährdeten Welthandel würde, wenn europäische Regierungen ihre Verläßlichkeit als Partner fragwürdig werden lassen, indem sie soeben geschlossene Verträge eigenhändig zerreißen.

Präsident Reagan hat bei seiner Pressekonferenz in der vorigen Woche noch einmal beteuert, daß er von seiner Embargo-Forderung nicht ablassen werde, ungeachtet der Tatsache, daß Bonn, Paris, Rom und nun auch London offiziell erklärt haben, daß sie sich nicht in der Lage sehen und nicht willens sind, von den Verträgen Abstand zu nehmen. Was Moskau jahrelang mit allen Mitteln zu erreichen versucht hat: einen Keil zwischen Europa und Amerika zu treiben, ist dem amerikanischen Präsidenten mühelos in wenigen Monaten gelungen.

Reagan erweist sich der Realität gegenüber als merkwürdig unflexibel. Er hält selbst unter völlig veränderten Umständen unbeirrbar an seiner Meinung fest – dafür gibt es neben dem Erdgas-Röhren-Geschäft auch andere Beispiele.

Im März 1981 sagte er ein Haushaltsdefizit von 45 Milliarden für 1982 voraus und erklärte mit großer Zuversicht, ab 1984 werde es kein

Haushaltsdefizit mehr geben. Tatsache ist, daß die Etatlücke 1982 über 100 Milliarden Dollar beträgt, für 1983 schon 150 Milliarden vorgesehen werden mußten, und die meisten Experten fürchten, daß das Defizit 1984 rund 200 Milliarden Dollar betragen werde. Daß Steuersenkungen, denen keine entsprechenden Ausgabenkürzungen gegenüberstehen, zu zusätzlichen Defiziten führen und diese zufolge der erhöhten Nachfrage nach Kapital die Zinsen nach oben und damit die Rezession in eine Krise treiben, scheint die Administration nicht wahrhaben zu wollen.

Ebenso hält der Präsident mit bewundernswerter Ausdauer an seinen Prognosen für den baldigen Aufschwung fest. Nach seinem Amtsantritt im Januar 1981 sagte er den Aufstieg für den Herbst 1981 voraus; zu Beginn des Jahres 1982 prophezeite Finanzminister Regan einen »rauschenden« Aufschwung für diesen Herbst; jetzt vertröstet der Präsident uns auf 1983. Der Kommentar des Chefs der US-Gewerkschaft AFL/CIO, Lane Kirkland, lautet bissig, die Regierung klammere sich an Hoffnungen und marschiere sozusagen »pfeifend über einen Friedhof«.

Mit nimmermüder Beharrlichkeit wiederholt der Präsident auch ein Argument für das Embargo: Die Sowjetunion müsse durch Einschränkung des Handels mit dem Westen für die Ereignisse in Polen gestraft werden. Es hängt dies mit der alten Forderung nach *linkage* zusammen, mit der Reagan einst antrat, also mit der Maßgabe, daß, wenn der Osten irgendwo sündigt, er überall gestraft werden müsse. Nicht recht verständlich ist freilich, warum *linkage* dort, wo es ins eigene Fleisch schneidet – also die amerikanischen Farmer treffen würde –, nicht praktiziert wird, während von den Alliierten verlangt wird, daß sie ungeachtet aller Folgen – Arbeitslosigkeit, Rufschädigung, politische Spannungen – solch eine Politik des Junktims praktizieren sollen. Dabei waren sie schon gegen diese Formel, als sie erfunden wurde. Und da die Sowjets auch in Australien oder Argentinien das Getreide mit Gold bezahlen müßten, überzeugt das Argument, Washington müsse Moskau finanziell zur Ader lassen, nicht sonderlich.

Man muß sich beim Thema »Embargo« noch einmal die Realität – mit der diese Administration offenbar auf Kriegsfuß steht – vergegenwärtigen: Polen gehört zum Warschauer Pakt, das heißt, es ist kommunistisch und wird, solange Moskau in jenem Bündnis das Sagen hat,

Mißfallens – als *overeducated s.o.b.* bezeichnet, weil ich in Europa studiert hatte.«

Dabei hatte Fulbright – ehemals Rhodes-Scholar in Oxford – mit seinen Änderungsideen natürlich ganz recht. Der Präsident, und das heißt in Amerika doch der Regierungschef, müßte natürlich vom Parlament gewählt werden, denn nur die Abgeordneten sind in der Lage zu beurteilen, wer für dieses Geschäft genug Kompetenz und Eignung besitzt. Als bei uns das Volk den Präsidenten wählte, wurde uns Paul von Hindenburg beschert.

Die wirtschaftlichen Aussichten, die alle Welt beschäftigen, werden eher pessimistisch beurteilt. Gewiß, die Inflation ist von 12,4 Prozent im Jahr 1980 auf unter 5 Prozent gedrückt worden, aber die Arbeitslosigkeit ist in der gleichen Zeit von 6 Prozent auf 10,4 gestiegen; und die gesunkene Inflationsrate hat schließlich nicht nur mit richtiger Politik zu tun, sondern hängt natürlich auch mit der Rezession zusammen. Deshalb senkt »die Fed«, die Zentralbank, den Zinssatz zur Ankurbelung der Wirtschaft auch nur sehr zögernd, weil sie befürchtet, daß sonst der Inflationsprozeß wieder in Gang kommt.

»Es war ja auch ein Blödsinn, zu meinen, daß man 1500 Milliarden Dollar in fünf Jahren für Rüstung ausgeben könne und daß es möglich sei, gleichzeitig die Steuern zu senken.« Der dies sagt, der Manager eines bedeutenden Industrieunternehmens, schüttelt verzweifelt den Kopf, so als habe er diese Erkenntnis gerade erst gewonnen. Er meint, es seien die Steuersenkungen, die zum größten Haushaltsdefizit aller Zeiten geführt haben: 111 Milliarden Dollar in diesem Jahr, 150 im nächsten und voraussichtlich 200 Milliarden im Jahre 1984. Niemand glaubt, daß dieses Loch im Etat in den folgenden Jahren gestopft werden kann; auch dann nicht, wenn es gelingen sollte, die Industrie, deren Kapazität heute nur zu 68 Prozent ausgenutzt ist, im nächsten Jahr wieder anzukurbeln. Jedenfalls ist man weit entfernt von dem Ziel, das der Präsident im Wahlkampf verheißen hatte: Mitte der achtziger Jahre werde der Haushalt ausgeglichen sein.

Eine andere, ebenfalls entmutigende Überraschung, die sich mittlerweile herausgestellt hat: Amerikanische Banken haben allein in Lateinamerika, Asien und Afrika 400 Milliarden DM ausstehen, die vermutlich nie wieder zurückgezahlt werden können.

Murray Weidenbaum, der zurückgetretene ökonomische Berater

des Präsidenten, spezifiziert die Bedenken gegenüber dem Rüstungs-tempo. Ihn besorgt die plötzliche Zunahme der Ausgaben vor allem deshalb, weil ein so steiler Anstieg einzelner Positionen – Flugzeuge 18 Prozent im Jahr, Panzer und Panzerzubehör 27 Prozent, militärische Fahrzeuge 27 Prozent – zu gewaltiger Verschwendung verleitet. Er meint überdies, es sei sehr wahrscheinlich, daß in vielen Fällen die Ziele aus produktionstechnischen Gründen gar nicht erreicht werden können und daß dadurch die militärische Planung in akute Krisen geraten werde. Kein Zweifel, der Präsident wird bei den Beratungen des Rüstungshaushalts, die gerade beginnen, erhebliche Streichungen hinnehmen müssen.

Wenn denn die Wahl vom 2. November 1982, wie viele Leute meinen, ein Referendum über die *Reaganomics* gewesen ist, so muß man wohl feststellen, daß dies negativ ausgegangen ist. Als ich im Mai in den Vereinigten Staaten war, hieß es noch, der Ruck nach rechts, den die Wahl Reagans bedeutet habe, werde auf mindestens zwei Legisla-turperioden die geistige und politische Entwicklung des Landes bestim-men: von liberal zu konservativ, von den Demokraten zu den Republi-kanern. Aber die jüngste *midterm*-Wahl hat gezeigt, daß es nicht um Philosophie, sondern um »Jobs« geht. Die Verluste der Republikaner sind dort am höchsten, wo die Arbeitslosigkeit in der Industrie am größten ist, außerdem in den ländlichen Gebieten, denn die Farmer mit ihrem langfristigen Produktionsumschlag leiden unter hohen Zinsen am allermeisten.

In Stichworten läßt sich derzeit resümieren: Die Neokonservativen von manchen als die geistige Führung der neuen Rechten angesehen sind bereits in wütender Opposition, weil sie finden, der Präsident, der sich natürlich nach der wirtschaftlichen Decke strecken muß, sei der wahren Ideen untreu geworden. Und die Fundamentalisten der religiö-sen Gruppen, die ihn gewählt haben, sind durch existentiellere Nöte in den Hintergrund gedrängt worden. Auch sie werden wohl zur Opposi-tion übergehen, wenn sich herausstellt, daß ihre Wünsche – die Revi-sion des Abtreibungsgesetzes und die Wiedereinführung des Schulge-bets – nicht erfüllt werden. Senator Jesse Helms, der Exponent der extremen Rechten, wird dies wohl einsehen müssen, nachdem er seine sechs Schützlinge, die mit zehn Millionen Dollar Wahlgeldern ausge-stattet waren, nicht hat durchbringen können.

290

Die Konservativen unter den Demokraten schließlich, die sich in der ersten Zeit dem Präsidenten eng verbunden fühlten, sind durch die Wahlen arg geschwächt worden. Eine Befragung von 30 000 Wählern durch NBC ergab, daß nur 7 Prozent Reagans Wirtschaftspolitik für einen Erfolg halten, während 37 Prozent der Meinung sind, es handele sich um einen Fehlschlag. Dennoch sagen eigentlich alle Beobachter, wenn die Präsidentenwahl morgen stattfände, würde Reagan wiedergewählt. Dieselben Leute, die seine Politik einen Fehlschlag nennen, finden, er sei ein guter Politiker, ein netter Kerl und ein ausgezeichneter Führer. Es ist erstaunlich, zu welch schizophrenen Urteilen unsere Fernsehdemokratie verführt.

Zur besonderen Führerqualität rechnet offenbar die trotzige Beharrlichkeit Ronald Reagans, dessen Kommentar nach der Wahl lautete, das Resultat bestätige die Richtigkeit seiner Politik. Auch hinsichtlich der von ihm vertretenen Theorie, die Steuern müßten gesenkt werden, um die Investitionen anzukurbeln, ist er ganz unbeirrbar. Jetzt beabsichtigt er sogar, die dritte Rate, eine zehnprozentige Kürzung der Einkommensteuer, die für den 1. Juli 1983 vorgesehen war, um ein halbes Jahr vorzuziehen.

Was in zwei Jahren sein wird, läßt sich heute noch nicht erkennen, weil niemand weiß, wie die wirtschaftliche Situation und die Lage am Arbeitsmarkt dann sein werden und welche Entwicklung die Friedensbewegung bis dahin nimmt. Als Faustregel gilt: Die Republikaner sind eher bereit, Arbeitslosigkeit in Kauf zu nehmen, die Demokraten finden sich eher mit Inflation ab.

Gary Hart, Vertreter der *New Liberals*, ein junger, ideenreicher Senator, steht auf der Liste der potentiellen demokratischen Präsidentenbewerber – freilich rangieren Edward Kennedy, John Glenn und Walter Mondale wohl vor ihm. Hart ist gegen jede Machtzusammenballung, sei es *Big business* oder *Big government,* und für Basisdemokratie. Er ist sehr offen in der Unterhaltung und überzeugend im Urteil. Aber im Gespräch mit ihm gewinnt man den Eindruck, daß die Demokraten kein alternatives Konzept haben und im Grunde wohl auch keinen wirklich überzeugenden Kandidaten vorweisen können.

Senator Hart meint, Kennedy werde vielleicht die Nominierung bekommen, könne aber wohl kaum die Wahl gewinnen; zu groß seien bei vielen die Bedenken gegen seine Person. Auch sei die Sorge beträchtlich, er werde dem Land zuviel »Sozialismus« und Bürokratie bescheren. Erschwerend für die Demokraten kommt hinzu, daß sie in zwei Gruppen gespalten sind: die alten *New-Deal*-Leute, die Umverteilung als das Kernstück ihres Programms sehen, und die neuen jungen Abgeordneten, denen es um weniger Staat und mehr Wachstum und neue Technologie geht.

Ob wohl das Beharrungsvermögen, das der Präsident in seiner Wirtschaftspolitik beweist, auch für seine ideologisch bestimmte Außenpolitik gilt, wollte ich von einem der Kolumnisten wissen, die man allwöchentlich in der *Herald Tribune* lesen kann. Seine Antwort: »Für diese Administration gibt es nur eins: Erst wieder auf die Beine kommen, wirtschaftlich und militärisch – alles andere ist egal. Und wenn es Jahre dauert.«

»Und die Allianzpartner, welche Rolle spielen die?«

»Die sollen sich gefälligst fügen.«

»Und die Dritte Welt?«

»Die mag, so heißt es, in ihrem eigenen Saft kochen. Wenn wir es geschafft haben, dann können wir immer noch sehen . . .«

Es ist wahr, die Aufhebung der Handelssanktionen gegen die Sowjetunion geschah nicht so sehr mit Rücksicht auf die Verbündeten, sondern weil die amerikanische Wirtschaft meuterte. Seit 1979, dem letzten Jahr, in dem es keinerlei Sanktionen gab, ist beispielsweise der Anteil amerikanischer Maschinen am sowjetischen Import von 7 Prozent auf 3 Prozent gefallen, der Anteil von US-Getreide am Getreideimport der Sowjetunion von 71 Prozent auf 17 Prozent, wie Handelsminister Patolitschew in der vorigen Woche – nicht ohne Genugtuung – den 250 amerikanischen Geschäftsleuten, die zum erstenmal seit vier Jahren zu Gesprächen nach Moskau gekommen waren, unter die Nase rieb. Es ist dies eine Gruppe, die Patolitschew und George Shultz im Zeichen der Détente 1973 gegründet hatten und die 200 US-Unternehmen sowie sowjetische Ministerien und Handelsorganisationen umfaßt.

Daß der Getreideimport aus Amerika so stark gefallen ist, stellt die Rache Moskaus für die Gasleitungs-Sanktionen dar. Und in der Tat, es schmerzt, denn Amerika hat in diesem Jahr rund 50 Millionen Tonnen Getreide Überschuß. Übrigens ist es George Shultz zu danken, daß die Sanktionen aufgehoben wurden. Anders als Haig fand er eine Version, die es dem Präsidenten gestattete, sein Gesicht zu wahren. Resümee: Die Sanktionen haben Amerika und dem Zusammenhalt der Allianz mehr geschadet als den Sowjets. US-Handelsminister Baldridge beziffert den Schaden, den amerikanische Firmen durch das Pipeline-Embargo erlitten haben, unter Hinweis auf *Caterpillar* und *General Electric,* auf 2,2 Milliarden Dollar.

Wenn es nach Vernunft und Logik ginge, müßte Washington seine absurde Vorstellung aufgeben, Moskau sei so schwach, daß es ohne finanzielle und technologische Hilfe aus dem Westen gezwungen sei, Mittel aus dem militärischen Sektor abzuziehen, um sie dem zivilen Bereich zuzuführen. Aber wird diese Administration solcher Einsicht fähig sein? Vorläufig lautet des Präsidenten Devise: Kurs halten! Obgleich viele – selbst ein so »Harter« wie Carters ehemaliger Sicherheitsberater Brzezinski – meinen, der Führungswechsel in Moskau müsse zu Verhandlungen genutzt werden, und zwar bald, solange die Beratungen im Kreml im Gang sind und das neue Konzept noch nicht einzementiert worden ist.

Vorläufig allerdings führen die beiden Supermächte noch einen rituellen Tanz auf: Jeder zeigt seine blanke Waffe, avanciert zwei Schritte, drohend: nur wenn der andere seinen Willen zur Besserung beweise, könne – begleitet von einem Schritt zurück – die vorhandene Bereitschaft zu besseren Beziehungen realisiert werden. Die Sorge, Verhandlungsbereitschaft könne als Schwäche ausgelegt werden, ist auf beiden Seiten gleich groß. Ob diesem gestenreichen Ritual Taten folgen werden, vermag vorläufig noch niemand zu sagen.

Die Reagan-Administration beurteilt die Möglichkeit, die Sowjetunion durch Sanktionen in die Knie zu zwingen, anders als die Europäer, aber darüber hinaus sehen wir die Russen überhaupt anders als die Amerikaner. Vielleicht hängt es damit zusammen, daß Rußland im Blickfeld der Amerikaner eigentlich erst als Sowjetunion, also als kommunistischer Staat, als Verkörperung einer teuflischen Ideologie aufgetaucht ist, während Rußland für die Europäer seit Jahrhunderten ein Nachbar ist, mit dem es viele Berührungspunkte gibt – freundschaftliche und feindliche, je nach den Gezeiten der Geschichte.

Von Peter dem Großen bis zur Revolution 1917 waren stets Deutsche als Gelehrte, als Kaufleute und hohe Staatsbeamte in Rußland tätig. Der Oldenburger Graf Christoph Münnich, der 1721 in Rußlands Dienste trat, wirkte dort fast ein halbes Jahrhundert lang; sowohl als Kabinettsminister wie als Feldmarschall. Karl R. Graf Nesselrode, aus rheinischem Adel, bekleidete nach dem Wiener Kongreß vier Jahrzehnte lang die höchsten Staatsstellungen in Petersburg – er war erst Berater, dann Außenminister, dann Vizekanzler, zuletzt zehn Jahre lang Reichskanzler.

Auch zwischen dem Zarenhof und den deutschen Fürstenhöfen gab es in fast jeder Generation verwandtschaftliche Verbindungen – schließlich war Katharina die Große, die viele Siedlungen für ihre Landsleute in Rußland gründete, eine Deutsche. Als Peter der Große die Akademie der Wissenschaft ins Leben rief, waren über die Hälfte der Mitglieder Deutsche, und zur Zeit der napoleonischen Kriege traten Hunderte von deutschen Offizieren in die russische Armee ein. Wer Rußland erst als Sowjetunion kennengelernt hat, hat naturgemäß ganz andere Assoziationen.

Im Grunde könnten der Wechsel in Moskau und die vorangegangene Wachablösung im *State Department* in Washington eine einzigartige Gelegenheit bieten, manchen alten Schutt wegzuräumen und zu versuchen, ob sich nicht einiges mit neuen Augen betrachten läßt. Das Mißtrauen beider Seiten wird gewiß bleiben. Aber beide Supermächte leiden gleichermaßen unter der Bürde der Rüstung, was Grund genug sein könnte, den Stillstand, der offenbar die Genfer Verhandlungen über Rüstungskontrolle beherrscht, jetzt aufzubrechen. Dies würde die Angst erheblich mindern, die diesseits, aber auch jenseits des Atlantiks die Bevölkerung befallen hat.

Diese Angst, die sich im *Freeze in Movement* und der Friedensbewegung kundtut, besonders eindringlich in der Stellungnahme der katholischen Bischöfe Amerikas, die bisher immer ausgesprochen konservativ waren, hat die Administration in Washington so sehr mit Sorge erfüllt, daß der Präsident sich genötigt sah, einen Sonderbotschafter nach Rom zum Papst zu schicken. Darüber, daß dieser unverrichteterdinge zurückkehrte, hat angesichts der Einstellung des Papstes zur Nuklearfrage niemand einen Zweifel.

Wenn neben den ungeheuren militärischen Anstrengungen die Bemühungen um politische Verhandlungen auch nur annähernd so intensiv wären, würde diese Administration ohne Zweifel an Glaubwürdigkeit gewinnen. Dies aber setzt voraus, daß das Klima sich ändert, denn wie

294

sollten wohl Gespräche über Abrüstung in einem Klima politischer Konfrontation gedeihen?

In einem der interessantesten Bücher, die in diesem Jahr in Amerika erschienen sind, in »*Post-Conservative America*«, analysiert der Autor Kevin Phillips die Stimmung in den Vereinigten Staaten. Er meint, sie sei gekennzeichnet durch eine äußerst gefährliche Mischung aus Frustration, Nationalismus, Fundamentalismus und technokratischen Fähigkeiten – eine Mischung, die, wie er meint, sehr wohl eine populistische Form von autoritärer Regierung heraufbeschwören könne. Dies mag übertrieben sein, aber es zeigt, wieviel Verantwortung die Regierung Reagan auf sich geladen hat.

Wohlstand statt Waffen

Ein Traum, der Wirklichkeit sein könnte,
anstelle der Wirklichkeit, die ein Alptraum ist

Hamburg, im Dezember 1982

Weihnachten 1982: Es ist gar nicht so einfach, in diesem Jahr aus
vollem Herzen in das alte Lied einzustimmen: »Oh du fröhliche . . .«
Ein bißchen Angst hat jeder, entweder vor der wirtschaftlichen Lage
oder der politischen Entwicklung oder der nie endenden militärischen
Rüstung. Und die verschiedenen Prognosen sind auch nicht gerade
aufheiternd. Wie sollten sie auch, sie extrapolieren ja meist nur den
jeweiligen Mißstand in die Zukunft und kommen dann in ihren Hoch-
rechnungen zur Verdoppelung der unseligen Gegenwartszahlen. Mit
anderen Worten, sie lassen alle anderen Daten unverändert, so als
handle es sich um eherne Umstände, die keine Macht der Welt verändern könnte.

Ein Beispiel: Als im Herbst 1973 die Vervierfachung des Ölpreises
der Welt den Atem verschlug, errechneten die in Bonn Zuständigen,
daß auf Grund der bis dahin vorliegenden Erfahrungen für je ein
Prozent Wachstum 1,2 Prozent mehr Energie benötigt werde. Heute,
im Jahr 1982, stellen dieselben Leute fest, daß es nur 0,7 Prozent sind,
und für die Zukunft hofft man, mit 0,4 Prozent auszukommen – also
mit einem Drittel der prognostizierten Menge!

Könnte es mit der Arbeitslosigkeit ähnlich gehen? Ist es vielleicht
nur eine Mode, daß heute einer den anderen an Schwarzseherei über-
bietet?

Antwort: Natürlich könnte es anders laufen als die Prognosen sagen,
nur ein einziges Element in den Voraussetzungen müßte sich ändern.
Und auch dabei handelt es sich nicht um ein von niemandem zu
beeinflussendes Naturgesetz, sondern um Entscheidungen, die von
Menschen getroffen werden. Aber da die Menschen sich unsere kon-

krete Welt offenbar nicht anders vorstellen können als sie zur Zeit ist, sei es erlaubt, einmal unter dem Weihnachtsbaum zu träumen und den Blick auf das Wünschbare, das Wünschenswerte zu richten, anstatt bloß aus der Gegenwart zu extrapolieren.

Doch ehe der Traum beginnt, muß die Ausgangslage real beleuchtet werden. In der Bundesrepublik gibt es über zwei Millionen Arbeitslose, in England über drei Millionen, in den Vereinigten Staaten fast zwölf Millionen. Im Gebiet der OECD, dem westlichen Wirtschaftsklub, sind es insgesamt 30 Millionen. Zu Tausenden summieren sich die Pleiten: Bei uns sind es in diesem Jahr 13 000, und auch in Amerika nehmen die Konkurse zu. Der Bürgermeister von Detroit, dem Zentrum der amerikanischen Autoindustrie, hat vorige Woche sein Gebiet zum »Hunger-Notstandsgebiet« erklärt, weil fast ein Viertel aller Beschäftigten ohne Arbeit ist und ein Drittel der Bevölkerung Hunger leidet. Er will sechs städtische Suppenküchen einrichten, damit die Arbeitslosen, die nur 36 Wochen lang Arbeitslosengeld beziehen, wenigstens einmal am Tag eine warme Mahlzeit erhalten. Der Gouverneur von Michigan hat zwei Tage später für das ganze Gebiet den Notstand ausrufen lassen.

Allenthalben befindet sich die Wirtschaft auf dem Abwärtstrend. Präsident Reagan hat entschlossen und von Optimismus erfüllt versucht, die Wirtschaft Amerikas durch Steuerermäßigungen wieder in Gang zu bringen – aber er hat sein kühnes Experiment selbst vereitelt, indem er gleichzeitig ein riesiges Rüstungsprogramm startete: 1600 Milliarden Dollar sollen in fünf Jahren für Sicherheit ausgegeben werden. Folge: Seine Voraussage, 1984 werde das Defizit im Haushalt ausgeglichen sein, hat sich als grotesker Irrtum erwiesen. Auch wegen der gewaltigen Rüstungsausgaben wird das Defizit für 1984 auf 200 Milliarden Dollar geschätzt; schon in diesem Jahr waren es über 100 Milliarden, und 1983 werden es 150 sein.

In der Bundesrepublik kostet ein Arbeitsloser den Staat – also uns alle – im Jahresdurchschnitt 25 000 Mark an Unterstützung, und wenn der Ausfall an Steuer und Rentenbeitrag mitberücksichtigt wird, dann sind es 42 000 Mark. Die zwei Millionen Arbeitslosen in der Bundesrepublik kosten uns, so gesehen, im Jahr 84 Milliarden, denen keine Wertschöpfung gegenübersteht – nicht eine einzige Mark!

Der Bürger verlangt mit Recht Sicherheit. Wenn diese durch Waffenproduktion nicht mehr gewährleistet werden kann, muß man darüber nachsinnen, ob es auf andere Weise möglich ist. Und hier nun beginnt der Traum:

Es könnte doch sein, daß beide Supermächte plötzlich den Abgrund erkennen, auf den sie zusteuern, daß ihnen also klar wird: Nicht ein gegnerischer Überfall, auf den sie fixiert sind, ist die Gefahr, sondern der wirtschaftliche Zusammenbruch mitten im Frieden. Darum ließe sich folgendes Szenario erträumen.

Die beiden Groß-Rivalen beschließen, einen Vertrag über den Verzicht auf Anwendung oder Androhung von Gewalt einzugehen und vom Moment der Unterschrift an jede weitere Rüstung zu unterlassen. Allein eine solche Entscheidung, also die Aussicht, daß Schluß gemacht wird mit Raketenzählen, neuem *overkill* und dem ständigen Denken in militärischen Kategorien, würde vielen Menschen Auftrieb und frischen Mut geben. Über den Abbau der vorhandenen Rüstungspotentiale muß natürlich in Genf weiter verhandelt werden. Das aber wäre unter den neuen Umständen viel erfolgversprechender, weil nun der heimliche Wettstreit, daß jeder mehr Waffen als der andere übrigbehalten möchte, sinnlos wird.

Diejenigen, die da wach sind, mögen dem Träumer entgegenhalten, Helsinki und auch die UN-Charta besiegelten ja bereits einen Gewaltverzicht, an den die Sowjets sich nicht gehalten hätten. Doch dies ist unzutreffend. Helsinki war kein Vertrag, sondern nur eine Absichtserklärung, und die UN-Charta war ein multilaterales Abkommen, das im Juni 1945 in der Hochstimmung des errungenen Sieges – »fest entschlossen, künftige Geschlechter vor der Geißel des Krieges zu bewahren« – abgeschlossen worden ist. Wer schließlich den Einwand macht, man könne einem sowjetischen Gewaltverzicht keinen Glauben schenken, der möge bitte erklären, wieso er dann Vereinbarungen über Abrüstung für glaubhafter hält.

Im Jahr 1981 sind im Westen (NATO) und im Osten (Warschauer Pakt) laut IISS, London, rund 500 Milliarden Dollar für Verteidigung ausgegeben worden: von den NATO-Staaten 287 Milliarden Dollar, vom Warschauer Pakt 211 Milliarden. Über den Daumen gepeilt kann man rechnen, daß etwa 60 Prozent der Verteidigungsausgaben in allen Ländern festgelegt sind für Wehrsold, Pensionen, laufenden Aufwand – so daß nur etwa 40 Prozent für Neuanschaffungen zur Verfügung stehen. Würden sie gestrichen, so stünden dem Westen 114 Milliarden Dollar für andere Zwecke zur Verfügung, dem Osten 84 Milliarden.

Nun ist es gewiß nicht so, daß diese Summen zusätzlich verfügbar wären, denn dadurch, daß die Rüstung eingestellt wird, tritt ja auf diesem Gebiet ein Nachfrageausfall ein, und die in der Rüstung Beschäftigten werden arbeitslos. Doch selbst wenn jemand meinen sollte, es würden ebenso viele Leute in der Rüstungsindustrie arbeitslos, wie anderwärts eingestellt werden könnten, wäre dies immer noch sinnvoll. Rüstungsgüter sind ja, volkswirtschaftlich gesehen, vollständig nutzlos: ein Trecker, der verschrottet wird, hat dem Bauern jahrelang gedient; ein Panzer, der ausrangiert wird, hat volkswirtschaftlich keinerlei nützliche Arbeit geleistet. Jene 114 Milliarden Dollar waren bisher totes Kapital – wie im Ostblock die 84 Milliarden. Je eher sie produktiv eingesetzt werden, desto besser.

Es ist schwer, sich eine zutreffende Vorstellung von solchen Umstrukturierungsproblemen zu machen. Meist erscheinen sie größer, als sie wirklich sind. Bei Kriegsende prophezeiten zwei bekannte englische Ökonomen, es werde allenthalben große Krisen bei der Umstellung von der Kriegswirtschaft auf die Friedenswirtschaft geben. Die Langzeitstudien der Engländer für die britische Besatzungszone gingen damals davon aus, daß die Eingliederungen der zwölf Millionen Flüchtlinge in die westdeutsche Wirtschaft 20 bis 25 Jahre in Anspruch nehmen werde. Für den Wiederaufbau Hamburgs veranschlagten sie ebenfalls rund 20 Jahre.

Was sich dann aber im Juni 1948 nach der Währungsreform abspielte, die den psychologischen Startschuß zum Wirtschaftswunder gegeben hat, hat Jacques Rueff, de Gaulles Währungsberater, einmal geschildert. Er schrieb: »Von einem Tag zum anderen füllten sich die Läden mit Waren, fingen die Fabriken wieder an zu arbeiten. Noch am Abend vorher liefen die Deutschen ziellos in den Städten umher, um kärgliche zusätzliche Nahrungsmittel aufzutreiben, am Tage darauf dachten sie nur noch daran, sie zu produzieren. Am Vorabend malte sich die Hoffnungslosigkeit in ihren Gesichtern, am Tage darauf blickte eine ganze Nation hoffnungsfreudig in die Zukunft.«

Natürlich läßt sich unsere heutige Situation in keiner Weise mit jener Nachkriegszeit vergleichen; auch nicht – was heute oft geschieht – mit den dreißiger Jahren. Damals, zu Beginn der Dreißiger, als es in Deutschland sieben Millionen Arbeitslose gab, waren Löhne und Preise nach einer langen deflatorischen Periode extrem niedrig, die Hitlerschen Inflationsspritzen wirkten daher wie ein warmer Regen auf ausgedorrtes Land. Heute geht es – weit schwieriger – umgekehrt darum, von überhöhten Kosten herunterzukommen, um auf diese Weise die Arbeitslosen wieder in den Wirtschaftsprozeß einzuschalten.

Was dagegen ähnlich sein könnte, ist die psychologische Wirkung eines vereinbarten Rüstungsstopps, der in gewisser Weise wie ein Friedensschluß wirken würde. Denn zum erstenmal seit vielen Jahrzehnten wiese die Rüstungsspirale dann nicht mehr nach oben, sondern nach unten. Die latente, oft unbewußte Angst vor einem Krieg – nuklear oder konventionell – wäre wie weggeblasen; bald würde jeder begreifen, daß der Wendepunkt gekommen ist, daß eine Zeit anhaltender wirtschaftlicher Ausweitung vor uns liegt. Und jeder würde sich aufmachen, um nicht zu spät zu kommen.

Wie könnte eine solche Ausweitung vor sich gehen? Zunächst wohl in Ost und West unabhängig voneinander. Später würde dann sicherlich auch der Handel zwischen den Systemen zunehmen. Im Osten würde vermutlich erst einmal der Lebensstandard gehoben: Trecker statt Panzer, künstlicher Dünger statt Pulver für Patronen und Granaten, Waschmaschinen und Fernsehgeräte statt militärischer Elektronik. Vor allem aber würde gerade in der Sowjetunion bei Einstellung der Rüstung viel Intelligenz frei, so daß dann neue Schwerpunkte der Entwicklung gesetzt werden könnten.

Im Westen würden die frei werdenden Mittel in Höhe von insgesamt 114 Milliarden Dollar je nach Einstellung – also je nach Nachfrage- oder Angebotstheorie – entweder für staatliche Umverteilung und Arbeitsbeschaffung verwandt werden oder, um den Spielraum des Marktes zu erweitern: für gezielte Steuersenkungen. Sie könnten dem Ausbau moderner Technologien, dem Energie- oder Umweltsektor zugute kommen oder auch der Dritten Welt.

In der Bundesrepublik würde es sich bei einem Verteidigungshaushalt von 46 Milliarden DM um etwa 18 Milliarden handeln, die sinnvoll investiert werden müßten. Das mag volkswirtschaftlich gesehen nicht ausreichen, um den Aufstieg aus der Krise einzuleiten, aber in Kombination mit der psychologischen Wirkung, die einem Startschuß gleicht, der die Überwindung des Rüstungsirrsinns ankündigt, könnten doch erhebliche Kräfte und Energien aus den Fesseln von Resignation und Pessimismus befreit werden.

Wer aus diesem beschwingenden Traum erwacht und feststellen muß, daß die weltweite Misere unverändert weiterbesteht, hat das Gefühl, daß die beiden Aggregatzustände vertauscht worden sind: Der Traum erscheint als normale Wirklichkeit, die Realität, die der Erwachende vorfindet, wirkt dagegen wie ein Alptraum.

Wenn Hysterie die Vernunft übermannt

Das Bonner Wahlergebnis ist kein Alibi
für Washington

Hamburg, im März 1983

Wer kurz vor dem 6. März – unserem von den Bündnispartnern zum »Schicksalstag Europas« stilisierten Wahltermin – in Amerika war, konnte nur staunen über das Ausmaß der dort herrschenden Fehlvorstellungen.

In den Augen vieler besorgter Amerikaner war bei uns wieder einmal die unberechenbare deutsche Seele zum Durchbruch gekommen: Weimar schien nicht mehr fern, eine Krise der Gesellschaft unvermeidlich. »Weltschmerz« und »mythische Ängste« hatten angeblich von den Deutschen Besitz ergriffen. Große Teile der Bevölkerung hätten sich, so hieß es, auf den breiten bequemen Weg zu Neutralismus und Pazifismus begeben, anstatt den schmalen, steilen Weg einzuschlagen, den schon die Bibel als den richtigeren preist – und der in diesem Fall zur Aufstellung der Pershing-Raketen führt. Die kürzeste Version dieser absurden Typisierung, die man von Vertretern der Administration hören konnte: Es gibt in der Bundesrepublik zwei Parteien, eine Reagan-Partei (die Guten) und eine Andropow-Partei (die Bösen). Erklärung: Den Guten geht es um Aufstellung der Raketen, den Bösen darum, sie zu vermeiden.

Wie abwegig diese Beurteilung war, hat der Ausgang der Wahl gezeigt. Auch die falschen Propheten müßten inzwischen eingesehen haben, daß es am 6. März nicht um Raketen, sondern um Arbeitslosigkeit und Wirtschaftssorgen ging. Man kann nur hoffen, daß die Euphorie über Kohls Wahlsieg in Washington nun nicht in konsequenter Verfolgung des alten Irrtums zu der beruhigenden Überzeugung führt, die Aufstellung der Raketen sei gesichert, sondern im Gegenteil zu der Erkenntnis, daß sich an der alten Problematik nichts geändert hat.

Die Deutschen sind am 7. März die gleichen, die sie am 5. waren. Etwa 60 Prozent der Bevölkerung sind dagegen, daß noch mehr Atomwaffen auf dem Boden der Bundesrepublik installiert werden, und von diesen hat wahrscheinlich fast die Hälfte für die CDU gestimmt. Vor zwei Jahren waren 51 Prozent der CDU-Anhänger für Aufstellung, heute sind es nur noch 38 Prozent; vor zwei Jahren waren 37 Prozent der SPD-Anhänger für Aufstellung, heute sind es nur noch 26 Prozent.

Nicht nur in der Medizin, auch in der Politik sind falsche Diagnosen lebensgefährlich. Die derzeitige amerikanische Administration aber ist stets so überzeugt von der Richtigkeit ihrer Vorstellungen, daß sie nicht umhin kann, diese schon in den Ansatz der Diagnose mit einfließen zu lassen. Erst hielt sie die Wahl vom 6. März für ein Referendum pro oder kontra Aufstellung. Und jetzt besteht die Gefahr einer falschen Reaktion. Allerdings gibt es diesmal widerstreitende Ansichten in Washington: Weinberger und das Pentagon scheinen zu meinen, Kohls Wahlsieg habe Präsident Reagan vom Druck befreit, jetzt könne man getrost hart bleiben und im Herbst aufstellen, denn nur dann würden die Russen nachgeben. Vizepräsident Bush und das *State Department* dagegen sind der Meinung, daß ein Beharren auf der Null-Lösung die Europäer in den Widerstand treiben werde.

Der Präsident selbst schwankt. Am 22. Februar sagte er, er habe nie *take it or leave it* – alles oder nichts – gemeint, aber vierzehn Tage später, Anfang voriger Woche, erklärte er vor den Protestanten in Orlando, Florida: »Solange die Sowjets die Allmacht des Staates über das Individuum predigen und schließlich die Beherrschung aller Völker dieser Erde voraussagen, bleiben sie der Kern alles Bösen dieser Welt.« Solche Sicht bei einem Missionar würde vielleicht dessen Adepten in Ehrfurcht erschauern lassen. Aus dem Munde eines Politikers haben solche Worte jedoch ein ganz anderes Gewicht, und die Schauer, die sie dem Bürger einjagen, sind anderer Natur – zumal der Präsident dem konservativen Wochenblatt *Human Events* gegenüber neulich bemerkt hat: »In meinem Alter, da ändert man sich nicht.«

Dabei gäbe es nichts, was die Einstellung der europäischen Skeptiker so nachhaltig zugunsten Washingtons verändern könnte wie ein überzeugender Beweis dafür, daß die Regierung Reagan nicht nur auf Rüstung bedacht, sondern ebenso dringend an erfolgreichen Verhandlungen über Abrüstung interessiert ist. Natürlich wissen die Verantwortlichen in Europa genausogut wie in Amerika, daß man den Russen gegenüber fest auftreten muß, weil Nachgiebigkeit nur größere Begehrlichkeit auslöst, aber die Europäer möchten auf keinen Fall von den eigenen Verbündeten an der Nase herumgeführt werden. Darum sollte Reagan so bald wie möglich in Genf einen konkreten Kompromißvorschlag auf den Tisch legen.

Es sind ja nicht nur Deutsche, die gelegentlich protestieren. Auch Christopher Soames, Schwiegersohn Churchills, einst englischer Botschafter in Paris und dann Vizepräsident der EG in Brüssel, verwahrt sich mit aller Vehemenz gegen den Vorwurf des Neutralismus und Pazifismus. In der *Washington Post* schrieb er neulich: »Es wäre ein großer Fehler, wenn das Ausmaß der Sorge in Europa und zunehmend auch in Amerika über die offenbar nie endende Anhäufung von Kernwaffen und die damit zusammenhängende Verschwendung von Rohstoffen unterschätzt würde.« Und er fügte hinzu: »Die Menschen müssen überzeugt werden, daß die Verhandlungen zur Reduzierung nuklearer Waffen wirklich ernsthaft sind.«

Ja, sind sie denn nicht ernsthaft? Beteuert der Präsident nicht immer wieder, daß er jedes vernünftige Angebot der Russen in Genf mit Freuden annehmen werde? Mag sein, aber wen kann das überzeugen, wenn gleichzeitig systematisch Mißtrauen geschürt und der Verhandlungspartner als Ausgeburt des Bösen apostrophiert wird? Dies ist keine Atmosphäre, in der man erfolgreich verhandeln kann. Daß die Experten in Genf sich einigen könnten, hat die höchst einleuchtend wirkende Abrede zwischen dem Amerikaner Nitze und dem Russen Kwizinski im Juli vorigen Jahres gezeigt. Aber was nutzt das, wenn die Politiker nicht wollen?

Und kann man denn glauben, daß Ronald Reagan wirklich will, wo doch seine Vorschläge offensichtlich die Sowjets benachteiligen und er seinerseits auf jeden Vorschlag von Andropow nur eine Antwort hat: *unacceptable* – unannehmbar. Auf das Angebot: kein Ersteinsatz von Atomwaffen – *»unacceptable«;* die Erweiterung dieses Angebots auch auf konventionelle Waffen: *»unacceptable«;* ein Vertrag über Gewaltverzicht zwischen den Supermächten: keine Antwort!

Jene Abrede zwischen Nitze und Kwizinski, die vorsah, die auf Europa zielenden SS-20 auf 75 Stück mit insgesamt 225 Sprengköpfen zu reduzieren und bei der NATO keine Pershing II aufzustellen, sondern nur 75 Abschußgestelle für 300 *Cruise Missiles* (mit je einem Kopf), wird vielleicht eines Tages den Beteiligten als der optimale Kompromiß gelten. In Washington heißt es, die Russen hätten ihn als erste – vor den Amerikanern – abgelehnt, obgleich man sich schwer vorstellen kann, daß ein solcher Kompromißvorschlag nicht im Politbüro besprochen worden ist, ehe er in Genf erwogen wurde. Doch wenn es so sein sollte, warum hat dann das Weiße Haus, das jeden sowjetischen Vorschlag für reine Propaganda hält, nicht zugestimmt, um endlich einmal den »sowjetischen Bluff« vor aller Welt zu enthüllen?

Weiter: Hätte man nicht erwarten können, daß Präsident Reagan als Ersatz für den entlassenen Eugene Rostow an die Spitze der Abrüstungsbehörde eine kompetente, vertrauenswürdige Persönlichkeit beruft, anstatt die Ernennung Adelmans »durch dick und dünn« zu verteidigen, obgleich dieser vom Senatsausschuß wegen totaler Unkenntnis der Sicherheitsprobleme und wegen seiner negativen Einstellung zur Abrüstung abgelehnt wurde? Und nun stellt sich auch noch heraus, daß der Chef der START-Delegation in Genf, General Rowney, »schwarze Listen« führen läßt, auf denen diejenigen, die nicht »hart« genug sind, warnend verzeichnet werden. Also nicht Flexibilität und Einfallsreichtum sind gefragt – doktrinäre Intransigenz ist Trumpf.

Schließlich sprechen ja auch die US-Rüstungsausgaben nicht gerade dafür, daß wir am Vorabend eines Rüstungsstopps stehen. Verteidigungsminister Weinberger hat kürzlich vor dem *House Budget Committee* seinen Etat verteidigt. Er verlangt für 1984 inflationsbereinigt 10,2 Prozent Steigerung gegenüber 1983, also statt 216 Milliarden Dollar 239 Milliarden. Man muß sich einmal die Entwicklung vor Augen führen: 1980 wurden 136 Milliarden Dollar für Verteidigung ausgegeben, für 1988 sind 386 Milliarden vorgesehen. Diese unglaubliche finanzielle Kraftanstrengung, die zum Teil auf Kosten der Sozialausgaben geht – seit 1970 ist der Durchschnitt der *family welfare payments* in der Kaufkraft um 30 Prozent gesunken –, wird damit gerechtfertigt, daß die russischen Verteidigungsausgaben so rasant gestiegen seien. Aber sind diese Zahlen verläßlich? In der vorigen Woche erklärten Ostexperten des CIA, daß der US-Geheimdienst das jährliche Wachstum der sowjetischen Rüstungsausgaben von 1976 bis 1981 um 50 Prozent überschätzt hat – es habe nämlich 2 Prozent und nicht 4 Prozent betragen. In absoluten Zahlen heißt dies: Die sowjetischen

Wehrausgaben belaufen sich zur Zeit nicht auf jährlich 222 Milliarden Dollar, sondern nur auf 160 Milliarden. Eine große, allgemeine Hysterie scheint die Welt erfaßt zu haben.

Auch wir haben dies vor dem 6. März zu spüren bekommen. Daß Helmut Kohl gelegentlich vom Vaterland sprach und Hans-Jochen Vogel vom deutschen Interesse, wurde sogleich als neuer »deutscher Nationalismus« diagnostiziert und führte zu der bangen Frage »Wohin streben die Deutschen?« Und was für eine lächerliche Aufregung über das Wort »Sicherheitspartnerschaft«; einst von Helmut Schmidt erfunden, wurde es, als Egon Bahr es kürzlich wiederholte, zum endgültigen Beweis dafür, daß die Bundesrepublik von West nach Ost abdriftet. Dabei geht es doch ohne Sicherheitspartnerschaft gar nicht.

Solange diese Geistesverfassung sich nicht ändert und Gegner einander als Hort des Bösen betrachten, wird es keine Ruhe geben, wird Hysterie der Normalzustand sein. Die beiden Supermächte sollten endlich begreifen, daß keine von ihnen Sicherheit auf Kosten der anderen erreichen kann. Unser aller Überleben kann nur garantiert werden, wenn sie gemeinsam handeln. Es wird Zeit, daß sie dies tun.

Amerikanische Wechselbäder

Die Außenpolitik schwankt zwischen Weltverbesserung
und nüchterner Überlegung

Washington, im Juni 1983

Als Helmut Schmidt auf der Höhe der Iran-Krise das Stichwort »1914«
fallenließ, hielten die meisten von uns diese Beschwörung für reichlich
abwegig. Hier in Amerika kommt einem jenes Stichwort wieder in den
Sinn. Senator Percy, Vorsitzender des außenpolitischen Auschusses,
erklärte soeben, für ein Treffen Präsident Reagans mit Parteichef Andropow sei angesichts der Situation nun wirklich Eile geboten.

Tagtäglich tischen die Zeitungen Meldungen auf wie diese: Ein
Admiral erklärt, die Sowjets hätten die Absicht, ihre U-Boote unter der
Eisdecke zu verstecken, darum müßten die Besatzungen trainiert werden, »um sie dort aufzuspüren und im Krieg versenken zu können«.
Stolz wird berichtet: »Dramatische neue Waffensysteme liegen nun in
der Blaupause vor, beispielsweise ein System, mit dessen Hilfe man auf
große Entfernungen aus einem Rudel von Panzern einen einzelnen,
den des feindlichen Befehlshabers, ›herauspicken‹ kann.«

Aber nicht nur Zuversicht wird verbreitet, sondern auch das nützliche Kontrastprogramm: Angst. Denn zur Zeit befindet sich Washington in der Phase der Budgetvorbereitungen, in der dem Kongreß
riesige Summen abgetrotzt werden sollen. Ein Bericht der Luftwaffe
stellt fest, in wenigen Jahren werde Moskau über so präzise Atomköpfe
verfügen, daß bei einem Überraschungsangriff nur ein Prozent der
landgestützten Raketen übrigbleibt.

In den gleichen Tagen stimmte der Kongreß einer Teilfinanzierung
der 100 MX-Raketen zu – ein Projekt, das 20 Milliarden Dollar kostet.
Wer noch den »Dreisatz« beherrscht, vermag leicht auszurechnen,
daß, wenn von 100 Raketen 99 vernichtet werden, die eine, die übrigbleibt, 20 Milliarden Dollar gekostet hat. Die *Scowcroft Commission,*

die soeben empfohlen hat, lieber die Anzahl der Sprengköpfe als die Abschußgestelle zu begrenzen, um eine bessere Kontrolle und damit bessere Überlebenschancen zu gewährleisten, entspricht mit ihrem Gutachten, die zehnköpfige MX in die verwundbaren Minuteman-Silos zu stecken, nicht einmal ihrer eigenen Empfehlung.

Das Pentagon argumentiert, man müsse die MX und auch andere Raketen erst einmal aufstellen, um sie dann, wenn sie den Russen genügend Angst eingejagt haben, wieder abbauen zu können. Man spürt, »1984« ist nicht mehr fern: George Orwells Visionen erscheinen glänzend gerechtfertigt. Es ist, als ob allen die Fähigkeit zum politischen Denken und die Sprache zum diplomatischen Verhandeln abhanden gekommen wäre und die Beteiligten nur noch mit Raketen herumzufuchteln imstande seien.

Jetzt heißt es in Washington, wenn die ersten Pershing II im nächsten Jahr in Europa aufgestellt sind, dann werden die Sowjets zweifellos zu Konzessionen bereit sein. Bisher wurde verkündet, schon der unerschütterliche Wille, dies zu tun, werde sie kurz vor Ablauf der gesetzten Frist – also Ende dieses Jahres – bestimmt zum Einlenken bringen.

Zur Realisierung solcher Mutmaßungen gehören aber stets zwei – sonst klappt es nicht. Nicht aufgegangen ist ja auch damals die Rechnung, man könne Vietnam mit Bomben an den Verhandlungstisch bringen. Desgleichen hat sich die Rechnung der Engländer nicht erfüllt, man könne Ian Smith in Rhodesien durch wirtschaftliche Sanktionen in die Knie zwingen (nicht einmal ihn – wieviel weniger also eine Supermacht).

Natürlich will niemand in Washington den Krieg. Die Russen auch nicht, aber sie haben seit dem Doppelbeschluß die Anzahl der SS-20-Raketen von 100 auf 360 erhöht – nur, sie reden stets vom Frieden und nicht vom Krieg. Auch hat man dort den Vorteil, daß die Geheimakten nicht nach 30 Jahren zur Veröffentlichung freigegeben werden, wobei jetzt in Washington bekannt wurde, daß sowohl unter Truman als auch unter Eisenhower die *Joint Chiefs of Staff* vorgeschlagen haben, einen Präventivkrieg gegen die Sowjetunion zu führen, die damals noch nicht über Atomwaffen verfügte.

Und heute? Ronald Reagans Reden sind nicht dazu angetan, ein Klima zu schaffen, in dem Furcht und Argwohn allmählich abgebaut werden und ein begrenztes Maß an Vertrauen entstehen könnte. Dies aber ist die Voraussetzung, um aus dem Teufelskreis – Angst und deshalb mehr Rüstung und darum noch mehr Angst und noch mehr Rüstung – herauszukommen.

In Orlando hat Ronald Reagan gesagt, die Sowjetunion sei »das Reich des Bösen«, und der Kampf in der Welt werde »zwischen Recht und Unrecht, zwischen Gut und Böse« geführt. Der Sowjetunion wird alles, was da unrecht und gefährlich ist, zur Last gelegt: »Wenn die nicht in diesem Domino-Spiel befangen wären, gäbe es keinen heißen Fleck in der Welt.« Die Sowjets argumentieren ähnlich. Sie meinen, der Kapitalismus sei, wie Marx lehrte, die Wurzel allen Übels in der Welt. Ausbeutung, Entfremdung, Imperialismus, Krieg, dies alles schieben sie dem Kapitalismus in die Schuhe. Schlußfolgerung: Wenn's den nicht gäbe, könnte die Welt in Frieden leben. Die Sowjets sind nach dem Gesetz einer Ideologie angetreten, da kann solches Räsonnement nicht verwundern. Aber wieso auch die Amerikaner?

Die Amerikaner sind seit eh und je durch starkes moralisches Engagement motiviert. Das hat sicher mit den Grundsätzen zu tun, mit denen sie in der Neuen Welt angetreten sind. Schließlich hatten sie ja die alte mit ihren Hierachien und Zwängen verlassen, um sich frei und aller Traditionen ledig einer alternativen Lebensweise zu verschreiben. Und sie hatten noch eine zweite Grundregel: »*As little political connection as possible with other nations*«, wie es in der Abschiedsadresse des ersten Präsidenten hieß – also Nichteinmischung und Isolationismus.

Diese beiden Prinzipien sind aber nicht miteinander zu versöhnen: Man kann nicht politische Nichteinmischung predigen und gleichzeitig moralisches Engagement im Sinne von Parteinahme für das Gute und gegen das Böse in aller Welt praktizieren. Diese zwei Seelen in des Amerikaners Brust sind wohl dafür verantwortlich, daß wir auch während der vergangenen 40 Jahre immer wieder den Wechsel zwischen *Containment* und Kaltem Krieg, Détente und ideologischem Aufbruch, Pragmatismus und Säbelrasseln erlebt haben – ungeachtet der Tatsache, daß Amerika inzwischen eine Weltmacht ist und von Isolationismus schon lange keine Rede mehr war.

Es ist eben schwer, ein einheitlich rationales Konzept zu haben, wenn man widersprüchlichen Idealen nachjagt. Die einzige Nachkriegsphase, in der die Europäer das Gefühl haben konnten, daß in

Washington eine in sich schlüssige Außenpolitik auf Grund eines rationalen, zusammenhängenden Konzepts gemacht wurde, war die Zeit, in der Henry Kissinger entscheidenden Einfluß auf die amerikanische Außenpolitik hatte. Und es ist gewiß symptomatisch, daß die Reaktion vieler Amerikaner auf diese Phase lautete: Zum Teufel mit einer Politik, die keine moralische Dimension hat, sondern ausschließlich auf machtpolitischen Überlegungen beruht.

Der Vorwurf »ohne moralische Dimension«, womit die Menschenrechte gemeint waren, war gänzlich unbegründet: Kissinger, der daraus kein Showgeschäft machte, hat in seinen Verhandlungen mit den Sowjets weit mehr Dissidenten und Mißliebige freibekommen als nach ihm Carter, der stets in aller Öffentlichkeit Forderungen zu stellen und mit erhobenem Finger über Menschenrechtsverletzungen zu predigen pflegte.

Wann immer in Amerika wieder einmal die ideologische Phase beginnt, läuft es vielen Europäern kalt den Rücken herunter, weil man nie weiß, wohin dies führt. Aber man sollte einen Trost nicht vergessen: Der Wechsel kommt sicher, und die nächste Phase ist dann wieder von Pragmatismus bestimmt – nur weiß man nie, wie lange es dauert bis dahin.

Jahrhunderte ungemein komplizierter Machtverhältnisse und wechselnder Allianzen, Krieg, Zerstörung, Haß, Rache und wieder Krieg haben die Europäer schließlich gelehrt, der Ratio mehr Platz einzuräumen als den Emotionen. Auch das ist anders bei den Amerikanern, deren Geschichte als Staat erst vor 200 Jahren begann; sie haben keine mächtigen Nachbarn und mußten, seit sie unabhängig wurden, nie Krieg mit einer fremden Macht im eigenen Lande führen.

Amerika ist das Refugium aller Mühseligen und Beladenen, aller Beleidigten und Erniedrigten, die dort ihr Glück zu machen trachten und Freiheit zu finden hoffen. Menschen ganz verschiedener Kulturen, Religionen und so unterschiedlicher Erfahrungen bilden aber keine homogene Gesellschaft, deren Geschichtsbewußtsein und pragmatische Vernunft sich beschwören ließe. Viel einfacher ist es darum, an ihre Emotionen zu appellieren, von denen der Antikommunismus wahrscheinlich die gängigste ist. Das fällt den Europäern dann auf die Nerven, vor allem wenn das eigene Tun auch noch mit messianischem Auserwähltsein legitimiert wird.

Zu Beginn dieses Jahrhunderts verkündete Präsident Wilson, die amerikanische Nation sei »die einzig idealistische der Welt, betraut mit dem unendlichen Privileg, ihr Schicksal zu erfüllen und die Welt zu retten«. Präsident Reagan läßt es heute, drei Generationen später, bei der Begründung seiner Aktionen in Zentralamerika nicht mit der Feststellung nationaler Interessen bewenden, er fügt auch noch hinzu, es sei eine moralische Pflicht, so zu handeln, wie er handelt.

Es ist natürlich leichter, sich auf die Besonderheit der amerikanischen Außenpolitik einzustellen, die man in Abwandlung von Clausewitz als die Fortsetzung der Innenpolitik mit den gleichen Mitteln bezeichnen könnte, wenn man versucht, ihre Motive zu verstehen. Doch darf dies die Europäer nicht davon abhalten, immer wieder auf Washington einzuwirken, um die Gefahren abzuwenden, die diese naive Philosophie in einer immer komplizierteren Welt heraufbeschwört.

US-Präsidenten und ihre Außenminister

Präsidenten		*Außenminister*	
Harry S. Truman	1945–1953	James F. Byrnes	1945–1947
		George C. Marshall	1947–1949
		Dean G. Acheson	1949–1953
Dwight D. Eisenhower	1953–1961	John Foster Dulles	1953–1959
		Christian A. Herter	1959–1961
John F. Kennedy	1961–1963	Dean Rusk	1961–1963
Lyndon B. Johnson	1963–1969	Dean Rusk	1963–1969
Richard M. Nixon	1969–1974	William P. Rogers	1969–1973
		Henry Kissinger	1973–1974
Gerald R. Ford	1974–1977	Henry Kissinger	1974–1977
Jimmy Carter	1977–1981	Cyrus R. Vance	1977–1980
		Edmund S. Muskie	1980–1981
Ronald Reagan	seit 1981	Alexander M. Haig	1981–1982
		George P. Shultz	seit 1982

314

Alle Beiträge dieses Buches sind zuerst in
der Wochenzeitung DIE ZEIT veröffentlicht
worden, lediglich drei Aufsätze aus dem
Jahre 1955 erschienen nicht hier, sondern in der
Tageszeitung DIE WELT. Kürzungen wurden nur
ganz gelegentlich dort vorgenommen, wo es sich um
inzwischen überholte Tagesaktualitäten
handelt – aus demselben Grund sind viele Titel
geändert worden.